166 × Youp

Youp van 't Hek

166 × Youp

2001

THOMAS RAP · AMSTERDAM

Voorwoord

De gelukkige columnist. Iedere vrijdagmorgen stommel ik een beetje door de kranten, ga niet echt op zoek, maar bots vanzelf op een bericht, een foto of een advertentie. Soms heb ik de krant niet nodig. Dan ben ik al verontwaardigd door een verhaal, een stukje televisie, een beetje radio of door iets op mijn persoonlijke pad, waarover ik zomaar struikelde omdat ik even niet oplette. Ik heb geen vaste regel, ga nooit op zoek naar mijn onderwerp, omdat ik weet dat dat niet werkt. Niet zoeken. Meteen vinden. Het mag ruw zijn, maar ook teder of gewoon vrolijk. Onschuldig mag ook. Glimlachen mag, fronsen is ook goed. Het hoeft niet altijd om te lachen te zijn. Je tegenstanders kwaad maken is ook vaak de bedoeling. In een column mag domweg alles.

Ik heb in de loop der jaren een paar vormen uitgeprobeerd. De gewone column met een kop en een clou en de brief. Eerst aan de koningin, later aan min of meer bekende Nederlanders, die die week in het nieuws waren en later heb ik nog een aantal mailtjes aan Màxima geschreven, maar toen te veel mensen met haar gingen corresponderen, ben ik gauw gestopt. Een column begin ik steeds aarzelend en altijd een paar keer opnieuw. Net als dit voorwoord.

Youp van 't Hek

Rijke meiden

Mijn eerste kamer betrok ik in negentiendrieënzeventig in de Majubastraat in Amsterdam-Oost. Nummer negenentwintig. Een zeer oude dame was mijn hospita en zij vroeg een huur van vijfendertig gulden.

Dat was ook in die tijd een schijntje. Het kamertje was niet groter dan een Volkswagenbusje. Er stond een bed, er was koud stromend water en het hok had een raam. Het toilet lag twee etages lager. Dus je moest wel in de wasbak. Nu was de wasbak tevens gootsteen en volgens mij heb ik in dronken buien regelmatig over mijn eigen afwas staan pissen.

Er zat een stomerij op de hoek, een snackbar met de naam 't Snorretje' en ik heb in dat eerste jaar een kruk versleten in café Pretorius. Daar dronk ik mijn eerste jenevers en eigenlijk ook mijn laatste. Sinds die tijd mijd ik dit soort straffere kost en beperk me tot wijn en bier.

Dit hok deed me eigenlijk voor het eerst beseffen in welke luxe ik was grootgebracht. Ik ben geboren in een prachtig huis in Naarden en heb daar mijn meer dan leuke jeugd gehad. Met mijn broers en zusjes speelde ik tot diep in de avond in de stille, lommerrijke lanen rond ons huis.

Hockey, voetbal, slagbal en later deden we de New York Yankees na door echt te honkballen. Het veld was klein en we speelden vier tegen vier, maar toch.

De Majubastraat was een breekpunt. Ik nam afscheid van het Gooi, stopte met hockeyen, ging boeken lezen,

7

sloop theaters en bioscopen binnen en begon me heel veel dingen af te vragen. Allerlei zaken waar het antwoord nooit op zal komen, maar het stellen van de vragen maakte mij in elk geval al veel wijzer.

Voor het eerst lag het bekakte mannetje met de grote bek 's nachts te slapen in een zogenaamde volksbuurt. Een wijk waar andere normen gelden dan in het beschermde Gooi, en waar hele andere types rondsjouwen dan de Floris Jannen en de Roderickjes met de vaders met hun meer dan goede banen in de veilige en rustige bank- en verzekeringswereld.

En natuurlijk is afstand het enige juiste standpunt om iets goed te bekijken. Opeens zag ik, zittend op de rand van mijn bed, allerlei kwakende moeders hun dochters opjagen en nog erger waren de vaders met hun zonen. Ik schoot steeds heviger in de lach als ik dacht aan het gekrioel van de kleine zielen aan de bar van het clubhuis van de Gooische, Be Fair, Laren of Kameleon. Hockeyclubjes met een ballotagecommissie om ervoor te zorgen dat er niet te veel frisse lucht binnenkwam. En ik hoorde erbij. Schaamteloos stond ik op vrijdagavond in café 't Bonte Paard mijn biertjes te hijsen en nog steeds heb ik geen spijt van die periode. Ik wist niet beter en als dat wel zo was geweest dan had ik er ook gestaan. Gewoon een kwestie van leeftijd. Alleen heb ik het gevoel dat ik op tijd heb afgehaakt en ik denk dat mijn leeftijdgenoten die nu nog steeds in de jubileumcommissie van een van die clubs zitten het volstrekt met me oneens zullen zijn.

Indrukwekkend zijn inderdaad de kouwe kakverhalen van de families met een beetje naam. Nog niet zo lang geleden stuurde mijn vader mij het berichtje uit het krantje van de Gooische Hockey Club, waarin meisjes C-4 werd uitgenodigd om op woensdagmiddag hun zojuist behaalde kampioenschap te komen vieren bij de familie Dubbele Naam. De kinderen werden uitgenodigd in een huis aan de Bussumse Groot Hertoginnelaan en dat is zo'n straat waar je onder het halfmiljoen geen stulpje kan vinden. De mededeling in het krantje vertederde mijn vader door de simpele regel: f 2,50 meenemen. Dus papa en mama Van der Meer tot Minder bliezen in de bus. Elf glazen ranja, elf plakken koek en een paar ons drop in een van de duurste huizen van het Gooi bij mensen met een inkomen van vier keer modaal en dan het schitterende regeltje: f 2,50 meenemen.

Mijn zusjes hebben ooit in een nog groter huis bij een nog bekaktere familie, van wie de vader drie keer per jaar zeilde op de Chinese Zee omdat die zo lekker wild kan zijn, gegeten en daar moesten ze een gulden bijdragen in de kosten van de boerenkool. De vader was een meer dan beroemd zeiler, kwam daarmee regelmatig in de krant. Telkens als ik zijn naam las, ging mijn fantasie aan de slag en ik zag hem die elf losse meisjesguldens opstrijken en in zijn zak stoppen. Misschien zijn ze juist op die manier aan hun fortuin gekomen, maar ik heb zo weinig 'leuk rijk' gezien. Gewoon volk dat het geld met vrolijkheid bij zich draagt en met verve uitgeeft. Eigenlijk zag ik altijd een benauwd, klagerig en op elkaar lettend volkje. Tandartsen die goed waren voor een paar ton per jaar en maar liepen te zeuren. Waarover?

Over geld natuurlijk. En nou waren de smoelsmidjes nog heilig bij de andere medici. Vooral de specialisten. Die konden er wat van. Ik heb bij mensen gegeten van wie je, gezien hun beroep, enige ethiek mocht verwachten en waar over niets anders dan over geld werd gesproken.

Verbouwingen, wintersport, Club Mediterranee-vakanties en dochters op de duurste Zwitserse internaten werden in de Larense bungalow besproken alsof ze het over de honger en de armoede in Bangladesh hadden. Het indrukwekkendste vond ik dat het heel vaak gebeurde in gezinnen waar de vader soms wel iets gestudeerd had en dus op de hoogte was van het feit dat er tussen hemel en aarde iets meer is dan een grote auto en veel geld. Nee, meestal werd ik geconfronteerd met een oogkleppenpapa die altijd aan het werk was, een parelteef in broekrok die de moeder uithing en het vele geld over de balk lazerde en een stel kinderen dat vervreemd was van de ouders met hun feestjes, bridgen, golfen en andere bezigheden, om in godsnaam maar niet thuis te hoeven zijn.

Gelukkig groeide ik op in de tijd van de partnerruil en heb ik aan een klein Blaricums pleintje, dat werd opgesierd met drie meer dan riante villa's, de volgende situatie meegemaakt: de echtparen, alle drie ouders van vriendjes, rommelden al een tijd met elkaar en op een avond kwam de Vesuvius tot leven. Stront aan de knikker. Enkelen wilden het avontuur niet tot één nacht geluk beperkt zien en besloten tot meer. De kogel ging door de kerk en na een hoop gelazer besloten alle drie de dames met hun kinderen een pandje op te schuiven. De mannen hebben in die wereld meestal het geld op hun naam en bleven op hun plek.

Nog altijd moet ik denken aan de melkboer die, zoals altijd, op maandagochtend kwam informeren wat de families nodig hadden. Hij stapte bij de familie Jansen binnen en trof mevrouw De Vries, dacht dat hij niet goed was uitgeslapen en schudde eens stevig zijn eigen maandagochtendhoofd. Hij zal gezwegen hebben en hij heeft natuurlijk gewoon de bestelling opgenomen en gedacht aan een verborgen cameraprogramma. Niet reageren dus. Bij De Vries trof hij echter niet mevrouw Jansen, maar mevrouw Peters en als sisser op de natte vuurpijl werd hij in het laatste huis aan het oh zo dure pleintje geconfronteerd met mevrouw Jansen. Tot zover kon het allemaal nog, maar toevallig kende ik de bewuste mevrouwen en ik weet zeker dat ze er tegen die arme melkboer nooit iets over hebben gezegd. Waarom niet? Omdat ik nog nooit kringen heb gezien waarin mensen zo slecht met elkaar kunnen praten. Zelfs de kinderen werd het meer dan onhandig uitgelegd. Praten binnen de veiligheid van de club gaat allemaal best en het beroddelen van elkaars coaches, besturen en elftallen lukt ook aardig, maar om nou iets doodgewoons als het doorschuiven van de moeders uit te leggen, dat gaat al snel te ver. Toch zag ik alles pas op mijn eerste kamer in de Majubastraat en daar kon ik beginnen met schrijven. Een van de eerste liedjes die ik schreef, kende het volgende refrein:

> Pa maakt carrière
> gezin raakt in misère
> in zijn zaak ondergedoken
> heeft zijn zoon nog nooit gesproken
> die jongen heeft het scheren
> van zijn moeder moeten leren
> want vader heeft geen tijd
> wat zijn portemonnee niet spijt.

Ik weet nog dat ik het in november negentiendrieënzeventig voor het eerst zong in het Huizense Plankeniers- theater. Ik zag een aantal bevriende blazertjes ineen krimpen. Het ging over hun ouders, want neem één ding van mij aan: er wordt in het Gooi hard gewerkt of in elk geval gedaan alsof. Zoveel mensen rijden daar in die net te dure auto naar dat net te dure huis en beulen zichzelf af om het allemaal maar te kunnen blijven betalen. Want de stap terug is natuurlijk dodelijk. Binnen het Gooi doe je die stap dan ook niet. Dan verhuis je meteen naar andere oorden. Al is het maar naar Bilthoven of Zeist, waar dezelfde normen en wetten gelden. Want er is natuurlijk niet één Gooi. Er zijn in Nederland een stuk of twintig Gooitjes, die elders Wassenaar of Bloemendaal heten. Alleen ken ik dat ene en dan vooral Bussum waar ik in de delicatessenwinkel van Warmolts werkte en waar ik uren met die paardenshawls stond te hannessen over een half onsje Parmaham of een blikje zalm. De jongens reden op peperdure brommers van het merk Honda en de meisjes gingen per Mobylette. De Puch en de Tomos waren meer voor de dijkers en daar hadden we niks mee te maken. Het is mij opgevallen hoe gemakkelijk sommige kinderen een brommer voor hun zestiende verjaardag kregen.

'Ga maar kijken in de garage schatje' en daar stond dan iets van tweeduizend gulden te glimmen en te dampen. Het ergste vond ik dat er zo normaal over gedaan werd en dat had natuurlijk weer te maken met de beroemde buitenkant. Jouw zoon een dure brommer met zijn verjaardag, de mijne ook. Natuurlijk waren en zijn er ook de echte rijken.

Niet dat nieuwe op hun tenen lopende volkje, maar meer de Dreesmannetjes en de Brenninkmeijertjes. Het rare was dat die hun kind geen brommer gaven. Die hadden het niet nodig of zo.

Zo had ik in die jaren een vriendje en die heette Robert Jan. Zijn ouders hadden echt geld. Dus geen wisselgeld of gesmeek bij de bank. De bank smeekte bij zijn ouders. Robert Jan woonde zo groot dat zijn broer bij wijze van humor op een nacht de auto van zijn moeder in de woonkamer heeft gezet. Even via de tuindeuren de Mini naar binnen gereden, tussen de Chesterfields gezet en als ontbijttafel gedekt. Nog steeds zie ik dat als humor, vooral omdat hun nogal netjes sprekende moeder jaren later tegen me zei: 'Ik weet nog steeds niet wat er leuk aan is'.

Bij hen werd ik aan tafel geweigerd omdat ik een T-shirt aan had. Het was geen officieel diner of zo, maar gewoon een doordeweekse paasvakantiedag. Zij hadden een kamer met geweien aan de muur en twee onverstaanbare zusjes, rijke meiden die zo bekakt spraken dat het moeilijk was om niet in de lach te schieten. Ze wisten niet beter en kakelden sherryflessen lang over het waterskiën in Lausanne, de kostschool in Genève en de au pairtijd in Parijs. Ondertussen hadden zich twee vlot studerende corpsballen van hetzelfde kaliber gemeld en die werden zonder problemen de aanstaande echtgenoten van de meisjes. Een huwelijk met alles erop en eraan. Een lijstje bij Metz en één bij Focke & Meltzer, een bachelorsparty voor de jongens, een kitchen-shower voor de meisjes, een feest, het stadhuis, de kerk, de receptie en dan nog het huwelijksdiner. Omdat Robert Jan mijn vriend was, heb ik het van dichtbij gezien, maar als je zag wat er werd afgemekkerd over hoedjes, avondjurken, jacquets, corsages, kappers en ander gedoe, werd je op slag homoseksueel om het nooit mee te hoeven maken. Iedere gast had er een halve dagtaak aan. Nu was dit in een kring waarin echt geld was, maar de treurigheid wil dat alle andere families het tegenwoordig ook doen. Elke hockeybal die trouwt, stelt een paar vrienden en vriendinnen aan als zogenaamd 'bruidspersoneel' en als je toevallig tot de gasten behoort, word je door deze mensen lastig gevallen met het verschrikkelijkste gefröbel. Je moet een jeugdfoto insturen of een sloop borduren of een goede herinnering aan het bruidspaar op papier zetten. Maar vaak zijn het dusdanige suffe stellen dat je er geen enkele goede herinnering aan hebt. Hoe je ook graaft of wroet in het diepst van je geheugen, je kan niks verzinnen. Natuurlijk ben je niet de enige die niks met ze heeft meegemaakt en de slotsom is dat je een album met zouteloze anekdotes krijgt. Zo'n boek illustreert en onderstreept de saaiheid van het aanstaande echtpaar en dan begrijp je waarom ze niet op het idee zijn gekomen om een beetje origineler te trouwen.

Zelf ben ik een keer slachtoffer geweest van een huwelijk waar ik niet onderuit kon. 's Morgens om half negen stond ik bij de bruid thuis en daar was men meer dan nerveus over de volgorde van de auto's.

Piet moest als één, Jaap als twee, Truus als drie en ik mocht, geloof ik, als vierde. Het werd in het veel te nauwe straatje een druk gemanoeuvreer en na een klein halfuur stond de stoet in de juiste volgorde.

We waren nog geen minuut onderweg of ik moest een auto die van rechts kwam voorrang geven. Achter deze auto zaten nog twee auto's en binnen drie straten was het een hele andere stoet dan die waarvan de van opwinding kokende schoonmoeder van mijn vriend maanden lang gedroomd had. Na het stadhuis gingen we naar een romantisch kerkje en dat was de eerste en tevens de laatste keer dat ze zo'n gebouw van binnen zagen. Er werden geplande tranen weggepinkt. De familie was ontroerd en ook bij mij biggelden ze bij liters. Van het lachen uiteraard. Opeens sta je daar: figurant in een soap, maar dan wel één van Nederlandse makelij. Of erger nog: een Gooise productie. De beker van de bachelorsparty had ik al aan me voorbij laten gaan, maar toen ik hoorde dat de vriendinnen van de bruid haar bij wijze van humor als toiletjuffrouw van café Hoppe hadden neergezet, maar dat er nóg een aanstaande bruid was wier personeel hetzelfde had verzonnen, zodat ze met zijn tweeën voor joker in het toilet van dit hockeyhol zaten, brak mijn klomp onlijmbaar in duizend stukken.

Dit is het Gooi ten voeten uit en het wordt nooit of te nimmer anders. Het zijn zeker niet de kinderen die elkaar bij dit soort huwelijken opjagen, maar juist de ouders. Het is de moeder van de bruid die voor de tweede keer trouwt en het dit keer door haar dochter laat opknappen.

Wil je je op dit moment in de Gooise kringen handhaven dan moet je golfen en dat is de enige sport waarbij je gewoon over je handicap praat. Er is echter een overschot aan golfers omdat iedereen die dik in de vijfentwintig is de oude lullenmentaliteit krijgt en op zondagmiddag met zijn vriendin achttien holes wil afstruinen. Het gevolg is dat elke strook groen in Nederland (we hebben er nog drie) is gebombardeerd tot golfbaan en daar loopt het volk elkaar te verdringen in het ontspannen doen. Langs de snelweg zie je ziekenhuisbaantjes en daar staan de zakenjongens in etages te oefenen in het afslaan. Onlangs werd ik opgeschrikt door het gruwelijke feit dat een jongen met wie ik vroeger meer dan gelachen heb, het nu ook doet. En hij is met zijn vrouw een weekje op golfvakantie naar Spanje geweest. Terwijl hij met zijn mokkel door de vrije natuur liep te ploegen, paste een gelegenheids au pair op de kinderen. Een grote scheut medelijden ging door me heen. Medelijden met de au pair, met de kinderen, maar vooral met mijn vriend. Dit was toch het volk dat we een jeugd lang hebben uitgelachen?

Tegen hun huizen stonden we na eindexamenfeestjes te pissen en in hun zwembad doken we als we wisten dat ze een weekje waren golfen in het buitenland. Met wie heb ik dan gelachen? Waarom dan? Hoe kan je nou worden wat je vroeger verachtte? Maar misschien is de stap kleiner dan ik denk.

Heel veel Gooische ouders vinden het meer dan belangrijk dat hun kind het gymnasium haalt en dat moet het doen in combinatie met viool of pianoles en het verplichte hockeyen. Daar er ook nog gewoon geleefd moet worden en de meeste kinderen een slagje minder wonderkind zijn dan hun blinde ouders altijd hebben gedacht, komen ze vrij snel in de problemen. Het kind is jong dus er moet ook nog gelachen worden en dit gaat in combinatie met vrijen en drinken ten koste van de schoolprestaties. Tot zover is er nog niets aan de hand, zij het dat de ouders op de club niet kunnen blazen over hun Joris, Sander of Martijn. Daar in mijn tijd veel van die vaders altijd op de zaak waren en de moeders dagen rondhingen op de tennisclub, dansten de muizen bij gebrek aan kat. Dit had tot gevolg dat veel, meestal zoontjes, hopeloos achter raakten op school. De viool werd überhaupt niet aangeraakt en het hockeyen werd het enige doel om voor te leven. Hier hadden de chique ouders twee antwoorden op. Of je moest naar mevrouw Heemskerk, een mevrouw die je niet eerder vrijliet voor je je huiswerk af had. Of, als deze toen al kostbare methode mislukte, dan ging je naar Blankenstijn. Dit was voor de vaders met veel te veel geld. Meneer Blankenstijn vulde het gat in de markt. Hij garandeerde de rijke stinkerds dat hun zoon of dochter aan het eind van het jaar met een diploma thuiskwam en dat gebeurde ook. De Blankenstijnleerling werd een zombie, een monnik, een vreemde en had een hoofd volgestampt met kennis die er zo stevig ingeperst zat dat, als hij de eerste keer zijn ogen weer open deed, alles eruit barstte en hij dezelfde dombo was als toen zijn vader hem die kant uit stuurde. Maar de eer was gered, de studie kon beginnen en uiteraard het liefst rechten in Leiden. Daar heb je zo'n leuk corpsleven.

Natuurlijk kom ik nog veel in het Gooi, veel familie woont en hockeyt er fel en ik zie aan de opgroeiende neefjes en nichtjes dat er eigenlijk niks is veranderd. Wij gingen naar café 't Bonte Paard en zij gaan naar De Koperen Kraan. Zij gaan naar disco The Stars en wij kwamen in The Smugglers. Dat was niet alleen het eind-station van de Gooise kak, maar van heel drinkend Bus-sum. De meeste rijke meiden met wie ik het in mijn jeugd heb gedaan of graag had willen doen, wonen er nog steeds en zijn veel beter getrouwd dan mijn vrouw. In de buurt waar ik jaren heb gewoond, zie ik ze regelmatig bij de kleuterschool staan wachten op hun kinderen. Samen-geschoold in hun uniform. De broekrok is het meest do-delijke onderdeel van dit verplichte pak. Elke keer als ik een vrouw in twee van die slobberpijpen heb gezien, ben ik dagen impotent en de dag dat mijn vrouw in zo'n ding loopt, zal ik zonder opgaaf van redenen voor altijd ver-trekken. In stilte. Een vrouw in een broekrok is het erg-ste wat je een man kan aandoen en als een man voor de rechter staat omdat hij de secretaresses en telefonistes met ongewenste intimiteiten heeft bestookt, dan dient hij vrijgesproken te worden als hij kan aantonen dat zijn vrouw zich in zo'n ding voortbeweegt. Volgens mij kan je vijandige legers op de vlucht jagen door een clubje Wassenaarse notarisvrouwen in broekrok naar het front te sturen. Ik denk eigenlijk dat een foto van een vrouw in dit fantasieloze stuk textiel al meer dan genoeg is.

Maar die vrouwen staan dus bij de kleuterschool en een paar heb ik ooit in mijn onschuld gekust en ik durf te wedden dat de spijt nu wederzijds is. Nu zie ik de degelijke panty's, het solide truitje, de stevige platte schoenen en de kinderen in het zogenaamd losbollige Oilily en Benetton. De mannen reden telefonerend door het land, zitten in een vergadering of 'doen' even een broodje met een relatie. Keurig in het pak, goed levend van hun salaris met een beetje aanvulling van huis uit voor de extra's zoals het tweede autootje, de golfvakantie in Schotland of Spanje en het 'snowcamp' voor de kinderen in Zwitserland.

Ze rijden zich een breuk om de kinderen naar trainingen, muzieklessen en school te brengen, zitten in een paar bestuurtjes en spelen op dinsdagochtend zelf nog een potje huisvrouwenhockey met een sherrytje toe. 's Avonds staat het eten op tafel en er is elk weekend wel wat. Dat is het leuke van zo'n club. En er wordt uiteraard gegolfd. Op een gegeven moment verliezen ze de kinderen een beetje uit het oog, maar inmiddels zit hun Jan Jaap bij de bank allang op het niveau dat hij voor de kleine Joris Blankenstijn kan dokken.

Zonnig Madeira

Zo hadden mijn vrouw en ik besloten om een korte vakantie op Madeira door te brengen. Waarom Madeira? Weet ik niet meer. We wilden niet Canarisch en wel een beetje warm en niet al te lang vliegen en zeker niet overstappen en je moest er op 1 januari naar toe kunnen en zo waren er vast en zeker nog wel honderd andere niet meer te achterhalen argumenten om die kant uit te gaan.

Madeira dus en ik neem het de mevrouw van het reisbureau nog altijd kwalijk dat ze ons niet tussen neus en lippen heeft laten voelen dat Madeira absoluut het saaiste eiland van alle eilanden is. Hoewel? Er ligt nog een eilandje naast en dat is saaier. Veel saaier zelfs.

In de folder stond een oud hotel afgebeeld en dat leek ons leuker dan zo'n buitenwijkig, Hiltonachtig Pullitzer vol vroeg-demente Britten en te Duitse Duitsers.

Het vliegtuig ging op nieuwjaarsochtend om tien over zeven.

Het vliegtuig ging op nieuwjaarsochtend om tien over zeven.

Dat deze regel twee keer staat afgedrukt, is geen fout van de zetter, maar een manier om u van de ernstige situatie te doordringen. Nieuwjaarsochtend tien over zeven is een tijd om laveloos je bed op te zoeken, een goed gesprek over de geheimen van de dood te beginnen of om een sigaret op te steken omdat je vergeten bent dat je een jaar geleden met roken bent gestopt.

Natuurlijk was ik voor de vierde keer in mijn leven mijn

paspoort kwijt en moest ik tussen half zes en half zeven via aangiftes, pasfoto's, formulieren en ambtenaren met zwaar ochtendhumeur aan een toeristenkaart zien te komen. Door mijn eigen promillage kan ik mij hier weinig van herinneren, maar het schijnt gelukt te zijn. Aan boord raakte ik onmiddellijk in coma en werd wakker boven Funchal, de hoofdstad van dit Portugese Texel.

Het was in dat geval beter geweest als ik mijn ogen had geopend na de landing want nu keek ik uit op een hansaplastje landingsbaan. Het ging goed. Met een bonk kwam het toestel op het asfalt en twintig meter later stond het met de neus boven zee stil. Ik rook verbrand rubber, stewardessenzweet en pilotenruft. Zelfs het toestel zuchtte diep en voor het eerst deed ik mee aan het burgerlijke charterapplausje voor de dienstdoende Pim Sierks.

Het vliegveld is kleiner dan Station Diemen en zeker net zo gezellig.

Er staat bij de uitgang een aantal Tineke Verburgs met grote enveloppen van de reisorganisatie. Ze gaan ervan uit dat jij na zo'n bloedstollende landing nog weet onder welke vlag je daar bent. Op het mapje van onze tickets stond Casa Bianca en dat bleek onze club te zijn.

Wij wilden zo snel mogelijk in een taxi naar het hotel om alle alcohol uit onze vermoeide lijven te slapen, maar werden teruggefloten door de Linda de Mol van de reisvereniging.

'Waar gaan wij heen?' sneed ze op kweekschooltoon door de subtropen en begon denigrerend uit te leggen dat wij allemaal even op elkaar zouden wachten om dan gezamenlijk met zo'n debielenbusje naar het hotel te worden vervoerd.

'Nooit in zo'n CEMSTO-bus', siste ik naar mijn vrouw en schoot in een taxi. Deze rammelde ons steeds een versnelling te hoog naar Hotel Monte Carlo.

Over het hotel niets dan goeds. Een saai terras geeft uitzicht over het slome stadje. Een morsige receptie, een wanstaltige bar en totaal verkeerde gasten die blauw gekleurde cocktails drinken.

Gelukkig kennen mijn vrouw en ik elkaar al vele jaren. Een wip van formaat had het hotel tot stof doen wederkeren.

We sliepen, lazen, lieten ons bedruppelen door de roestige douche en besloten niet te klagen. We wilden zelf zo graag niet modern doen, dus moesten we niet zeuren.

De avond was prachtig. Nieuwjaarsavond 1990. Funchal heeft een prachtige manier van feestverlichten. Alle bomen zijn óf geel óf rood óf blauw óf groen gegloeilampt.

Niks geen zeikerige kerstboomkaarsjes, nee twintig keer vijfenzeventig watt per boom en dan heb ik het over duizenden bomen. Verder was er nog een middeleeuwse kermis met schitterend vermaak. Na elke ronde met de draaimolen of achtbaan rekende ik op een bloedbad en veel gesneuvelde inteelt, maar het liep steeds goed af. Een schitterende herrie van schreeuwende types, lachende mensen en hordes kinderen.

We hadden het ontdekt. We dachten allebei onmiddellijk aan emigreren, wilden hier onze levensavond slijten en wat ons betreft kon het niet vlug genoeg gaan schemeren. Hadden wij geen grut thuis dan zouden wij daar blijven. Temperatuurtje, vriendelijke mensen, lachende prijzen, enzovoort.

We zaten op een lieflijk, klein pleintje met de Berlitz reisgids (*met een ABC van nuttige gegevens*) en lazen goed de beschrijving van de gezellige stad.

Allereerst werden wij erop gewezen dat, als wij een

avond eerder waren gekomen, we het uitbundigste vuur-werk uit ons leven hadden mogen aanschouwen. Wij moesten van het handige gidsje snel naar de Avenida do Mar.

Een verschil met de zeeboulevards elders ter wereld is de aanwezigheid van ossesleden.

Geloof nou maar dat wij, altijd gek op een verzetje, ge-zocht hebben. Geen os, geen slee. Niks.

Mannen in pakken met witte strohoeden op voeren met ossen bespannen sleden, beladen met toeristen, over de straatkeien. Een andere ouderwetse manier van sight-seeing is per open auto!

We hebben gesmeekt, gebeden en forse bedragen aan de arme sloebers geboden om ons zo'n slee of open auto voor te toveren, maar ze keken ons aan of we om ijsberen vroegen.

We zouden eerst gaan eten en morgen zouden we de stad gaan verkennen. Uitgeslapen zouden we kilometers slenteren, neerstrijken in de musea, uitrusten in de ker-ken en kathedralen, ons tegoed doen aan de tropische overvloed op de zonnige terrasjes en... We hoopten dat we aan één week genoeg zouden hebben.

'Laten we eerst eens kijken hoe dit gezellige Parijse pleintje heet,' opperde ik.

Hoe we ook zochten op de beknopte kaart van de bin-nenstad, het liet zich niet vinden. We vroegen aan de ober hoe het kerkje op de hoek heette en hij vertelde dat dit de Sé was. In één klap werd mij alles helder. Ons was de Sé beschreven als de eerste overzeese Portugese ka-thedraal en nu zaten we in de schaduw van een bergka-pel. Het binnenstraatje was het San Marcoplein van Fun-chal en wij zaten temidden van de plaatselijke Mulischen en Zwagermannen op het terras van het plaatselijke

Américain. We besloten de creditcard te grijpen en bohémien te gaan eten en vooral te gaan drinken. Het restaurantje zag er leuk uit en het handige reisgidsje had ons verteld dat we onze buikjes rond moesten eten aan espada, een lintvis.

Wel moest je opletten met bestellen want espada is espada, maar espadarta is zwaardvis, espargos betekent asperges, espetada is vlees aan 't spit en espinafres is spinazie.

U voelt het al: zo'n reisgids spreekt je toe zoals Henk van der Meyden zijn lieve lezers en lezeressen begroet, de meneer van de vernieuwde Persil zijn klanten en de Trosomroepster de Vlaamse kijkers. Voor mijn dertigste werd ik daar agressief van en zou ik er een artikel aan wijden, maar nu kom ik niet verder dan de kreet: espantoso! Ofwel: verbazingwekkend.

Wij namen de eerste avond espada. Deels uit experiment, deels omdat er gewoon niets anders was.

Het gidsje beloofde ons een portie heerlijke filets, maar we kregen een moot gefrituurd wit, waar half-Schoonebeek in verwerkt was. Het was alsof je je vork in Koeweit prikte. De olie gutste naar buiten alsof het stukje espada voor de laatste keer een golfje kotste. Daarbij hadden die Madeirezen met die olie al alles gedaan. De motor gesmeerd, de pampers geweekt, als glijmiddel gebruikt en al het andere eten mee gefrituurd. Die Portugese Vlielanders frituren namelijk alles. Vraag je om een tosti, dan krijg je een gefrituurde boterham, de aardappelen worden gefrituurd, het vlees, de sardientjes. Alleen het ijs niet, hoewel…

Wij vomeerden ons hotelwaarts en arriveerden daar in de teakhouten bar met het Engelse stel en het Duitse paar die elkaar al enige dagen kenden en hun humor op elkaar loslieten.

Engelsman tipsy, Engelsvrouw tikje geil, Duitser Duits en de Duitse nog Duitser.

Wij bestelden een fles wijn en de barman verdween het hotel in. Weg. We waren overgeleverd aan de humor van de beide echtparen en wachtten. De toch wat met elkaar uitgelulde stellen probeerden iets met ons aan te leggen. Wij bleven als het echtpaar Goeree dat homo's had ontdekt en zwegen.

Vlak voor sluitingstijd verscheen de man met de fles.

'Dat was even zoeken,' olijkte hij en wij vrolijkten terug.

De wijn was gefrituurd en een uur later keerden wij onze magen onder de roestige douche.

Achteraf was dit qua gastronomie onze beste avond.

Er volgden nog zes avonden en ik zal het u verder besparen, maar als ik nog wat uit de bek riek, komt het door de gezellige eettentjes van Funchal en als u in de tram af en toe een goede wind hoort knetteren en u ruikt daarna bedorven olijfolie dan ben ik dat, of mijn gade.

We hebben het eiland bekeken en allebei twee tennisarmen overgehouden aan de vele, vele, vele, vele, vele haarspeldbochten. Het ene dorpje was nog saaier dan het volgende dorpje en het was net als bij de restaurantjes: het eerste was het beste. We hebben in twee dagen heel Madeira gezien, alle wegen, alle zijwegen, alle vrouwen en alle mannen, alle bomen, alle attracties en toen moesten we nog vier dagen. Wilt u uw relatie toetsen, doe geen survival in de Ardennen, maar ga een week naar Funchal. Raak je elkaar daarna binnen drie maanden weer aan dan is je huwelijk gered. Niets is erger dan met zijn tweeën naar Madeira. Jawel, beloofd is beloofd. Naast Madeira ligt Porto Santo. Een soort Rottumerplaat. Het was ons omschreven als middeleeuws mooi, de bevolking zou uitlopen als het vliegtuig landde en de gastvrijheid zou als een warme deken over ons heen vallen.

Eén man kwam op het gelande toestel af en droeg een uniform, de beloofde kippen op het stadsplein zaten denk ik in de soep (wordt ook gefrituurd) en verder was het eiland wind, wind en nog eens wind.

Om elf uur 's ochtends waren we daar en ons vliegtuigje (zo'n zelfmoordcommando) ging om negen uur 's avonds terug. Ik heb vier keer overwogen mijn vrouw ritueel te slachten. We bezochten het huis van Columbus, hoewel de mevrouw niet zeker wist of Columbus wel in dat huis gewoond had. Het was überhaupt niet zeker of Columbus wel op dat flensje in de oceaan had gewoond. Het gerucht ging, maar bewijzen ho maar.

Toen moesten wij nog drie dagen op Madeira en al lezend en drinkend (we bestelden de wijn per twee flessen in het Zweeds, zodat de Engelsen en Duitsers geen contact opnamen) hebben we de finish gehaald.

Wazig keek ik naar de aankomsthal van Schiphol en vond al die chronische Avrokoppen die op hun familie staan te wachten mooi, jong en ontspannen.

Zelden heb ik zo heerlijk gehuild en ben ik zo zacht geland in het malse weiland dat Schiphol heet en voor de tweede keer in mijn leven had ik een charterapplausje aan de gezagvoerder gegeven. Ik was de enige en de rest van het vliegtuig keek een beetje geïrriteerd onze kant op.

Tijdens onze taxirit naar huis regende het mot en de weersverwachting was niet veel beter.

'Rij maar lekker langzaam', snikte ik tegen de chauffeur en verdwaalde op de achterbank voor altijd in mijn vrouw.

Blessure

De vrouw van de voetballer wil op zaterdagavond vrijen met haar man. Hij is nogal populair, heeft dus een vriendin en tegen zijn echtgenote zegt hij dat hij een liesblessure heeft en dat hij morgen goed in vorm moet zijn. De volgende dag speelt hij de sterren van de hemel omdat niet alleen zijn vrouw, maar ook zijn vriendin op de tribune zit. Na de wedstrijd wordt hij in de bestuurskamer door iedereen gefeliciteerd met zijn fantastische spel van die middag.

'En dat ondanks zijn liesblessure', zegt zijn vrouw tegen een bevriende journalist die nog steeds geen lekkere kop voor de maandagochtendkrant heeft.

De volgende ochtend staat er op de voorpagina:

JANSEN WELLICHT GEOPEREERD!

Vanaf dat moment informeert iedereen naar zijn liesblessure. In de winkel, bij het pompstation, in het koffiehuis. Zijn vriendin leest de krant en denkt: daar heb ik gisteravond niks van gemerkt.

's Middags verschijnt hij op de training en de coach zegt hem dat hij zich eerst moet melden bij de medische staf die hem uitgebreid wil onderzoeken.

'Maar ik heb niks,' zegt een verontwaardigde Jansen.

De arts en de fysio willen er niets over horen. Zijn vrouw heeft het zelf gezegd, er staat een belangrijk Europacup-seizoen voor de deur, ze nemen het zekere voor het onzekere en sturen hem door naar de chirurg. Voor hij het weet, zit hij in de wachtkamer op de röntgen en al gauw is er een scheurtje in het weefsel geconstateerd (Jansen is uiteraard particulier).

JANSEN IN ZIEKENHUIS

staat er de volgende dag in alle kranten. Hij ligt te mokken in zijn bed en blijft roepen dat hem niks mankeert.

'Dat komt omdat hij de wedstrijd van aanstaande zondag niet wil missen,' zegt de clubarts. 'Hij is namelijk bezeten van zijn vak.'

Met postzakken tegelijk worden de komische beterschapskaarten binnengebracht en thuis staat de telefoon niet stil. Beterschap en sterkte.

De volgende dag buigt een heel operatieteam zich over zijn lies, snijdt een scheur in het weefsel en naait die weer behendig dicht.

Tien dagen moet hij liggen voor hij wordt overgebracht naar een revalidatiekliniek. Daar volgt hij de Europacup-wedstrijd op de televisie en hij ziet hoe zijn vervanger Van Veen drie heerlijke doelpunten maakt.

Het hele stadion scandeert: 'VEENTJE, VEENTJE, VEENTJE'.

Hij is de lieveling van het publiek en kan na de wedstrijd elk meisje krijgen dat hij wil. Hij wil de vriendin van Jansen en zij wil ook.

Als Jansen terugkeert in het stadion moet hij voorlopig op de bank. De trainer ziet geen aanleiding om de in topvorm verkerende Van Veen te vervangen. Van Veen gaat iedere zondag op vleugels over het malse gras. Zijn vriendin geniet op de tribune.

En Jansen? Hij zit zich iedere zondag naast de trainer te verbijten. Er gaan geruchten dat hij verkocht zal worden aan een Griekse of Turkse club en niets is erger voor een voetballer dan spelen in die contreien. Dan nog liever naar Duitsland.

Van Veen is inmiddels Europees topscorer en staat zeer hoog in het klassement voor de 'Gouden Schoen'.

Jansen belt wanhopig zijn vriendinnetje, maar ze laat haar broer steeds zeggen dat ze er niet is.

Jansen staat op zondagmiddag eenzaam in de drukke bestuurskamer. Alle ogen zijn gericht op Van Veen, die omringd door persvlooien en subsponsors moppen staat te tappen.

'Ondanks mijn liesblessure gaat het trainen weer heel lekker,' probeert Jansen tegen de ooit bevriende journalist. Deze hoort hem niet omdat hij met de vrouw van Van Veen staat te praten. Zij vertelt net dat haar man het aardig deed, terwijl hij gisteravond nog verschrikkelijke rugpijn had.

Zondag speelt Jansen weer in de basis. Beterschap Van Veen.

Niemand weet hoe laat het is

Vannacht in mijn slaap word ik plots overvallen
straks komt een auto en die rijdt me kapot
wanneer zal de dood zijn fiets bij me stallen?
wat zal mijn clou zijn? hoe is mijn plot?
misschien zegt een dokter: 'meneer nog twee maanden'
en word ik door een slepende ziekte gesloopt
men zegt dat dat beter is voor nabestaanden
maar twee maanden pijn is toch niet wat je hoopt
deze dag is de eerste van de rest van mijn leven
dat denken er velen bij hun ontbijt
terwijl ik altijd denk: ik heb nog maar even
dit wordt de laatste van een prachtige tijd

dus moeten we dansen en moeten we vrijen
moeten we drinken en spelen met vuur
lief hou me vast want nu ben ik nog bij je
tijd is toch geld dus het leven is duur
ik weet elke dag dat ik me vergis
en dat er dan nog een dag over is

jij mag niet doodgaan en ik wil niet sterven
laat staan onze liefste denk niet aan ons kind
haar dood zal ons leven voor altijd bederven
terwijl ze misschien een hemel daar vindt
niemand mag doodgaan, niemand verdwijnen
maar je weet net als ik: er gaat steeds zoveel mis
oorlog, auto's, veerboten, treinen
niemand weet hoe laat het is

is het vijf voor twaalf? of net half zeven?
hoeveel uur heb ik nog? of rest mij een kwartier?
hoelang mag ik doorgaan, doorgaan met leven?
ik heb echt geen idee dus ik grijp het plezier

dus moeten we dansen en moeten we vrijen
moeten we drinken en spelen met vuur
lief hou me vast want nu ben ik nog bij je
tijd is toch geld dus het leven is duur
ik weet elke dag dat ik me vergis
en dat er dan nog een uur over is

ik weet als ik later groot ben
en ook bijna dood ben
dan is al die angst niet nodig geweest
maar ja, al die angsten
altijd de bangste
maakten mijn leven tot een schitterend feest
want we hebben gedanst en we hebben gevreeën
we hebben gelachen en gespeeld met het vuur
god verbood wat we allemaal deden
leef toch je leven als je allerlaatste uur

De bruid

Vannacht heb ik geslapen met de bruid
die ik gisteren gewoon als vrouw begroette
toen ik haar in mijn stamcafé ontmoette
zag zij er niet anders dan anders uit
of misschien toch: ze had iets in haar ogen
ze leek betoverd of liever nog: bevlogen
haar vrije leven verdiende een fraai besluit
en toen heb ik geslapen met de bruid

Vannacht heb ik geslapen met de bruid
en ik zit hier katerig aan een kop koffie
in mijn doordeweekse alledaagse kloffie
en zij ziet er waarschijnlijk prachtig uit
wie weet heeft ze haar echtgenoot gewroken
wou ze nog één keer voor haarzelf koken
nog één keer proeven van verboden fruit
en toen heb ik geslapen met de bruid

Waarschijnlijk zegt ze nu volmondig 'ja'
op de vraag die de ambtenaar gesteld heeft
ik vraag me af of ze het haar man verteld heeft
wat ben ik blij dat ik niet in zijn schoenen sta

Vannacht stonden haar nagels in mijn rug
en fluisterde ze zoete zachte woorden
ik luisterde en wist niet wat ik hoorde
toen ze zei: 'ik kan nu niet meer terug'

De nacht was vol met liefde juichend luid
en ik voel nu ook geen enkele deceptie
ga vanmiddag gewoon naar de receptie
met een cadeautje voor de bruidegom en bruid
ik zal ze heel beleefd feliciteren
maar wie weet zal zij mij commanderen
om te schreeuwen duidelijk en luid:
'ik heb vannacht geslapen met de bruid'

En de scène die daar dan van zal komen
daarover staat ze nu misschien al stil te dromen
daarom stuur ik denk ik maar een telegram
en word dronken in mijn kroeg in Amsterdam

Niks meer te vieren

Ik schreef je duizenden gedichten lieve lieve
Ik ken ze allemaal nog uit mijn hoofd
net zoals jouw urenlange brieven
waarin je mij een rozentuin belooft
ik weet nog hoe we wandelden in Zandvoort
zonsondergang en een nog warm strand
jij gaf mij op al mijn vragen antwoord
en kneep daarbij zachtjes in mijn hand
Nu zeven jaren later weet ik niet wat ik wil
we zwijgen allebei, het is zo angstaanjagend stil

Niks meer te vieren. Niks meer te vieren
Er is echt niks waarmee ik jou nog kan versieren
De koek is op, er liggen kruimels op de plank
We zitten elke avond verslagen op de bank
Ik weet niet waarmee ik jou nog kan versieren
Er is niks, maar dan ook echt niks meer te vieren

We liftten naar Venetië en Londen
we sjouwden dwars door Rome en Parijs
uitgelaten als twee jonge honden
we gingen over halve nachten ijs
we zagen alle kroegen, kathedralen
we zagen enkel vuur en nog geen as
ik vertelde jou fantastische verhalen
waarin elke minnaar overwinnaar was
nu zeven jaren later zijn we aan elkaar gewend
en we denken allebei aan het sluiten van de tent

Niks meer te vieren. Niks meer te vieren
Er is echt niks waarmee ik jou nog kan versieren
De koek is op, er liggen kruimels op de plank
We zitten elke avond verslagen op de bank
Ik weet niet waarmee ik jou nog kan versieren
Er is niks, maar dan ook echt niks meer te vieren

Nu zijn wij twee kinderen later
en zwijgen tot het middernachtelijk uur
dan keken we jaloers naar onze kater
die gaat na het laatste nieuws op avontuur
je vraagt of ik de asbakken wil legen
terwijl jij jezelf lui de trap op gaapt
ik kom jou vannacht niet meer echt tegen
ik weet als ik boven kom dat je al slaapt
Maar volgens jou mijn liefste is er met ons niets mis
omdat het bij alle vrienden precies hetzelfde is

Amah hoela

Als een Gooise kakker op de Keizersgracht gaat wonen, wil hij nog wel eens de typische Amsterdamse sfeer gaan roemen, maar valt onmiddellijk door de mand bij woorden als 'haringmannetje' of 'sigarenboertje'.

Een van mijn broers vertelde mij ooit over een feestje op een van de grachten en daar hadden alle ouders hun kinderen op de 1e Openluchtschool in het betere Zuid. Dat is een neger- en Turkloze kakschool in de Amsterdamse Cliostraat. Natuurlijk hadden de carrièrejagers een probleem met het halen en brengen van hun *kiddo's* en toen een van de moeders opperde een tweedehands busje te kopen en die door een wao-ertje te laten besturen, was voor mijn broer de maat vol. Hij zocht een plek om stevig te kotsen en zette het zuipen in een echt café voort.

De Amsterdamse grachtengordel, Blaricum, Aerdenhout, Wassenaar en al die andere chique plekjes van ons land ken ik beter dan wie ook en elke keer als ik denk dat ik het bekakste heb ontmoet, wordt het de week erop toch weer een slag erger.

Is mijn generatie kakkers slechter dan die van mijn ouders? Ja!!! Schaamteloos veel slechter zelfs. Zeker nu ze een nieuw speeltje hebben ontdekt. De au pair ofwel de amah.

Wat is een amah? Een amah is een derdewereldmevrouw met veel honger en weinig financiële eisen, die voor een kleine vijfhonderd gulden per maand de kinderen doet, wast, kookt, strijkt en in datzelfde bedrag zit ook nog drie avonden per week oppassen.

Veelal zijn het Filippijnsen, maar ook de Poolse en Tsjechische dames doen het heel erg goed. De meisjes werken veertig uur per week en dat komt dus neer op iets meer dan drie gulden per uur. Indrukwekkend. Je moet ze nog wel verzekeren en ze prikken elke avond een vorkje mee, dus er komt maandelijks nog een behoorlijk bedrag bij.

Ik ben bang dat er op de Larensche Mixed Hockey Club een broekrok tegen haar vriendin durft te bekennen dat hun amah gewoon mee aan tafel zit en dit onder het motto: wij zijn niet zo erg als de rest.

Een amah heeft natuurlijk veel voordelen. Ze is niet alleen feodaal goedkoop maar meestal ook erg gelovig en dat houdt in dat ze 's nachts niet gaat sloeren en slempen in de plaatselijke discotheek. Daarbij stuurt ze al het geld naar haar vaderland en daar kunnen ze een paar dubbeltjes meer zeker goed gebruiken. Dus nog even vijf uurtjes extra oppassen voor een tientje doet ze graag. En het belangrijkste: ze klaagt niet. Niet alleen omdat haar Engels daar te gebrekkig voor is, maar ze is ook veel te bang dat ze weer naar huis wordt gestuurd.

Op de Hilversumsche Golfclub schijnt al een echtpaar met twee amah's rond te lopen en ik ben bang dat dat binnenkort de trend wordt. Een amaahtje extra.

Als de amah binnenkort met handen en voeten vertelt over haar broers die in de sloppen van Manilla wonen, komt ongetwijfeld de vraag of er daar ook niet eentje van deze kant uit wil komen. Voor de tuin en voor de klusjes. Wij willen jouw broer best helpen!!!

Dan doe je het echt goed in de raad van bestuur. Als je tussen de cijfers door kan vertellen over je twee amah's en je *gardenboy*.

Dronken grapje op de herenplee van de Kennemer: wat is het verschil tussen een amah en een Golden Retriever?

De hond komt niet altijd als je fluit.

Begrafenis

Vorige week moest ik wel lachen om Bernard Tapie. Hij had een camera van een Franse televisieploeg in de Middellandse Zee gedonderd, omdat men hem filmde op zijn jacht. Een paar dagen later bracht hij het bewuste station een nieuwe camera met daaraan een briefje met de tekst: 'Persvrijheid eindigt waar privacy begint'. De nieuwe camera werd door de hoernalisten geweigerd en Tapie heeft van de bewuste zender een proces aan zijn broek gekregen. Nu moet hij binnenkort toch regelmatig in de rechtszaal zijn, dus een procesje meer of minder zal hem jeuken.

Toen de acteur Siem Vroom overleden was, leunde in het crematorium een fotograaf van een van de roddelbladen met zijn elleboog op de kist om de huilende familie en vrienden beter in beeld te krijgen. Ik stond ergens diep in de menigte en kreeg de neiging om naar voren te gaan, de man met zijn camera dood te slaan, in het vuur te flikkeren en er net zo lang bij te wachten tot ik zeker wist dat hij tot en met zijn laatste vulling gesmolten zou zijn. Ik werd ter plaatse omgepraat en wist dat als ik het gedaan had, ik dan bekend zou worden als iemand die op andermans crematie nog de publiciteit zoekt.

Toen mijn vriend Onno Molenkamp overleden was stond ook weer een zootje cameravlooien te wachten. In het crematorium werd de door mij uitgesproken tekst op een bandrecordertje opgenomen door de vazallen van Van der Meijden en die kon ik twee weken later volledig verminkt teruglezen in de bladen die iedereen alleen bij de kapper leest. Mijn kapper heeft uitsluitend nummers waarin Jacques Brel nog leeft, maar het valt me op dat bijna iedereen wekelijks bij de coiffeur zit en dat die elke week het meest verse exemplaar heeft liggen.

Toen de vader van een vriend van mij overleed heb ik zijn manager een sprintje over het kerkhof zien trekken om een muskiet van de Privé op zijn bek te timmeren. Helaas was de engerd sneller en heeft heel Nederland mijn vriend mogen zien huilen op een beetje wazige telelensfoto. Ja lieve lezers en lezeressen: ook bekende Nederlanders zijn verdrietig als hun vader is overleden.

Ik meen me te herinneren dat er met het verdriet van Ron Brandsteder en Hennie Huisman door souteneur Van der Meijden zelfs werd geadverteerd. Nooit vergeet ik de schofterige foto van een huilende Jan Jongbloed na het verlies van zijn zoon. Je bent dus niet alleen vogelvrij als je zelf doodgaat, maar ook als je je ouders of kinderen wegbrengt. Het zal toch maar je werk zijn. Een snikkende familie Joeks op de plaat zetten omdat Klukkluk wordt begraven. Heeft dit soort mensen nooit last van misselijkheid? Kennen zij geen schaamte? Uit angst voor het gajes van de Amsterdamse Basisweg en hun collega's van de andere bladen hebben wij afgelopen maandag mijn vader in stilte ten grave gedragen en toch is dat raar. Mijn vader was een man van de wereld en wilde dat eigenlijk niet. Gelukkig konden wij al zijn en onze vrienden per rouwkaart bereiken en heeft er niemand aan mijn vaders groeve ontbroken. Maar toch is het raar. We zijn dus gezwicht voor de onderwereld. Juridisch kan je namelijk niemand op een openbare begraafplaats weigeren. Ik hou een rare smaak in mijn mond en ben bang dat als ik Henkie van *De Telegraaf* een keer tegen het lijf loop ik hem alsnog een ongelooflijke slag voor zijn harses geef. Namens mijn vader. Waarschijnlijk breek ik dan wel drie middenhandsbeentjes op de plaat voor zijn hoofd. Voor de goede orde: ik heb maandag verschrikkelijk gehuild.

Oostende

Wij vieren onze herfstvakantie aan de Belgische kust. De regen striemt, de storm geselt en wij elke dag maar opgewekt roepen dat er voor morgen mooi weer voorspeld is.

Ondertussen heeft het bij ons al drie keer gesneeuwd en mijn jongste zoon heeft al ijs op de slootjes bij Wenduine gezien.

Toch kan droef mooi zijn. Neem nou Oostende. Iets ergers, treurigers en troostelozers dan deze Vlaamse havenstad kan niemand verzinnen. De meest impotente architecten van deze eeuw heeft men op dit stadje losgelaten en het resultaat is meedogenloos. De trieste Visserskaai, de fantasieloze Kapellestraat en het hele verkankerde centrum doen je verlangen naar een zoete suïcide. Maar zelfs die mislukt nog. En wat is mooier dan zo'n woestenij in dit verschrikkelijke weer?

Duitse toeristen in fluorescerende nylon regenpakken kleumen zich door het centrum, zetten zich aan een kop warme chocolademelk op een drijfnat terras en proberen zonder ruzie te bedenken hoe ze de rest van de dag moeten doorkomen. Hun Center Parcs-woninkje ontvlucht bibberen ze zich door de snijdende kou en alle leden van het gezin vragen zich per minuut oprecht af wat hen bij elkaar houdt. Seks kan het niet zijn. Liefde zeker niet. Dus moet het om geld gaan. En dan niet een teveel, maar een tekort.

Blauwbekkende echtparen met twee ontevreden pubers in de winkelstraat van Oostende is pure poëzie.

Laten we nog maar een wafel doen. Dan zijn we weer een half uurtje verder. Iets ergers dan Oostende kan niet. Hoewel?

Afgelopen donderdag zat mijn vakantie er officieel op en mocht ik mijn gezin opgelucht verlaten. Zoveel regen houdt geen enkel huwelijk fris. Ik mocht richting het Westland om drie dagen leuk te zijn in theater De Naald in Naaldwijk. Dan ga je vanaf Rijswijk door Wateringen, Kwintsheul en Honselersdijk. Ze zijn daar in die streken erg gelovig, maar ik weet niet waarom. God is in die contreien namelijk nooit geweest. Zoveel lelijkheid kan niemand verdragen. Zelfs de mussen lopen bij een psychiater.

Alle kassen zijn dichtgekalkt om de illegalen te verbergen en ik weet nu al zeker dat het de beste streek is om deze gevluchte Polen en Bosniërs te verbergen. Al mogen ze de straat op. Ze willen niet. Ik had mazzel. Het weer was in Naaldwijk even slecht als in Oostende, maar in Naaldwijk was het feestweek. Braderie dus. De middenstand vierde feest onder het motto: 'Winkelen is avontuur'. Onmiddellijk werd ik getroffen door een peilloze depressie en begreep in één klap Maarten 't Hart die in deze omgeving jarretels omgespte.

Maar toen kwam het ergste. Naaldwijk had ook een bloemencorso. Bloemencorso is een beetje een groot woord. Vernikkelde majorettes met een hoog kippenvelgehalte beefden door de winkelstraat en achter hen reed een lange stoet Kadettjes en Vectra's met de meest wanstaltige bloemstukken erop. Van die bloemstukken die ze bij Joop van den Ende mooi vinden. Stapvoets volgde de middenstand zijn weg door het swingende centrum van Naaldwijk en ik werd getroffen door een verschrikkelijke huilbui. In één dag èn Oostende èn Naaldwijk

42

was ook voor deze kleine cabaretier wat te veel. Alleen heeft Naaldwijk gewonnen. Want Naaldwijk heeft een bloemencorso. En alle majorettes krijgen kinderen en die staan over twintig jaar ook allemaal weer naar die rouwstoet te kijken.

Diep in de nacht zei een Naaldwijks meisje tegen mij: 'Vlaardingen, dat is pas erg.' En toen wist ik het even niet meer.

Buckler Gullit

De acht geeft zich uit voor een zesje en dan moet jij er weer een acht van maken. Verwarrende regel? Voorbeeld:

De acteur speelt de sterren van het firmament, laat het schellinkje braille lezen op hun eigen kippenvel, tranen druppen langs de jongste meisjeswangen en zijn naam wordt na afloop door de zaal massaal gescandeerd. Een Italiaanse operasfeer in de Amsterdamse Stadsschouwburg. In het café meldt hij later dat het niet echt lekker ging. Jij moet dan zeggen dat het fantastisch was. Mooi getimed, goed ingehouden emotie en prachtig naturel geacteerd. Op een gegeven moment moet je hem zelfs overtuigen dat het wél goed was. Ik vertrouw ze nooit. Het zijn complimentenvissers die onder de ballen gekieteld willen worden.

Het is, als het je goed gaat, moeilijk om bescheiden te blijven. Zelf oogst ik de laatste tijd nogal wat succesjes op het gebied van mijn kruistocht tegen de treurigheid. Vijf jaar geleden verklaarde ik de oorlog aan de zogenaamde 'ruiten broek' en de fabrikant Van Gils is inmiddels glorieus failliet. Daarna lanceerde ik een klein batterijtje Lada-grappen, maar daar hoorde ik niks op. Het bleef bij een enkele boze dealer in de provincie, maar geen noemenswaardig succes. Tot ik deze week werd verrast door een schrijven van een dokter uit het noorden van het land en deze meneer stuurde mij een bericht uit een plaatselijk dagblad waarin te lezen stond dat Lada ging ontslaan, inkrimpen en bezuinigen.

'Nou Buckler nog,' fluisterde ik zachtjes in mijzelf en ik had het nog niet gezucht of de telefoon rinkelde al. Freddy Heineken persoonlijk feliciteerde mij met mijn overwinning op dit gereformeerde bocht. Nederland heeft massaal geweigerd dit ranzige, alcoholloze gerstenat tot zich te nemen en ik hoop niet dat ze bij Bavaria, Amstel of Grolsch nu denken dat hun Maltjes van mij wél mogen. Tuurlijk niet. Viezigheid is het. Drank voor trutten. Maar ik heb begrepen dat de dagen van de brouwers van het moslimbier inmiddels zijn geteld en dat het marktaandeel hard achteruitloopt. En dat is maar goed ook. Of zuipen of niet. Maar niet in een café met een schuimend glas Rivella gaan staan patsen.

Allemaal succesjes voor de kleine cabaretier dus en als u vanuit een Amsterdams grachtenpandje dit weekend luid gezang hoort dan woon ik daar! Nog wel. Want je moet oppassen met overmoed. Zakelijk mag het voor de wind gaan, maar privé kan je uiterst onverwacht op je bek vallen. Dat overkwam mij deze week. Ik wilde mijn goede huwelijk op de proef stellen en riep tijdens een pietluttig twistje over de broodrooster: 'Als ik dan zo'n derderangs eikel ben dan lijkt het me beter dat wij uit elkaar gaan.'

Mijn bedoeling was dat mijn mooie vrouw zou gaan huilen, snikken en grienen, dat zij mij zou wijzen op onze bloedjes van vijf en drie en dat zij mij hartverscheurend zou smeken om niet weg te gaan. Het tegendeel was waar. Toen ik mijn vertrek opperde, klaarde ze helemaal op en zei: 'Dat lijkt me een prima idee. Liever vandaag dan morgen.'

Ik heb nog getracht uit te leggen dat ik het ironisch bedoelde en dat wij na zoveel jaar toch niet zomaar konden scheiden en dat…

Niets hielp. Ik was erover begonnen. Ik wou weg en nou moest ik ook de consequenties van mijn woorden maar aanvaarden. Ik was het zesje en hoopte door haar tot acht te worden verheven, maar zij degradeerde mij tot de grootste nul die ze ooit had ontmoet.

's Avonds belde ik mijn vriend Ruud Gullit die hetzelfde was overkomen. Hij had de bondscoach gebeld met de mededeling dat het hem beter leek dat hij zou stoppen bij Oranje en Dick Advocaat had hem niet eens laten uitpraten.

'Gefeliciteerd met je meer dan wijze besluit,' riep Haagse Dickie en hing een paar minuten later opgelucht op.

De arme Ruud keek nog een paar minuten ongelovig naar de hoorn. Dit was de bedoeling niet geweest.

Dick had moeten zeggen: 'Nee joh, doe nou niet. We kunnen je niet missen, je bent veel te goed en Nederland schreeuwt om je.'

Maar dat zei Dick niet en ik ben bang dat Dick gelijk had.

En mijn vrouw ook, vrees ik.

Thuis

Ik rijd door Frankrijk en aan de rand van een typisch Frans dorpje zie ik aan de linkerkant van de weg het ommuurde kerkhof liggen. Ik moet dan stoppen, mijn auto uit en minstens een kwartier struinen tussen de bemoste zerken. Franse graven zijn prachtig. De uit Lourdes meegenomen bordjes, de plastic bloemen, het fotootje van de overleden jongen met de frisse blik en de altijd wat bombastische grafhuisjes van de notabelen ontroeren mij zeer.

Ik slurp jaartallen, reken uit hoe oud ze waren of nu geweest zouden zijn en mijmer hardop over het zinloze aardse bestaan. Waarom heeft niemand een zerk in de vorm van een vraagteken? Mooi opvallend beeld tussen al die berustende stenen. Hoewel? Hoe minder het graf schreeuwt hoe meer vragen je gaat stellen.

De simpele steen met alleen

REMY

8-1-68 – 19-9-76

doet mij zachtjes huiveren en eigenlijk wil ik alles over Remy weten.

In Nederland stop ik nooit aan de rand van Middelburg of Hengelo om een kerkhof te bezoeken. Ik zou me daar een gluurder voelen, een beetje naargeestig type dat naar zerken staat te staren.

Toch was ik afgelopen week op een kerkhof. Het kerkhof van Bussum waar mijn vader sinds 2 augustus begraven ligt.

Mijn zusje en ik gingen even kijken hoe het graf geworden was, zetten een paar wintervaste planten op zijn laatste rustplaats en haalden nog wat liefdevolle herinneringen aan hem op. Daarna doolden we nog langs wat steentjes en omdat wij daar geboren en getogen zijn spraken heel veel namen tot de verbeelding. Daarbij is het ook nog eens de Rooms-Katholieke Begraafplaats, dus bijna iedereen die daar ligt, kenden we uit de kerk. Zo was dat vroeger.

Opeens staan we aan de steen van het verdronken meisje dat nu dik in de veertig zou zijn geweest en toen pas zeventien was. Even later valt mijn oog op het graf van de hoofdonderwijzer en zijn oudste dochter. Mijn hele lagere-schooltijd schiet voorbij. Onderweg naar de auto kom ik langs het meisje dat op gruwelijke wijze zelfmoord heeft gepleegd omdat haar vriendje het had uitgemaakt en weer even verder liggen de ouders van een vriend.

Bij de meeste stenen heb ik een gezicht en merk ook hoe verschrikkelijk gauw iedereen vergeten is.

Al die jaren ben ik langs dit kerkhof geraasd, tot augustus wist ik amper waar de ingang was en nu spring ik schotsje door mijn jeugd.

Het is lekker koud en mooi vroeg donker.

Daarna scharrelen we nog wat door het lege ouderlijk huis dat inmiddels verkocht is, laten elke kamer nog een keer goed tot ons doordringen en weten dat dit de laatste keer was dat we hier waren.

Hier ligt tweeënveertig jaar familiegeschiedenis waarvan ik er negenendertig heb meegemaakt.

Een greep uit de honderdduizend herinneringen: het voetballen met een paar sokken op de gang met de deuren van de badkamer en het kleine kamertje als goal, het hockeyen op de hoek van de straat, het honkballen bij de vijver van Vlek, slagbalwedstrijden tussen de vaders en de kinderen in de toen nog autoloze lanen, busjetrap tot de lantaarns branden, de in mijn herinnering dagenlange kerstdiners, de geur van mijn moeders zaterdagse macaroni met ham en kaas, het sjoelbakken onder de grote lamp en als je naamdag had mocht je 'een flesje uit de kelder'. Meestal werd dat Perl of Joy. Beide merken zijn verbucklerd ofwel: verdwenen.

Ik moest even schudden toen ik de deur voor de laatste keer op het nachtslot draaide, hoefde niet te huilen omdat ik een grote jongen ben en anderhalf uur later stond ik op het podium van het Amersfoortse theater De Flint en deed ik een poging de mensen met mijn humor wakker te schudden. Ik had er geen moeite mee en dat heb ik van mijn ouders. Doorgaan. Niet te veel omkijken.

En terwijl ik deze regel opschrijf moet ik opeens verschrikkelijk hard huilen.

Sterver

Afgelopen donderdagavond speelde ik in het Rotterdamse Theater Zuidplein. Dat theater ligt verstopt tussen miljoenen kilo's opgespoten beton en zelden heb je zoveel lelijkheid bij elkaar gezien.

Onder het toneel is een parkeergarage, door de artiestenfoyer loopt een carpoolstrook en tijdens de show rijdt er regelmatig een stadsbus over het podium. De busbaan loopt nou eenmaal zo.

Als je het zaallicht uitdoet en je vertelt gewoon wat je op dat moment te vertellen hebt aan zeshonderd leuke Rotterdammers die ook niet voor zoveel treurigheid gekozen hebben, valt het allemaal mooi mee. Wat me alleen irriteert is het feit dat de financiers, projectontwikkelaars en architecten in riante optrekjes in het rustieke Blaricum, het vluchtelingloze Wassenaar of het kapitaalprettige Noordwijk wonen en niet tussen de door henzelf geplaatste bunkers.

De voorstelling ging een beetje tussen hemel en aarde. Een zweefavond. Daar heb je er maar een paar van in een seizoen en het is niet uit te leggen hoe dat komt. De zaal wil, ik wil en op de een of andere manier valt alles precies op zijn plaats. Het eindapplaus was een warme douche en mijn buiging was diep voor al die mensen die een paar minuten later weer in de intens treurige parkeergarage zouden lopen zoeken naar hun Vectra.

Niet te lang blijven hangen omdat ik dit stukje wilde schrijven over mijn welp-zijn bij de St. Olavgroep in

Naarden, de intocht van Sinterklaas en alle welpen met een fakkel in een bootje van de zeeverkenners. We escorteerden de stoomboot van de goedheilig man en samen met duizenden vetpotjes op de wallenkanten van het historische stadje was dat een prachtig schouwspel. Na afloop liep ik tussen mijn ouders in naar de auto en kakelde nog honderduit over al het gebeurde toen er opeens een deur van een huis openging en een mevrouw gilde: 'Kennedy is vermoord. President Kennedy is vermoord.' Voor ik het wist stonden alle deuren in de Peperstraat open en was iedereen op straat. Radio's stonden hard en mijn moeder huilde. Dat laatste zal ik nooit vergeten. Ik was negen en begreep er niets van.

Toch is het leuk dat iedereen weet wat-ie deed op het moment dat hij of zij hoorde dat Kennedy vermoord was. Henk van Gelder heeft daar zo'n leuk boekje over geschreven. Het blijft een van de meest historische gebeurtenissen en het lijkt net of die tijd überhaupt leuker was. De Cuba-crisis, John Glenn die als eerste astronaut om de aarde ging, de Russen dreigden, de Beatles kwamen en de Stones en de VPRO en Dolle Mina en de Maagdenhuisbezetting en...

Was het inderdaad leuker of word ik gewoon een saaie lul? Dat mijmerde ik toen we de Maastunnel in zouden rijden en er bij de BMW voor ons een man de voorruit uit de auto sprong. Geen zin meer. Zelfmoord dus. Volledig uitgeteld lag hij in een gruwelijke houding op het steenkoude wegdek. Een uitgetelde zwerver met een touw om zijn vlekkerige broek, zijn blote voeten in goedkope sportschoenen, zijn gebroken benen onder de vieze korsten en schimmels, zijn ogen nog open en bloed drupte uit zijn oor. Hij ademde nog en dat was juist wat hij niet meer wilde. De politie en ambulance lieten tergend lang op zich wachten en in zo'n situatie lijkt een kwartier al gauw een uur, maar het indrukwekkendste was het verkeer dat doorreed. Aan de ene kant was het goed dat er niet zo'n haag van beterwetende EHBO'ers om de man ging staan kakelen, maar dit was toch ook wel erg karig sterven. Bij vier graden onder nul aan de ingang van de Maastunnel in het bijzijn van een cabaretier, die het zelf wel lekker vond gaan die avond, je ogen sluiten. Dus toen de zaal hard brulde van het lachen doolde de man honderd meter verder bij de tunnel op zoek naar de juiste plek om uit het leven te springen. Ik hoop voor de man dat het ademen inmiddels gestopt is en misschien krijgt hij nu de kans om aan Kennedy te vragen: 'Zeg John. Leven! Wat was dat nou precies?'

Kinderlijk

Dus u bent kinderlijk-inkoper voor Volkswagen en Audi?
Niet alleen voor hen. Ik doe dit werk freelance en werk
ook voor General Motors, een paar Japanners en heel af
en toe voor Volvo en Renault.

Hoe word je dat?
Dat is langzaam gegroeid. Ik werkte al op die afdeling
waar geschaafd wordt aan de veiligheid van auto's, kinderzitjes worden getest en de airbag is ontwikkeld en op een
dag ontstond het idee om met echte doden te gaan werken. Een gebroken been of een ingedrukte borstkas kan
je het beste bij een echt mens zien. Bij een pop is het niks.

Hoe komt u aan uw materiaal?
Daar zijn allerlei kanalen voor. Je hebt ten eerste de uni-
versiteiten die veel rommel over hebben. Iemand heeft
zijn lichaam ter beschikking van de wetenschap gesteld,
de darmen, het hart en de pancreas zijn gebruikt en dan
kan je er verder nog een heleboel mee doen. Dan wordt
zo iemand opgevuld met houtwol en komt onze kant op.
  Verder heb je de zogenaamde 'bodybanken', via hen
kan je eigenlijk bestellen wat je wil en dan hebben we op
dit moment een paar hele fijne contacten met een tweetal
Serviërs en een Kroaat. Via hen krijg je alleen niet altijd
het beste materiaal binnen. Vaak zijn die lijken al zo gewond dat het na afloop gissen is of een bepaalde verwon-
ding door een ongeluk of door de oorlog is gekomen. Het

liefst hebben we een goed infarct of een stevige diabeet, maar die zijn vaak weer te blond.

Hoe bedoelt u dat?
In Zweden is negentig procent van de mensen hoogblond en die jongens van de testafdeling vinden het dus niet prettig als ze een kleine blonde dood in een stoeltje moeten gespen. Dus voor Volvo zoeken we het vooral in het mediterrane zodat de jongens op de vloer niet te veel associaties hebben met overleden neefjes, nichtjes of buurkinderen. Fransen vinden het heerlijk om Duitsers in de auto te zetten en Volkswagen wil alleen maar Engelsen.

Hoe werkt het nou precies?
Het werkt simpel. Als wij de veiligheid van een middenklasser willen testen, dan stellen we via de bodybank een gezin samen. Dat betekent: geen Somaliërs omdat die te breekbaar zijn, maar goed doorvoede Westeuropeanen die dan traditioneel in de auto worden gebonden...

Traditioneel?
De man rijdt, de vrouw zit ernaast en de kinderen zetten we met een stapel strips achterin. Daarna kunnen we een aantal ongelukken spelen. We kunnen ze met welke snelheid dan ook op een muur laten lazeren of een andere auto met een ander gezin van rechts laten komen en soms doen we Moederdag. Dan laten we een gezinnetje of acht in de kettingbotsing komen.

Na afloop tellen we het aantal breuken en ander letsel en weten dan hoe we de auto nog veiliger kunnen maken.

Ik dank u wel voor dit gesprek.
Graag gedaan.

Begraven

'Gaan zoals je was' heette de documentaire die door de IKON werd uitgezonden. Een aantal mensen dat nog maar een geringe tijd te leven had vertelde over de manier waarop zij begraven c.q. gecremeerd wilden worden. Leonie wilde in een rode kist en een zwerfkei met alleen haar naam op het graf, Reint wilde een mooie ouderwetse rouwkoets en als muziek een combinatie van Beethoven en De Kermisklanten. Ik vond het knap omdat ik een beetje weet wat televisie is. Ik zag de geluidsman met de microfoonhengel, de cameraman, de producente, de regisseur, de regie-assistente en nog wat anderen rond het bed van de doodzieke patiënt.

'Mag deze take nog een keer over? Ik heb niet genoeg licht. Wilt u iets meer ontspannen als u praat?'

Ik vond het programma mooi, maar zag ook een heel groot luxe verdriet.

Hier in het Westen kunnen we tot op de seconde in de grootste politieke vrijheid doen, laten en vooral zeggen hoe we willen leven en ook het allerlaatste ritueel mee regisseren. In Sarajevo heb je er weinig die debatteren over de kleur van de kist, de auto of de koets, begraven of cremeren en in Somalië babbel je ook niet echt lang met de begrafenisondernemer over wel of geen plakje cake bij de koffie.

In Mostar worden de meesten gecremeerd door de vijand, terwijl ze liever een jaar of veertig later door hun eigen familie begraven hadden willen worden.

In Nederland wordt het laatste afscheid steeds persoonlijker. Een vriend van mij kan smakelijk vertellen over de meest folkloristische aidsbegrafenissen. De ene keer moet hij met een vuurpijl (symbool) zwaaien, de andere keer met een takje groen (ook symbool), weer een andere keer huppelt een abstracte danseres een macrobiotisch dansje om de kist en de keer daarop moet hij champagne drinken aan de groeve onder de uitroep: 'Dag Karel, dag jongen!' Het is voor hem telkens weer een uiterst avontuurlijk uitje en zo gauw hij thuis is doet hij mij telefonisch verslag van de curieuze circus-acts die hij nu weer gezien heeft. En ik moet zeggen: smakelijke verhalen, goed gekruid. De ene crematie is nog bonter dan de andere en sommige mensen worden kleurrijker begraven dan ze ooit geleefd hebben. De meest grijze Opel Kadettjes nemen afscheid als een Bentley. Tijdens het kijken naar het programma dwaalde ik af naar mijn eigen dood. Hoe wil ik het eigenlijk? Moet mijn as uitgestrooid worden boven het woeste Emmeloord? Wil ik gecremeerd worden in het exotische Lelystad? Of wil ik begraven worden in een duinpan vlak bij Bloemendaal omdat ik het daar een keer in de sneeuw met mijn vrouw heb gedaan? Ik weet het niet en eerlijk gezegd interesseert het me ook niet. Het enige dat ik heb gemaakt is een lijstje met mensen die niet mogen speechen. Want ik verdenk een paar vage kennissen dat ze van de gelegenheid gebruik zullen maken en ongevraagd achter de katheder kruipen om wat afgekloven clichés uit een of ander citatenboekje over me uit te strooien en die kans gun ik ze niet. Geen woord. Brahms, Rachmaninov, Saint Saëns en Elgar, maar verder geen lettergreep. Ik heb zelf al genoeg geluld. Vijf jaar geleden werd een vriend van mij gecremeerd en stond de personeelschef van de zaak waar

hij gewerkt had zo lang te ouwehoeren dat op een gegeven moment de kist openging en er een urn uit kwam die
riep: 'Ik weet niet hoe het met jullie is, maar ik ben al
klaar.'

Waarom niet?

Dus in Engeland kunnen ze nu eicellen uit een geaborteerde foetus halen, laten volgroeien in een lab, bevruchten met mijn sperma, door een Italiaanse dokter laten inbrengen bij mijn met hormonen opgepompte moeder van 80 en negen maanden later is er een kleine Youpie. Zowel mijn vrouw als mijn moeder heeft mij verteld dat zwangerschap een niet te omschrijven sensatie met zich meebrengt en waarom zou je je oude moeder deze gelukstoestand misgunnen aan het eind van haar leven?

Problemen bij de geboorte? Kan het oude mens het aan? Ach, we zijn zo ver met de keizersnee dat daar ook wel een oplossing voor komt. Als de methode met de geaborteerde foetussen een succes wordt is het misschien een goed idee om je zuster, bij wie het wel goed werkt, zwanger te laten worden, de zwangerschap bijtijds te laten onderbreken, de eitjes te scoren, sperma van je man of voor mijn part een vriesvakvader eroverheen te gooien en negen maanden later komen er kraaiende geluidjes uit het wiegje in de hoek van de babykamer.

Of je moeder wil graag oma worden en jij hebt wel wat beters te doen dan negen maanden met zo'n toeter rond te wandelen, wat doe je dan? Precies! Oma doet ook even de zwangerschap. Hebben je ouders weer wat om handen. Anders zitten ze toch maar weg te vutten in hun aanleunwoning. En jij kunt lekker doorgaan met je carrière en je wintersport.

Waarom zo ethisch? Dat materiaal is er toch en als de

medische wetenschap zo ver is dat een vrouw van 64 een tweeling kan baren en die vrouw wil dat graag... Volgens mij kunnen we nog veel verder gaan. Over de hele wereld liggen enkele duizenden comapatiënten in een bed te vegeteren en deze mensen kosten een hoop geld. Is het misschien een idee om, als de familie erin toestemt, een aantal zwanger te maken en een kindje te laten krijgen? Ze krijgen een redelijke vergoeding en hebben op die manier toch nog een functie op de kermis. Je maakt er zoveel wanhopige ouders gelukkig mee.

Rest nog de vraag: neem je de kleinkinderen mee als oma gaat baren? Of is dat te heavy voor het grut? Maken we er wel een videootje van? Het is bekend dat veel dementerende oude mensen op het laatst van hun leven met een pop lopen te zeulen en daartegen praten alsof het een echt kind is. Is het niet veel natuurlijker om ze werkelijk een kind te laten krijgen, zodat ze niet zo mensonterend tegen een stuk speelgoed lopen te blaten? Het brengt ook een hoop vrolijkheid op zo'n doorgaans wat sombere afdeling.

Het spreekt me persoonlijk erg aan dat er ook een beetje gerommeld kan worden met ras en huidskleur. Geen beter protest dan om als negerin een albino op de wereld te zetten of als Palestijnse een klein joods jongetje. Gewoon om te pesten. Moet je 'oom' tegen je broer zeggen als oma voor je moeder het klusje geklaard heeft? Wordt het niet leuk om binnenkort te oefenen op de tweekleurige tweeling? Dus een Chinees en een Zuidamerikaan uit een puur Hollandse moeder uit Groenlo.

Persoonlijk hoop ik dat het experimenteren niet stopt en misschien krijgen mijn kinderen genetisch gemanipuleerde kinderen die nooit meer kinderloos kunnen worden en misschien kunnen we ze zo manipuleren dat je van tevoren al kunt aangeven wat hun hobby's worden. Wij willen een kleinzoon die skiet als Tomba, de humor heeft van Mr. Bean, de stem van Paul de Leeuw, het karakter van Willeke Alberti, de ogen van Jari Litmanen, de lach van David Endt, het schrijftalent van Kees van Kooten en als u er nog een drupje van uzelf aan toe wilt voegen, dokter, ga uw gang.

Condoomvader

Eén op de twintig homo's is met het HIV-virus besmet. Is dat zielig of is het gewoon dom? Ik denk regelmatig het laatste. Een jaar of tien roept iedereen dat je het niet zonder mag doen, het beflapje zit in het ziekenfondspakket en voor en na elk journaal komt een Postbus 51-trut uitleggen dat het met condoom eigenlijk lekkerder is. Voor haar misschien wel, maar voor ons niet. Het blijft vioolspelen met bokshandschoenen.

Nu wil men dat op elke school buiten de lees- en de overblijfmoeder ook de 'condoomvader' zijn intrede doet. De jeugd moet condooms gaan gebruiken en daarom zoekt Reina Foppen (geen bijnaam) van de HIV-vereniging mannen die willen verkondigen dat zij zich met condoom meer man voelen dan zonder.

Opeens ben ik weer dertien, zit op de achterste bank in lokaal zeventien van de Naardense Godelindeschool en volg met een half oog de biologieles van de oersaaie Stemvers. Hij gaf ons ooit een dusdanige krakkemikkige seksuele voorlichting dat we ons afvroegen wie hem geholpen had bij het maken van zijn eigen zoon.

Stemvers vraagt stilte en introduceert de heer Van der Heijden, de vader van Marjon.

'Meneer Van der Heijden zal jullie het een en ander vertellen over het condoomgebruik.'

De vader van Marjon, een suffe medewerker van het kadaster met een door zijn vrouw uitgekozen geen-gezichtbril, gehuld in een Noorse trui en een paar goed bedoelde Zweedse muilen, komt dan vertellen hoe wij met het rubbertje om moeten gaan en als hij het woord 'erectie' uitspreekt ligt de hele klas huilend van het lachen onder de bank. Hij zegt het woord alsof hij er eerst een uurtje op gekauwd heeft, of het de aandrijfas van een achterwiel is, een verschrikkelijke ziekte die je nooit hoopt op te lopen, een landmeetkundig instrument of wat dan ook. Later vertelt de trui ook nog over de 'staat van opwinding' en in de kleine pauze kunnen minstens zeven jongens de vader van Marjon heel goed nadoen. Op het moment dat Frits van Dam de man tot in de perfectie imiteert, komt hij langs. Op de brommer. De uren daarna zijn we niet meer stil te krijgen. We zien de vader van Marjon in staat van hevige opwinding zoeken naar zijn condoom, terwijl de moeder van Marjon kreunend ligt te wachten tot haar Don Juan toeslaat. De moeder van Marjon is caissière bij de HEMA en een saaier, grauwer en fletser schepsel is er op deze aardkloot niet te vinden.

In de grote pauze krijgt de arme Marjon alle hoon over zich heen en wij doen weer proestend haar vader 'in staat van opwinding' na. De hele school ziet in gedachten de pornofilm van de ouders van Marjon. De slaapkamer op het exotische adres Loefzij 48 is het decor van onze grofste puberale fantasieën. De heer Van der Heijden doet het met zijn helm op. De volgende dag is Marjon ziek. En terecht.

Je kan het toch niemand aandoen om de rol van condoomvader op zich te nemen. En de vader die met een banaan en een Durexje voor de klas wil komen moet maar eens diep nadenken en goed aan zijn zoon of dochter denken. Je schaamt je toch dood als je vader met zo'n ding voor het bord komt. Als je ouders elkaar in het openbaar aanraken schiet het schaamrood al naar je kaken en vraag je of ze willen ophouden met die bejaarden-seks, maar als je vader ook nog eens voor de klas komt fröbelen met een condoom wordt het helemaal treurig.

En al die besmette homo's dan? Die moeten gewoon veilig vrijen en een condoom gebruiken.

En als ze niet weten hoe dat moet?

Er zijn genoeg homoseksuele condoomvaders die dat ze een keer willen uitleggen.

Je hebt alleen kans dat als het paaltje bij het paaltje komt je alles, maar dan ook alles vergeet. Dus ook het condoom.

Leeuwen

Afgelopen woensdagmiddag viel ik al zappend in een televisieprogramma over Bekende Nederlanders en het
goede doel. Helpt het als een populaire landgenoot zijn
vertrouwde gezicht en mooie woorden aan een goed doel
leent? Er waren wat voorzitters van diverse stichtingen,
fondsen, rode, gele en andere kruizen die dat beaamden
en er waren wat Bekende Nederlanders die vertelden
waarom ze aan sommige doelen meewerkten.

Ik moest denken aan een vrolijk akkefietje met een
meneer van de Lions (een soort middenstandsrotary) uit
een middelgrote Nederlandse provincieplaats, die jaren
geleden contact met mij zocht om te vragen of ik in de
plaatselijke schouwburg een gratis voorstelling wilde geven. De opbrengst zou naar een huis voor geestelijk gehandicapte kinderen gaan. Natuurlijk wilde ik dat. De
man rekende uit dat bij een verhoging van de toegangs-
prijzen tot bijvoorbeeld vijfendertig gulden er een kleine
dertigduizend gulden zou binnenstromen. De schouwburg, de publiciteit en alles eromheen zouden gratis zijn
of gesponsord worden. Ik vond het een nogal karig bedrag en stelde de man het volgende voor: '

Normaal betaalt men voor een toegangskaartje voor
mijn programma tussen de twintig en de dertig gulden en
nu is dat een tientje meer. Mijn kantoor, mijn technici en
ikzelf werken een avond voor niks en doen dat graag,
maar ik heb een veel beter idee. Normaal geef ik een
kleine tweehonderd voorstellingen per jaar en als ik een

gratis voorstelling geef doneren mijn medewerkers en ik een tweehonderdste deel van ons bruto jaarinkomen aan het goede doel. Nogmaals: dat doen wij graag!

U krijgt voor slechts een tientje meer een avondje Youp van 't Hek en dat klopt volgens mij niet. Laten we het anders doen:

Ik treed gratis op, dus ook geen reis- en verblijfkosten, u komt kijken en betaalt als toegang een tweehonderdste deel van uw bruto jaarinkomen. U geeft dan hetzelfde bedrag als u aan mij en mijn mensen vraagt. En wat gebeurt er dan? Dan halen we in een avond een paar ton op voor die kinderen die dat zo goed kunnen gebruiken. Het goede doel heeft een even warme plek in uw hart als in het mijne, dus wat let ons? Ik denk dat alle Lions zullen brullen van enthousiasme. Wat is nou een half procent van je jaarsalaris?

Toen was het heel lang stil aan de andere kant van de telefoon. De Lion was medisch specialist en volgens mij goed voor een paar ton. Laten we zeggen drie. Hij zou dus voor vijftienhonderd gulden een avondje in de schouwburg hebben gezeten en zijn secretaresse, die hij al jaren beloont met veertigduizend gulden, zou tweehonderd piek naar de gehandicapten hebben gebracht.

De goede man legde mij uit dat ik het niet helemaal goed begrepen had, maar ik herhaalde bovenstaande redenering op kalme toon en vatte samen: Ik vraag aan u hetzelfde als u aan mij vraagt. Ik geef het graag. En u?

U begrijpt al dat Johnny Lion en ik niet tot zaken kwamen omdat hij mijn voorstel ridicuul vond. Ik vind het nog steeds leuk en verschrikkelijk redelijk. Het leek me zo'n aardige doorbraak in de grote hausse van Rode Kruisballetjes, Ronde Tafelbijeenkomstjes, Rotaryfeestjes en ander zogenaamd charitatief gereutel.

65

Het komt er steeds op neer dat de smokings voor een tientje of vijf een leuke avond hebben en dat ze zich na afloop op de borst slaan dat de opbrengst naar een of ander goed doel is gegaan, terwijl de artiest en de schouwburg in feite hebben gegeven. Het is goed doen met andermans geld. Ik vraag me af hoeveel laaiend enthousiaste Rotarians, Lions, Ronde Tafelaars en andere provinciale serviceclubs hun komende bestuursvergadering aan deze column zullen besteden en hoe vaak de telefoon bij mij zal rinkelen. De PTT is bij dezen gewaarschuwd. Ik vrees dat de Hilversumse telefooncentrale roodgloeiend doorbrandt. De Lions willen toch niet in hun hempje staan?

Kapper

Ik kapper nogal onregelmatig. Ik ga altijd in een opwelling. In een seconde vind ik dat het genoeg is geweest en stap onmiddellijk de eerste de beste kapperszaak binnen met het verzoek mij te knippen en wel zo dat je niet ziet dat ik naar de kapper ben geweest. Soms is dat bij mij om de hoek, maar meestal gebeurt het op tournee. Middelburg dus of Hengelo of Groningen of diep in Maastricht. Ik wens zo min mogelijk gewas, geföhn en gedoe aan mijn kalende koppie en word erg nerveus van de coiffeur met een espressomachine in zijn zaak. Ik wil gewoon geknipt en verder geen gefrunnik. Donderdag liep ik in Antwerpen en vond het weer welletjes. Niet ver van het station stapte ik een kleine, lege kapperszaak binnen en daar verklaarde de eigenaar met de armen over elkaar dat het stampend druk was en dat ik pas om half zeven aan de beurt was. Aan de overkant had ik meer kans.

Zacht mompelend stak ik over, liep de winkel binnen en stond oog in oog met een fascinerende knipnicht. De man had een coupe Kees Jansma, maar dan vrijwillig. Kaalgeschoren dus. En op deze biljartbal pronkte een Jacques d'Ancona-bril, maar dan wel een van zijn extravagante paasmodellen. Ik wist al dat dit niet helemaal mijn zaak was, maar helaas hadden ze alle tijd. Ik werd mee naar achteren genomen en stond voor ik het wist in een belachelijk zwart schort dat strak om mijn nek gekneld werd. Ik werd met een uiterst gladde *smile* begeleid naar het shampoohoekje en hing al gauw met mijn hoofd in een koude, porseleinen wasbak. Toen gebeurde er enige tijd niks. Links van me zat een jongen van een jaar of 25 en zijn hoofd was verpakt in van dat doorzichtige huishoudfolie. Om hem heen draaiden allerlei enge lampen en ik begreep dat dit een turbo-droogkap was. Rechts van me werd een dame behandeld. Pluk voor pluk werd haar haar door een jonge mannelijke hinde gekwast en in aluminiumfolie verpakt. Ze leek al gauw op een moderne kerstboom uit de etalage van De Bijenkorf.

Ik moest en zou hier zo snel mogelijk weg, probeerde boven de knoeperharde housemuziek uit te denken, maar net toen ik op wilde staan kwam er door een gordijn een gladjakker in een hups matrozenpakje en in zijn hand hield hij de onvermijdelijke espresso. Ik werd in het sop gezet en gemasseerd door de matroos. Zowel mijn linker- als mijn rechteroorlelletje werd vakkundig onder zijn zachte handen genomen en ook mijn nek werd wulps gemasseerd en gesopt. Het zweet spoot met liters in mijn schoenen. Als ik opzij keek lachte de zojuist geverfde man naar me en via de spiegel zag ik allerlei types achter mij door een mysterieuze deur verdwijnen. Ik vermoedde dat daar iedereen met zijn schaamhaar in de krullers lag of antroposofisch werd gemanicuurd. Straks word ik verdoofd of bedwelmd en morgenochtend word ik daar omgebouwd wakker, fantaseerde ik angstig. De matroos bewerkte mij ondertussen op een manier alsof hij mij smeekte onze jarenlange relatie niet te beëindigen en het nog een keer met hem te proberen. Twee dames met een hoog Brasschaatgehalte kakelden over de nieuwe *Paris Match*, de mevrouw naast me ging nog steeds plukje voor plukje in het zilverpapier en bij mijn geschilderde kameraad liep een zwarte druppel in zijn nek, die mij erg aan het ontroerende slot van 'Dood in Venetië' deed denken.

Voor ik het goed en wel in de gaten had was de was-sessie voorbij en mocht ik in de knipperette plaatsnemen. De matroos – zeg maar Dave – deed me een rubber, erg design matje om mijn nek en danste vervolgens om me heen als een jeugdige Michelangelo, die elk moment een verrassingsbezoek van de paus kan verwachten. Tijdens mijn geknip en getondeus flitsten er allerlei krantenkoppen voor mijn ogen. Servië, Rwanda, Somalië, Hebron en ik zat ondertussen in een soort gekkengalerij voor een ongetwijfeld gigantisch bedrag mijn haar in te leveren. Wat is er toch met ons allemaal gebeurd dat wij dit normaal zijn gaan vinden? Waarom komt er niet een debielenbusje met een paar stevige verplegers het zootje inrekenen en in een dwangbuis afvoeren? Het gehuppel heeft nog een half uur geduurd, ik heb me nog een tweede espresso door mijn keel laten gieten, Dave vertelde dat hij nog hele spannende dingen met mijn hoofd kon doen en dampend van de zenuwen stond ik even later buiten. Toen ik 's avonds aan iemand lacherig over mijn avonturen vertelde, bleef diegene bloedserieus, vroeg hoe de zaak heette en zei toen: 'Ja, maar dat is ook een hele goeie'.

Koerier

Als er een envelop van het ene reclamebureau naar het andere moet of als een fotograaf een spoeddia moet afleveren bij een lithograaf dan belt hij een koerier. Dat is een man met als enige opleiding een rijbewijs en hij garandeert dat de envelop of dia binnen de meest onmogelijke tijd op de plaats van bestemming komt. Dat houdt in dat er een heel snel Renaultje over de gracht scheurt en midden op het wegdek parkeert. Uit het turbo gespoten autootje komt een man (meestal met een staartje), gaat naar binnen bij de desbetreffende studio, blijft minstens twee koppen koffie hangen en heeft daarmee zoveel tijd verloren dat hij op zijn achterwielen wegsteigert om op tijd bij de klant te zijn. Uit de auto komt een hoop mobilofoongepiep en het klinkt allemaal op een toon alsof er uitsluitend donornieren worden vervoerd en dat het leven van de wachtende patiënt aan een zijden draadje hangt. Voor hij van de gracht wegstuift heeft hij nog even het middelvingertje opgestoken naar de geïrriteerde file achter hem. Daarna neemt hij trambanen, stoepranden, kinderspeelplaatsen, plantsoentjes, rode stoplichten en als er een file op het Damrak staat rijdt hij gewoon over de benedenverdieping van De Bijenkorf.

Nu heb ik het over een envelop die de stad *uit* moet. Dus die wordt met een autootje vervoerd. Het wagentje schiet de Coentunnel in, rijdt tegen het plafond omdat dat sneller gaat, brult met zijn groot licht iedereen van de linkerbaan, snijdt alles wat langzamer dan honderdvijftig rijdt de vangrail in, springt bij een afslag van het talud af, giert zich over een industrieterrein en stopt piepend voor de desk van de Randstad Uitzendtrut van een of andere drukkerij en is zo onder de indruk van haar hoge Veronica-gehalte dat hij veel te lang koffie bij haar lebbert. Daardoor komt hij in tijdnood en met bloedspoed giert hij terug naar de stad.

Als de envelop binnen de stad bezorgd moet worden gaat hij per brommer. Dan komt er een gozer die zijn acné verstopt heeft onder zijn integraalhelm en die een weddenschap met een chauffeur van een van de autootjes heeft dat hij het op zijn brommer sneller kan. En dat lukt ook wel. De brommer rijdt uitsluitend over de stoep, brult bejaarden portieken in, vloekt, schreeuwt, rijdt af en toe op de bovenleiding van de tram, springt regelmatig via twee woonboten over de Prinsengracht, veegt de kleine steegjes tussen de grachten mensenvrij en wint de weddenschap met glans.

Afgelopen woensdag verliet ik met mijn kinderen de sigarenwinkel op de hoek en kon nog net op tijd mijn zoon voor zo'n koerier wegtrekken. De op de stoep rijdende helm raakte uit balans en kwam half ten val. Hij liet de brommer met draaiende motor liggen, deed zijn helm af en vroeg op zwaar Amsterdamse toon of ik godverdegodver geen ogen achter die iets te kleine teringtelevisiebril had en of-ie ze anders effe open moest rammen. Ik deed een voorzichtige poging om de puber te melden dat ik op de stoep liep en eigenlijk nog in het halletje van de sigarenwinkel stond en dat…

Zinloos. Ik kon kiezen tussen excuses of een ongelofelijke peut tussen mijn ogen. Ik koos voor het laatste en daar was pukkelkoning weer te slap voor. Hij bleef zo lang schelden dat ik me op een gegeven moment afvroeg

71

waarom hij net zo'n haast had en ik vertelde de F-sider dat, als hij zo door zou schreeuwen, zo laat zou zijn dat het zeker twee mensenlevens ging kosten. Het incident eindigde met een boel herrie, ordinair geroep en met een 'de volgende keer maak ik je helemaal dood' nam hij afscheid van mij en mijn kroost.

Dit stukje is een schreeuw van een binnenstadbewoner en bestemd voor alle reclamebureaus, grafisch ontwerpers, stilistes, fotografen, advertentie-afdelingen en ander volk dat zich in deze branche ophoudt. Vertel aan de dombo die voor koerier speelt dat een advertentie minder waard is dan een kinderleven en dat het niet erg is als we een dag zonder Omo Powercommercial of maandverband-met-vleugeltjesadvertentie leven. Sterker nog: het is aangenamer zonder dat stompzinnige gelul.

En vertel ook even dat een kinderhoofdje een type straatklinker is en dat hij dat niet letterlijk moet nemen. Maar mocht binnenkort toch mijn zoon van drie worden geschept door het gajes van de pakketjesmafia dan bel ik geen ambulance, maar een koerier. Misschien redt hij het dan nog.

Ruudjes

Bij ons in de buurt zit een drietal pensions voor dak- en thuislozen en dit houdt in dat het percentage kachelende mannen met een pilsje in de hand hoog is. Wij thuis houden erg van de zuipende schreeuwerds die op de bank voor de groenteman oeverloze discussies houden. Binnen twee zinnen is iedereen het gespreksonderwerp kwijt, maar het gelul gaat op luide toon uren door. Halve liter Heineken erbij en maar zuipschuiten. Heerlijk. Persoonlijk ben ik erg gek op de oude bokser met de platte neus, die mij minstens drie keer per dag uitdaagt om te vechten en schijnboksend om mij heen draait. Ook heb ik een zwak voor de man met één arm, die zijn fles op het stompje van zijn elleboog draagt en het gerstenat op verbluffende wijze naar zijn mond brengt. Het lijkt wel circus. Hij foetert werkelijk iedereen uit voor alles wat mooi en lelijk is, komt op het meest onverwachte moment achter de haringstal vandaan en schreeuwt je bijna de gracht in. De hele buurt kent hem en geeft geen antwoord, maar je ziet nog wel eens een groepje creditcardteven uit Emmeloord angstig uit elkaar stuiven omdat hij scheldend en stinkend voor hen springt.

Als ze om twaalf uur 's nachts niet binnen zijn gaat de deur van het pension op slot en moeten ze de nacht buiten doorbrengen. In de winter is dat koud, maar 's zomers mogen ze graag opblijven. Zuipen is leuker dan slapen. Ze zitten dan vaak bij mij aan de overkant in de schaduw van de Amstelkerk en als de wind onze kant op staat, flardt hun gesprek mijn werkkamer binnen. Hoogtepunt is dan de volledig doorgedronken zatlap die om vijf uur 's morgens meldt: 'Ik heb altijd gelijk.'

Afgelopen week vertelde de krant mij dat het afgelopen moet zijn. Er is een openbaar drinkverbod ingesteld omdat de grachtengordel te veel last heeft van de voddenbalen. Ik las het woord 'opdringerig' en de term 'exhibitionistisch gedrag'. De overlast wordt de zwaar gehypotheekte yuppen te groot en met geld en goede relaties kom je een heel eind op het stadhuis. Er gaan 's nachts ook al geen vliegtuigen meer over de gordel omdat de elite daar wakker van werd. Nu suizen de jumbo's weer lekker over de Bijlmer. Illegalen durven toch niet te klagen. Interessant.

Dat er nu een drinkverbod is ingesteld vind ik persoonlijk jammer. Vooral omdat niemand last heeft van de innemers. Een beetje lawaai en ze pissen wel eens tegen je auto, maar volgens mij hoort dat bij het leven in een grote stad.

Wie zijn die drinkebroers?

De meesten waren doodnormale, doordeweekse huisvaders met een vaste baan, vrouw, huis en auto van de zaak.

Hoe word je zwerver?

Op een dag gaat het mis. Ze verliezen een geliefde aan de dood of een scheiding, ze gaan failliet na wat veel hooi op hun vork of ze wonen in een te duur huis of ze redden het ellebogengevecht binnen de zaak niet of... en dan is de stap naar het dakloze zwerven vaak kleiner dan je denkt.

En nu?

Drinkverbod of geen drinkverbod. De echte lap blijft zuipen. Over tien jaar ontwaar ik in de kluwen zuipers een veertiger met bijeengeklit rastahaar en een man van tegen de zeventig met een hele zware baard. Ik herken de twee Ruudjes. Ze hangen en zingen tegen elkaar aan. Mijn dochter is dan vijftien en vraagt of het waar is dat dat ooit twee bekende Nederlanders waren. Ik zal het moeten bevestigen. De een was een voetballer met principes op het gebied van racisme, was solidair met Mandela, maar tekende een contract met een man die heulde met de neofascisten. Hij raakte daardoor zo in de war dat hij huilend het trainingskamp van het Nederlands elftal verliet en daarna is gaan dolen.

En die ander?

Die was ooit premier, maar werd verpletterend weggehoond door de kiezers, wilde toen iets in Europa, werd uitgelachen door de echte staatsmannen, was niet rijk genoeg voor de lobby en werd verslagen door een tweederangs Belg.

Wat zingen ze?

De een zingt 'We zwaaien met zijn allen naar Milaan' en de ander 'We zwaaien met zijn allen naar Dehaene'.

Lief hè?

IKEA

Toen mijn toenmalige vriendin en ik tien jaar geleden uit elkaar gingen, hebben wij de spullen niet verdeeld. Op een dag kwam ik thuis van een tourneetje en was ze weg. Zoals afgesproken. En ze was koninklijk vertrokken, ofwel: ze had het huis zeer leefbaar achtergelaten. Toch moest ik een en ander bijkopen en een vriend van mij zei: 'Dan moet je naar IKEA, daar hebben ze echt alles.'

Dus ik naar IKEA. En inderdaad: daar hebben ze alles. Althans: in de catalogus. Ik had een nieuwe bank nodig, wat stoelen, wat servies (was gesneuveld), wat bedden, enzovoort. Zelden ben ik ongelukkiger geweest dan toen. Het ergste vond ik dat niets er was. Dus dan koos je een bepaalde tafel, ging naar beneden om hem uit een onmogelijke stelling te halen, liep een uur te vloeken door het doolhof dat magazijn heet en uiteindelijk hoorde je dat de 'Björn' of de 'Benny' pas volgende maand weer leverbaar was. Terug naar boven, daar koos je iets anders en beneden kwam je erachter dat ze hem wel in het wit, maar niet in het door jou gewenste zwart hadden.

'Waarom zet u in de showroom geen vlaggetjes bij alles wat uitverkocht is,' vroeg ik aan de korenblauwe IKEA-mevrouw van het magazijn.

'Dat zou een aardig woud worden,' sprak zij met Amsterdamse tongval en barstte los in een aanstekelijke lachbui.

Het meest droef werd ik toen ik mijn verdrietige vriendinnetje tegenkwam, die ook met een wagentje wat rommel liep te scoren. Zij had alles nodig wat ze bij mij had achtergelaten en ik zocht wat zij had meegenomen. Treurig beeld.

Ik besloot om nooit meer naar dat echtscheidingspaleis te gaan, maar ook voor mij geldt: zeg nooit nooit.

Inmiddels ben ik een huwelijk en een paar kinderen verder en vorige week hebben we aan onze vele bezittingen een vakantiehuisje toegevoegd. Dat moet ingericht en volgens mijn vrouw konden we het beste even naar IKEA. 'Het hoeft niet luxe en daar hebben ze nou eenmaal alles en dan zijn we er in één keer vanaf,' overtuigde ze mij en voor ik het wist liep ik in een file van uitgebluste echtparen, die het nieuwe bed uitsluitend nog testen op het slapen.

De kinderen zaten beneden in de 'ballenbak' en mevrouw Van 't Hek en ik worstelden ons door dekbedden, matrassen, stapelbedden, keukengerei, serviezen, messen, vorken, lepels, enzovoort. Het belangrijkste was het stapelbed.

'Boven in het stapelbed.' Het was me honderd keer verteld. Roos heeft ook een stapelbed en Sharon en Floor en Sterre en…

De tocht door de Zweedse meubelgigant zal ik u verder besparen, maar dat mijn vrouw en ik nog bij elkaar zijn mag een wonder heten. Maar het ergste moest nog komen: het in elkaar zetten van een IKEA-stapelbed.

Je maakt het kartonnen pak open, zet een wirwar van planken tegen de muur van de lege kinderkamer, legt de schroeven, pluggen en vreemde sleuteltjes bij elkaar in de vensterbank, vouwt de gebruiksaanwijzing uit en volgt de plaatjes. In het begin gaat het wel. Alles klopt, maar dan: het blijkt dat je het bed tot nu toe met de ver-

77

keerde schroeven in elkaar hebt gezet. Oké, uit elkaar. Opnieuw beginnen. Goed nadenken. Goed naar het plaatje kijken. Je aan hun volgorde houden. Maar die plank is er niet. Oh wacht even. Die plank moet dus daar en deze moet hier. Oké, uit elkaar. Nu zit alles goed. De lattenbodem. Op het plaatje schuiven ze die zo in elkaar. Wat doe ik dan verkeerd? Waarom past dat niet? Eerst die twee brede planken. Ik heb geen brede planken. Oh die heb ik daar gedaan. Uit elkaar. Ik heb haar beloofd dat ze morgen in het stapelbed mag slapen. Nog een keer. Dus die plank daar en die plank... Om twee uur 's middags was deze enthousiaste vader begonnen en 's avonds om twaalf uur (zonder pauze) zat het bed in elkaar. Ik heb nog wel wat schroeven en een plankje over. Er zit bloed op het behang, ik heb mijn vrouw geslagen, mijn jongste zoon het huis uit gescholden, het hele servies door het glas van de schuifpui naar buiten gesmeten en nu komt het ergste: er moet nóg een stapelbed in elkaar gezet worden. Gelukkig heeft het huisje ook een open haard.

Hitte

Ons huis heeft een voortuin. Nou voortuin? Een bestraat strookje van drie bij één meter met een hekje ervoor. Achter dat hekje staan onze fietsen.

Meer is er niet over te zeggen.

Afgelopen maandagochtend liep ik aan de overkant van de Prinsengracht en zag vier agenten bij mijn huis. Eentje had zich in de voortuin tussen de fietsen gewurmd en de drie anderen stonden bij het hek. Er was dus echt iets aan de hand. Vier agenten in deze tijd van personeelstekort wil toch wel wat zeggen. Ik dacht aan mijn onbetaalde parkeerboetes, snelheidsbonnen en belastingschulden, maar kon niets schokkends ontdekken. In elk geval geen bedrag dat het waard is om een volledig arrestatieteam op me af te sturen.

Misschien was er wel iets verschrikkelijks met een van de kinderen gebeurd. Als een kind overleden is komen ze dat altijd aan de deur vertellen. Wie was er wijlen? Mijn zoontje was met school naar het zwembad en was natuurlijk verzopen op het moment dat de juf aan haar bloedstollend lekkere weekend stond te denken. Of was het mijn dochter? Die was misschien wel levend begraven door een zootje sadopeuters die pas tot hun agressieve daad komen als het kwik boven de dertig graden komt. Of nog erger: wie weet waren én mijn vrouw én mijn kinderen op het Frederiksplein geschept door een autootje van een koeriersdienst en was ik nu een kinderloze weduwnaar met alleen nog een goudvis in een kom troebel water.

Ik voelde toch wat kippenvel rond mijn hart en spoedde mij over de brug om de agenten te vragen wat er aan de hand was.

'Uw fiets stond niet op slot,' was het verbijsterende antwoord.

'Pardon?'

'Uw fiets stond niet op slot, die hebben wij even op slot gezet en hier heeft u de sleuteltjes.'

'En als ik het niet gezien had, hoe had ik dan kunnen weten dat u de sleuteltjes had?'

'We hebben een briefje op de fiets achtergelaten.'

Ik nam, te verbaasd om wat dan ook terug te zeggen de sleuteltjes in ontvangst, liep naar de fiets en vond het briefje met de volgende tekst: *mevrouw/meneer*

uw fiets stond niet op slot.

Fiets op slot gezet.

Sleutels af te halen op bureau Prinsengracht 1109.

Simone de Wit

surveillant van Politie

Stamnr 15742

Op hetzelfde moment denderde een vrachtwagen met vierhonderd kilo heroïne door de Zeeburgertunnel, via de IJtunnel werden achthonderd pakjes van twee kilo onversneden coke de stad binnengebracht, via de Coentunnel reed net een trailer gestolen antiek en curiosa richting de Zwarte Markt van Beverwijk en op de Gooiseweg had een oplegger met gejatte BMW's en Golfjes haast om naar Polen te komen.

In barretje Hilton worden doorlopend de IRT-waardige zaken geregeld, de halve effectenwereld handelt zich rijk met voorkennis, onroerend-goedgajes koopt van corrupte ambtenaren vergunningen om de binnenstad te verkrachten met de verschrikkelijkste appartementen-complexen en mevrouw Van 't Hek vergeet wel eens haar fiets op slot te zetten. In haar eigen tuintje. Een oud bar-rel met twee kinderzitjes. En om dat laatste geval staan vier agenten.

Even later schreeuwde mijn vrouw door het huis: 'Wie heeft godverdomme mijn fiets op slot gezet?'

'De politie,' lachte ik minzaam.

'Blijf toch met je poten van mijn fiets af. Ik moest al-leen maar even wat pakken.'

'Echt waar, vier agenten.'

'Het wordt tijd dat je weer gewoon gaat werken en blijf in elk geval een tijdje uit de zon.'

Gordelleed

Politie aan de deur. Waterpolitie om precies te zijn. Of het bootje met registratienummer x 73142 van mij is? Dat kan best.

'En waar ligt uw bootje?'

'Waar het altijd ligt. In de Reguliersgracht.'

'Dat denkt u, maar het is gestolen en wij hebben het inmiddels gevonden. Uw bootje ligt op dit moment achter een woonhuis aan de Weteringschans, vlak naast Paradiso.'

De agent en ik erheen. En inderdaad. Daar lag een boot, maar niet de mijne.

'Maar u heeft toch registratienummer x 73142?'

'Dat zal wel, maar dit is niet mijn bootje.'

'Toch moet het uw bootje zijn. U bent toch meneer Van 't Hek?'

'Dat ben ik.'

'Dan is dit uw bootje.'

'Maar het is mijn bootje echt niet. Ik weet toch wel hoe mijn eigen bootje eruit ziet.'

'Waar is uw bootje dan?'

'Ik denk gewoon op zijn plek. In de Reguliersgracht. Gisteravond lag het daar nog.'

'Dan gaan we naar de Reguliersgracht. Waar is die precies?'

'U bent toch van de waterpolitie?'

'Ja, maar ik kom uit Castricum.'

Met mijn bootje was niets aan de hand. Het lag prachtig

te blinken in de zon, het slot was puntgaaf en ik zag dat er niet mee was gevaren.

'Een raar verhaal, meneer Van 't Hek.'

'Inderdaad agent, een raar verhaal.'

'Wilt u mij een plezier doen en toch even in het bootje kijken of u niets mist?'

Ik stapte aan boord, keek in de kleine kajuit, zag dat daar twee jongens lagen te slapen en meldde dit aan de Castricumse bromsnor.

'U kent die jongens niet?'

'Nee, ik ken die jongens niet.'

'Dan zijn dat insluipers.'

De twee, vriendelijke gozers van een jaar of twintig, waren inmiddels wakker en vroegen zich af wat we kwamen doen.

'U slaapt hier in mijn bootje.'

'Maar dat mocht van de eigenaar!'

'Ik ben de eigenaar...'

'O, vannacht in het café kregen we deze slaapplaats aangeboden. We hebben dertig gulden per persoon betaald.'

'Dat is veel geld.'

'Ja, maar goedkoper dan een hotel.'

'Dat is waar.'

De mannen werden mee naar het bureau genomen en ik liep lacherig naar huis.

Later belde de agent om te vertellen dat de boot aan de Weteringschans aan een ander toebehoorde.

'Waarom dacht u dan dat hij van mij was?'

'Ik had op de lijst van vorig jaar gekeken en toen had uw bootje registratienummer x 73142. Vandaar.'

'En die twee aardige jongens?'

'Die hebben we na verhoor vrijgelaten. Ze waren geheel te goeder trouw.'

'Tot ziens agent.'

'Tot ziens.'

Sinds die dag ben ik vrolijker dan ooit. Er loopt dus een of andere slimmerik bij ons in de buurt en die verhuurt het varend tuig van de gordelyuppen voor zes joetjes per nacht. Er liggen wel tachtig bootjes in de Reguliersgracht. Achtenveertighonderd gulden schoon in het handje. Heerlijk. Wat een zomer.

Nikon

Een N4004. En dan staat er nog op: Decision Master System. En een AF NIKKOR 35-70 mm-lens. 1:3.3-4.5!

Waar gaat dit stukje over? Over een fototoestel. Een heel groot, ingewikkeld fototoestel. Je kan er op afstuderen. Wat een knoppen en wat een gedoe. Lag zomaar opeens bij ons op de piano. En niemand had een idee van wie het was. We deden her en der wat navraag, belden kennissen, vroegen de oppas of zij een idee had, lieten het aan de werkster zien, maar niemand wist het. Ik heb geen verstand van fotograferen, maar zag wel dat het duur was. Ik heb er een ochtend op geoefend, maar kreeg het niet eens aan.

Motordrive erop, ingebouwde flits en een aansluiting om er een professionele flitser op te zetten. Als het mijn toestel was, zouden alle foto's mislukken. Ik ben een Instamatic-type. Kijken, drukken, klaar. Ik word ook altijd nerveus van vrienden met de opdringerige hobby fotograferen. Het is zo'n gedoe op een feestje. En hinderlijk. De videovader is nog erger.

Het toestel bleef intrigeren. Van wie was dit ding? Wie is zo'n duur iets niet kwijt? Waarom belt er niemand? Heeft mijn vrouw een minnaar die het heeft laten liggen? Verdenkt ze mij van een vriendin? Heeft haar vriend het per ongeluk vergeten en weten ze nu niet hoe ze het fatsoenlijk het huis uit moeten krijgen? Hoe duur is-ie? Capi gebeld. Duizend gulden. Vinden wij veel geld. Een week gewacht. Twee weken. Drie. Vier. Niemand meldde zich.

Er zat een fotorolletje in en de teller stond op acht. Kan je het toestel openmaken, het filmpje eruit halen, naar de 'one hour' op de hoek brengen en een uur later schaamteloos andermans familiekiekjes gaan zitten beloeren? Nee. Stel dat het van een bevriend echtpaar is. Misschien fotografeert hij heel graag truttige herfsttaferelen of doet zij een poging om David Hamilton te imiteren met een bewasemde lens. Even zuchten en dan snel schieten.

Het blad *Televizier* heeft meer dan twintig jaar geleden een David Hamilton-wedstrijd uitgeschreven. Een vriend van mij werkte daar toen en op een balorige middag hebben wij, huilend van het lachen, een kleine duizend inzendingen begluurd.

Allerlei Erica Terpstra's waren door hun man in een Hemaslip gehesen en op de rand van een tweepersoonsbed gezet. Ze deden een allerlaatste poging om nog één keer geil te kijken in hun verder mislukte leven. Fascinerend. Andere amateurs hadden hun vrouw door het wc-raampje van hun Hardenbergse nieuwbouwwoning geperst en ook nu moest de blik op mysterie en erotiek. Maar dat is moeilijk als je je man met zijn camera ziet modderen, terwijl je staat te rillen van de kou en alle gereformeerde buren vanachter hun vitrage geamuseerd ziet toekijken. Hun blik spreekt boekdelen. Dat komt nooit meer goed.

Dus ik durfde de camera niet open te maken en het filmpje weg te brengen. Maar ik wilde wel. Graag zelfs. Ik fantaseerde veel en zag diepdroeve kinderpartijtjes voor me, maar ook verschrikkelijke etentjes. Mijn beste vriend met zijn schoonouders in een AC-restaurant of op een treurig personeelsfeest in een partycentrum of met drie collega's op de bowlingbaan of met zijn vrouw gourmettend bij een ander echtpaar in Vlaardingen.

86

Gisteren hebben we de knoop doorgehakt en heb ik het filmpje weggebracht. Precies een uur later stond ik voor de balie. Het meisje van de snelontwikkelaar keek me een beetje vreemd aan. Er was iets. De manier waarop ze omkeek naar haar collega was dodelijk. De dames wisselden een vernietigend lachje uit. Trillend maakte ik het mapje open. En toen? Koude schrik...

De buren. Nooit aan gedacht. En niet zomaar de buren. Onze buurvrouw in een situatie die ik echt niet op kan schrijven, haar man... Laat maar.

Nooit geweten, nooit beseft en ik wil het ook niet weten. Deze foto's hadden natuurlijk nooit op de hoek ontwikkeld mogen worden. Ergens in een ver buitenland en dan nog onder een andere naam. Dus dat is dat lawaai 's avonds. Nooit vermoed. Keurige man, leuke vrouw...

Hoe geef ik ze die foto's? Hoe krijg ik dat toestel door de brievenbus? Daarom hebben ze het nooit opgehaald. We gaan verhuizen.

Tachograaf

Er loopt een vrouw door de stad en zij verliest stralend een pakje maandverband. Vergeef het me dat ik het merk niet weet. Het zal wel Libresse Ultra zijn of Always met vleugeltjes. Er is een man die het pakje opraapt, hij bestudeert het alsof het de nieuwe cd van Prince is, maar dan verschijnt de ongestelde vrouw opgewekt in beeld. Ze pakt het pakketje lachend van de niet minder vrolijke man af en verdwijnt richting…? Niemand weet het, maar ik denk richting de tennisbaan, het squashpaleis of de manege. Niks is namelijk lekkerder dan sporten als je ongesteld bent. Mijn eigen vrouw swingt in dat weekje ook altijd zo lekker door de stad. Wild dansend in de studio, heerlijk lachend met vriendinnen… ach, het is zo' n fijne tijd. Niks paracetamol, buikpijn of een landerig gevoel. Swingen, lachen, zwieren en zwaaien!

Twee randdebiele vrouwen babbelen in een truienwinkel over Dreft, de sneue persvoorlichter van Unilever komt heel zielig liegen over OMO Power en provincie-yuppen zetten zonder vuil te worden en intens van elkaar genietend een schuur in elkaar. Na afloop lessen zij hun dorst met een goor alcoholvrij Grolschje. Reclame, reclame en nog eens reclame. Eerst komt er iemand melden wat er in het nieuws komt, dan komen de debielenboodschappen van de Ster, daarna het werkelijke nieuws, dan weer de mededelingen voor lekkende Dependslipdragers, daarna het weer (dankzij Center Parcs), dan volgen wederom de boodschappen op het denkniveau van een tweejarige, daarna de film die twee keer wordt onderbroken door de irritante mededelingen vol uitvaartpolissen en kroelende Oil of Olaz-sloeries en na afloop wordt mij gemeld dat de uitzending van de film mede mogelijk is gemaakt door Heinz Sandwichspread, Punica, Becel of een andere genotmiddelenviespeuk.

Ischa, Henny, Ron, Mart en Maartje, Paul en Tom, Viola en Catherine, Hans en Mireille en al die anderen laten zich probleemloos onderbreken door de broodnodige commercie.

Volgens mij mag je zo langzamerhand weigeren om kijkgeld te betalen. Lijkt me een interessante rechtszaak. De rechter bepaalt dat je het bedrag gewoon mag houden als smartegeld wegens het moeten verorberen van zoveel uur ongewenste reclame. Schadevergoeding omdat je enorm bent gaan zuipen door al die ergernis. Daarbij wordt het kijkgeld uitsluitend gespendeerd aan de ordinaire salarissen van omroepmafiosi als Van der Reijden, Van Dam, Van der Louw, Van den Heuvel en Wallis de Vries, die elk minimaal goed zijn voor een tonnetje of vier plus een schaamteloze limo met chauffeur en een vette onkostenvergoeding.

In het eerder genoemde nieuws zie je nog wel eens een actie van de politie die alle vrachtwagenchauffeurs controleert of de Henk Wijngaardjes niet te lang in hun truck zitten. Er worden kneuzen uit hun cabine gesleurd en die zitten dan al een dag of wat onafgebroken in hun wagen, houden zich vanaf de Brennerpas wakker met gifzwarte koffie, hebben bijna drie gezinnen doodgereden en weten amper hun eigen naam nog.

Sommigen hebben met hun tachograaf geknoeid, anderen komen niet in beeld omdat ze thuis liggen te herstellen van hun tweede dubbele hernia en als er een chauffeur wil praten over de wantoestanden in deze branche, wordt hij onherkenbaar gefilmd en wordt voor de zekerheid nog even zijn stem verdraaid. Anders is de goeierd namelijk zijn baan kwijt. De gemaakte overuren krijgt hij zeker niet betaald. Vroeger schold ik nog wel eens op zo'n 'aso-trucker' die met zestig de linkerbaan blokkeert, maar ik ben de laatste tijd steeds meer begrip voor deze jongens gaan krijgen.

Nu wil de FNV middels een aantal reclamespotjes iets gaan doen aan deze middeleeuwse wantoestanden. Even de achterban wakkerschudden, nieuwe leden werven en vertellen dat er wat aan te doen is. En wat gebeurt er? De spotjes worden door de STER en IP (reclamebedrijf van RTL) geweigerd. Ze zijn te eenzijdig!

Dus eindelijk kon er tussen alle liegbeesterij van Dixan Megaperls, Mars en Reaal een waarheid worden verkondigd en wat doen de fatsoensrakkers van de reclame? Precies. Ze worden ethisch en principieel. Te eenzijdig. Je verzint het echt niet. Geen waarheid tussen de leugens.

Het wordt weer tijd voor een echte revolutie!

En als de studenten nog vijfhonderd miljoen zoeken, weet ik nog wel een potje. Grijp het kijkgeld nu het nog kan.

Hoe? Maak een spotje. O nee, dat lukt niet.

Grote bek

Berlusconi werd met grote overmacht premier, Gullit legde uit waarom hij terug wilde naar AC Milan en deze superclub vernederde in die dagen de ploeg van Johan Cruijff met 4-0.

We praten nu over half mei jl. Iets meer dan zes maanden terug. Gullit wilde toen ook nog graag uitleggen wat er zo goed was aan Milan en wat er in Nederland allemaal niet deugde.

Ondertussen is er het een en ander veranderd.

Berlusconi moet nu de officier van justitie óf omkopen óf een handgranaat onder diens auto plakken om te zorgen dat hij niet in de lik komt wegens het betalen van smeergeld en andere Italiaanse mafiapraktijken. De kiezers hebben hem ondertussen massaal de rug toegekeerd en gezorgd voor de grootste anti-regeringsdemonstratie sinds de Tweede Wereldoorlog. AC Milan is door ons eigen Ajax vernederd tot een Helmond Sport en had een hele goede plek gekozen om de wedstrijd te spelen: Triëst. Laat het trema maar weg.

En dan hebben we nog Gullit. Hoe is het met Gullit? Tsja. Het is stil rond Ruud. In de tijd van Mandela wist je nog waar hij stond. Hij deed fantastisch werk op het gebied van racismebestrijding en maakte zich sterk voor de gekleurde medemens. Zelfs Janmaat dacht over een rastakapsel. Maar toen Berlusconi de neofascisten in de Italiaanse regering haalde, hoorde je hem niet meer. Waarom niet? Geen idee. Je hebt kans dat hij er nu weer iets over wil zeggen. Hij is door Milan afgedankt en mag zijn laatste dagen slijten bij Sampdoria.

Het kan verkeren. In een halfjaar is alles anders. Leerzaam is dat. Zelf heb ik ook nog wel eens de neiging om een beetje van de werkelijkheid af te zweven. Leuk werk, mooie vrouw, gezonde kinderen, knetterende recensies, lange rijen voor de kassa, enzovoort. Met volle teugen wordt er van genoten, maar het zogenaamde succes wordt iedere seconde gerelativeerd. Hoe is het over een halfjaar?

Wat mijn werk aangaat zit ik midden in de try-outs van een nieuw programma en ik geniet van de constatering dat je geen seconde kan drijven op je routine. Publiek gaat geeuwen omdat publiek niet dom en gek is. Althans mijn publiek niet. Dus grote bek dicht en werken.

Wat mijn privé-leven aangaat durf ik niet eens een halfjaar verder te kijken en ik heb geen idee hoe het er dan uitziet. Ik vind een dag verder kijken al eng. Het leven is secondenwerk.

Vorige week reed ik op de Vreelandseweg bij Kortenhoef, haalde iets te baldadig een vrachtwagen in en zag halverwege mijn onverantwoordelijke manoeuvre dat ik het niet zou halen. Mij terug laten zakken achter de oplegger haalde ik ook niet meer. De tegenligger zoefde op mij af, ik keek hem in zijn ogen, gooide mijn stuur naar links, ging vlak achter een fietsende scholiere langs en kwam vijf centimeter voor een boom tot stilstand. Het meisje keek om en fietste door, de vrachtwagen denderde richting de A2 en ook de tegenligger was in geen velden of wegen te bekennen. Als hij was uitgestapt om mij een pak rammel te verkopen, had ik hem gelijk gegeven. In de geur van verbrand rubber zat ik in mijn auto en ik realiseerde me nog niet echt helemaal door welk oog van welke naald ik was gekropen. Bijna had hier een andere columnist gestaan omdat de krant gewoon doorgaat. Ik was dan dood geweest of zwaargewond of erg in de war omdat ik een onschuldig meisje had geschept. Als een slak ben ik naar huis gekacheld en thuis vroeg mijn dochter wat er toch was. Ik wilde haar uren op mijn schoot.

Mijn grote bek is weer eventjes gesnoerd. En niet alleen door dat bijna-ongeluk. Maar ook door Gullit, Milan en Berlusconi. Ik word van het eerste nog steeds trillerig stil en van die laatste drie word ik erg lacherig. Ik fluister mezelf door de stad en hou even mijn grote bek. Alleen roep ik zachtjes: Hup Ajax! Meer niet.

Proletenpaleis

Twee recensies verhalen de afgelopen weken over het af-
gaan van een mobiele telefoon tijdens een concert in het
Amsterdamse Concertgebouw. Eerst was het een mevrouw van een vliegtuigmaatschappij die per se bereikbaar moest zijn en het recital van pianist András Schiff
naar God hielp en afgelopen woensdag, tijdens het
Weihnachts-Oratorium van Bach, was het een andere
proleet die had vergeten om zijn Kermit af te zetten.
Misschien wel een gynaecoloog die naar een stal in
Bethlehem werd geroepen omdat de weeën waren begonnen. Je gelooft je oren niet, maar het is waar. Het
domme volk heeft het Concertgebouw ontdekt.

Het begon allemaal toen de muziektempel een aantal
jaren geleden die afschuwelijke natuurstenen puist aan-
gebouwd kreeg. De wansmaak en grootheidswaanzin
van directeur Martijn Sanders en consorten hadden gewonnen van de muziek en op alle affiches verschenen logo's van Robeco, IBM, C&A en andere middenstand.
Sponsors in de tent, dus berg je maar!

Dit houdt in dat het geldschietende bedrijf de eerste
vijf rijen van de zaal bezet en die blijven tot een paar minuten voor aanvang leeg. Dan komt de directie met haar
relaties binnen. Een beetje lawaaiig door het goed be-
sprenkelde etentje vooraf en je ziet de vrouwen van de
Opel-dealers uit de provincie schrikken van het interieur.
Dus dit is Het Concertgebouw.

Groot hè, Annie? Wat een leuk uitje!

94

Dan komt de pianist op en opent zijn recital met bijvoorbeeld een stukje Schumann. Ik weet ook niet zoveel van muziek, maar kijk altijd even in het programmaboekje na welk deel ik mag klappen. De gasten van de sponsor zetten echter na het eerste stukje al een stevig applaus in, de pianist kijkt verstoord, de Blaricumse golftrutten krijgen de slappe lach en dit Gooise gegiechel gaat een tijdje door. Bij de door mij aanbeden meesterpianist Ivo Pogorelich maakte ik het een keer mee dat twee dames uit het gezelschap van de sponsor opstonden om pauze te gaan houden, terwijl er nog twee stukjes Schubert op het menu stonden. Even later hoorden we lawaai op de gang en stonden zij zich met het glas champagne in de hand te verbazen onder de iets te luide uitroep: 'Hij speelt nog een stukje.'

In diezelfde pauze mocht ik een bepaalde foyer niet in omdat die was afgehuurd door de computerboer wiens naam op het affiche stond.

Persoonlijk betaal ik met plezier belasting omdat ik weet dat wij daar met z'n allen onder andere een fraai concertgebouw van onderhouden en op basis van mijn bijdrage aan de fiscus vind ik dan ook dat ik op openbare avonden in dit gebouw recht heb op toegang tot alle foyers en weiger ik te aanvaarden dat allerlei culturele debielen, die alleen op zondagochtend wel eens *De vier jaargetijden* door het huis laten schallen, de beste plekken innemen en mij met hun ordinaire champagneglazen in een morsig hoekje van de gang drijven. HET CONCERTGEBOUW IS VAN ONS ALLEMAAL!!!

En niet van een zooitje projectontwikkelaars, beursspeculanten en tweedehands-autoverkopers, die met hun skybox-mentaliteit mijn hele avond naar de ratsmodee helpen. Ga lekker bij Ajax zitten patsen, ga onbeperkt kaviaar eten in het Hilton, schaar je rond meneer Stan Huygens van *De Telegraaf* of ga met je relaties naar Yab Yum, maar hou het Concertgebouw voor mensen die werkelijk voor de muziek komen en er ook van houden! Daar was dat gebouw ooit voor bedoeld.

De heer Vanessa van de Free Record Shop beklaagt zich in een van de weekbladen dat je in ons land met je helikopter bijna nergens terecht kan. Misschien moet hij even met Martijn Sanders van het Concertgebouw bellen. Die wil vast wel een platform op het dak.

Baseballpetstaart

Afgelopen zomer liep ik diep in de nacht door Parijs toen ik werd tegengehouden door een baseballpetje met een staart. Er was een filmopname en we moesten even wachten. Een B-acteur moest *naturel* naar een telefooncel lopen, naturel de deur openen, naturel de cel ingaan, naturel de hoorn van de haak nemen, naturel geld inwerpen, naturel het nummer toetsen, naturel geen gehoor krijgen, naturel ophangen, naturel de cel verlaten en naturel wegbenen. Ik heb daar een tijdje naar staan kijken en erg naturel gelachen. Elke keer moest het compleet stil zijn, dan riep een regisseur of een produktieleider (allebei met baseballpet met staart) iets en dat was het teken om de opname te starten. Maar bij het naturel naar de telefooncel lopen ging het meestal al mis. Toen hij dat na tien keer onder de knie had, kwamen er problemen met het naturel openen van de cel (de deur klemde naturel), daarna ging het naturel hoorn van de haak nemen niet echt lekker, het naturel geld inwerpen ging net zo beroerd als het naturel toetsen en toen hij tot en met het naturel wegbenen alles moeiteloos kon acteren moest het licht bijgesteld, de straat nat gemaakt en daarna was hij alle afspraken met de regisseur (met baseballpet en staart) vergeten en begon alles weer opnieuw. Op een gegeven moment ben ik maar doorgelopen en ik weet dus niet of het die nacht nog gelukt is. Ik vrees van niet. In die tijd dat ik had staan kijken was mij één ding opgevallen: alle mannelijke medewerkers van de filmploeg droegen

97

een baseballpet met een staart. Niet zo'n Lagerfeld-wrie-meltje, maar een stevige paardenstaart.

Bij mij op de hoek is een mooi doorkijkje van zeven bruggen en daar willen veel regisseurs (met baseballpet en staart) graag gebruik van maken. Laatst zijn ze drie dagen bezig geweest om een jongen te filmen, die met een pak Dixan Mega Perls op zijn stuur over de brug moest komen aanfietsen. Een andere keer vechten er twee Duitsers voor een tweederangs RTL-crimi en weer een andere keer komen de mooie paarden en wagen met de nepvaten van Heineken voorbij.

Dan word ik altijd staande gehouden door een base-ballpet met een staart, maar ik stop niet meer. Dan moeten ze maar een originelere plek zoeken.

Een paar huizen bij mij vandaan zit een of ander film-produktiebedrijf en daar wapperen de hele dag baseball-petjes met staarten in en uit, gisteren zag ik een filmop-name op de Weteringschans en ook daar liepen minstens zeven baseballpetjes met staart. Waarom? Wat is er aan de hand? Ik weet dat het niet nieuw is dat ze er zo bijlo-pen en dat het al een aantal jaren duurt, maar waarom is het? Is het een eerbetoon aan een overleden collega, is het om die ene internationaal vermaarde scriptgirl aan de haak te kunnen slaan of is het iets anders? Hoe is het ontstaan? Wie is ermee begonnen? Alleen de staart ken ik, de gescheiden zaterdagmiddagveertiger met alleen de baseballpet ken ik ook, maar de combi komt alleen in het filmende wereldje voor. Dit stukje wordt ongetwijfeld gelezen door een reclamefilmer met zo'n pet en zo'n staart en mijn vraag is of die de moeite zou willen nemen om even schriftelijk te reageren en het aan mij uit te leg-gen. Ik wil het namelijk echt weten. Misschien hoor ik wel het argument dat alle Indianen en cowboys er ook hetzelfde uitzagen en dat alle medewerkers van een bank ook zonder echte verplichting jasje-dasje door het leven gaan, maar dan weet ik dat het niet meer is dan een uniformpje. Ik maak al jaren een studie van het kuddegedrag voor gevorderden en wil het nu eens uit de pen van het petje zelf horen.

O ja, als we toch bezig zijn: kunnen alle weekendnichten mij dan schrijven waarom ze een snor en een leren broek dragen en willen de Larense en Bergense kakkers mij misschien uitleggen waarom ze in zo'n foute jeep rijden? Alvast bedankt.

Debielendefilé

U bent?
Ik ben de papegaai van de familie Van Loon!

En?
Ik heb de parkiet en de huismus zojuist omgeluld en we gaan nu weg. Ons baasje is er geestelijk nog niet aan toe. Hij zit apathisch in de bijkeuken op een taxi te wachten en moet nog door u geïnterviewd worden. Er is namelijk nog niemand vertrokken zonder ondervraagd te zijn door iemand met een microfoon en hij is er helemaal klaar voor! Als u maar wel weer domme vragen stelt, anders raakt hij in de war.

Ik kan niet anders. Vertrekken alle vogels uit de Betuwe?
De mestkuikens hebben niet zo'n zin. Die zitten met zijn vier miljoenen in een hele benauwde schuur en die zouden het heerlijk vinden als ze mogen verzuipen. Zij ervaren de hoge waterstand als een verlossing. De perfecte suïcide. En zo denken de meeste kistkalveren en de nertsen van de fokkerij hier verderop er ook over. Voor hen is het een uitkomst.

Wat gaat er door u heen?
Heel veel. Eigenlijk voel ik me Bosniër en Tsjetsjeniër tegelijk. Heel vaak zie je die beelden en realiseer je je niet wat die mensen en dieren meemaken, maar nu ik zelf ook slachtoffer ben, voel ik me één met de bevolking van

Kobe en Rwanda. Hoewel? Rwanda moet niet zeuren, want daar is niet eens water. Ik ben Koerd. Een Palestijnse Koerd, maar dan uit Tiel.

Had Tiel in deze spannende dagen iets aan Jomanda?
Jomanda had meer aan Tiel dan Tiel aan Jomanda. Ze heeft enorm veel water kunnen instralen en dat komt de mensheid op den duur toch ten goede. Ik denk dat de kankerverwekkende Noordzee, mede dankzij Jomanda, een mooie heldere plas zal worden. Zelfs zo helder dat Jezus er binnenkort wel weer eens een ouderwets rondje op wil wandelen zonder dat hij de kans loopt dat de gaten in zijn voeten branden.

Wat vond u het fijnst, deze dagen? Het meest hartverwarmend?
Het Endemol-feestje van donderdagavond. Al die artiesten die geheel belangeloos hun hit kwamen spelen, een bedrijf als AC Hotels en Restaurants dat vijfduizend gulden gaf. Toen brak mijn hart. Vijfduizend gulden! Ongelooflijk. En dan die Linda de Mol, die al dat geld op een Mies Bouwman-achtige wijze naar binnen kirde. Echt geweldig. En die Caroline Tensen is ook zo'n gekke, spontane meid! Heerlijke avond. Wat een schitterend debielendefilé!

De opbrengst van de actie was natuurlijk fenomenaal. 33 Miljoen! Dus elke Nederlander heeft twee gulden gegeven en dat is toch een onvoorstelbaar mooi bedrag! En als je weet dat Kok het heeft verdubbeld, dan is het eigenlijk vier piek. En dan word je helemaal stil! Ik vond het heel goed dat het publiek meedeinde op het *Wilhelmus* van onze Bill van Dijk.
Wat een man! Even was ik bang dat het publiek massaal

zou gaan janken en dat de Waal dat alsnog niet aan zou kunnen, maar het is allemaal goed afgelopen. Goeie jongen die Bill, fijne mensen bij RTL en Van den Ende. Echte mensen.

Weet u dat in Aalsmeer het idee voor de actie ontstond toen ze het zakkenvullen zagen? Dat doen wij al jaren, dachten ze daar en zo ontstond de spontane actie.
U mag er van denken wat u wil. Ik heb mensen gezien, echte mensen van vlees en bloed en toen ik de wave door de tent zag gaan en de aanstekers zag branden bij André Strauss & Co kreeg ik kippenvel!

De hele ramp krijgt dagelijks tien seconden op CNN! Is dat terecht?
Wat is CNN? Ik weet alleen dat ik een hele leuke week heb en ik vond donderdagavond een magistrale televisieavond. Leuker dan carnaval, gezelliger dan de Elfstedentocht en wat mij betreft: volgend jaar, zelfde plek, zelfde tijd.

Dank u wel!
Graag gedaan!

Ischa

Onderweg naar Nijmegen hoorde ik het. Het nieuws van vijf uur opende er mee. Ischa Meijer overleden. Er ging een schok door de auto. Een echte schok. Ischa dood? Dat kan niet. Net had ik zijn *Dikke Man* gelezen en daaruit begrepen dat hij, na een paar dagen ziek te zijn geweest, weer beter was. En nu was hij dood. Het hele land rilde even.

We kenden elkaar niet echt goed, maar wel meer dan een beetje. Ik heb een keer een weddenschap over Wim Sonneveld van hem verloren en de daaraan verbonden flessen wijn hebben we in een leuke nacht, samen met onze vrouwen, opgeslobberd. We deelden sporadisch een kop koffie, spraken elkaar heel soms door de telefoon, hij vroeg mij ooit of hij een prachtige anekdote over mijn vader in zijn column mocht gebruiken en hij is een keer met mij mee geweest naar een voorstelling in Deventer. Alle ontmoetingen met Ischa weet ik nog.

Waarom? Omdat Ischa nooit ongemerkt aan je voorbij ging. Veel vragen, veel lawaai, veel chaos, veel geschreeuw, veel gedoe. Ik vond het niet altijd prettig. De laatste keer kwam hij bij mijn voorstelling één minuut voor aanvang met veel misbaar zijn jas achter het toneel ophangen en ik hou daar niet van. Voor iedereen is er een garderobe, dus ook voor hem. Hij zweeg na afloop en daaruit begreep ik dat hij het niet mooi had gevonden.

Ischa hield überhaupt niet van mijn werk en dat was eigenlijk een beetje wederzijds. Zijn geschreven interviews vond ik briljant, zijn radiowerk een lust voor het oor, maar zijn gedoe op televisie vond ik een vervelend trucje. Zijn dagelijkse column *De Dikke Man* verscheen op pagina drie van *Het Parool* en dat deed me pijn. Waarom? Omdat hij op de plek van Simon Carmiggelt stond en dat vond ik, op zijn zachtst gezegd, een beetje erg hoog gegrepen. Op het toneel heb ik hem slechts twee keer bezig gezien en het water komt weer in mijn schoenen als ik daar aan denk. Wat was dat slecht!

Ondertussen is Ischa sinds afgelopen dinsdagmiddag vijf uur niet meer uit mijn gedachten geweest, elk In Memoriam heb ik over hem gelezen en ik ben werkelijk verpletterd door de beeldschone rouwadvertentie van zijn geliefde.

'Mijn man is dood', laat Connie Palmen ons weten en bij deze simpele regel kippevelt mijn ziel.

Het is weer een beetje grijzer in de binnenstad. En stiller.

Ischa is dood. En dat vindt bijna iedereen heel erg.

Waarom? Omdat hij een bijzonder mens was.

Iemand die het woord 'actreutel' uitvindt, de meest meedogenloze toneelkritieken schrijft, sommige acteurs bijna tot zelfmoord drijft en die vervolgens zelf op het toneel gaat staan, is toch niet wat je noemt een lafaard.

En iemand die in twee minuten meer wezenlijks aan je vraagt dan je hele familie in de afgelopen veertig jaar is ook bijzonder.

En de man die het prachtige, door Jenny Arean gezongen lied 'Jaren vijftig Amsterdam' heeft geschreven is ook bijzonder.

En de man die ervoor zorgt dat hij zoveel mensen oprecht irriteert door zijn manier van gedragen, vragen stellen en iemand niet uit laten praten is ook bijzonder.

Evenals de man die niks van sport zegt te weten en de meest hilarische sportgesprekken met Herman Kuiphof voert.

Net als de man die mij ooit uitmaakte voor cabaretpolitie.

Toen ik hem vroeg wat hij daarmee bedoelde, zei hij: 'Van jou mogen we niks. Een baardje mag niet en Buckler mag niet en Center Parcs en...'.

'Van mij mag alles', zei ik toen. 'Ik heb alleen een oprechte hekel aan een aantal zaken.'

Ik denk er nog steeds zo over, hoewel ik hem dinsdag wel had willen zeggen dat hij een ding van mij absoluut niet mocht.

Doodgaan. Dat vind ik maar van een paar mensen. En daar was Ischa er een van.

En het werd weer een stukje saaier in de stad.

Cabaret

Honderd jaar cabaret! Deze aanhef staat boven een op de vier brieven die bij mij binnenkomen en dan begint er iemand van een omroep, een theater, een festival of een krant dat hij of zij binnen dit kader iets gaat doen. Een pagina, een item, een forum, een bijlage, een discussie, een boek of weet ik veel wat. En het leek ons leuk als u dan een bijdrage zou willen leveren…

Geeuwend leg ik de post terzijde en ik denk steeds vaker: lazer op met je theoretische geneuzel. Hou op met het analyseren en determineren van de humor. Een grap is een grap en meer niet. Punt. En een cabaretier is een grappenmaker die het podium betreedt om ten eerste leuk te zijn en ten tweede leuk en ten derde leuk en het is leuk meegenomen als hij ook nog wat te vertellen heeft. Elke goede grap heeft sowieso een hoog zuur- of zoutgehalte en daar hoef je niet met allerlei tweederangs lolbroeken in een sneu forumpje uren over te kakelen. En als dan ook nog recensenten als zogenaamde deskundigen mee gaan zitten neuzelen, wordt het helemaal een incest-bijeenkomst.

Er wordt veel te veel gecabaret in dit land. Je hebt meer festivals dan cabaretiers en ik heb me laten vertellen dat de Budelse groep *Open Deur* in Leiden tweede is geworden, in Amsterdam de eindronde niet heeft gehaald en in Rotterdam van een van enthousiasme gek geworden zaal de publieksprijs kreeg toebedeeld. Ze lieten in Groningen alle stand-up comedians ver achter zich. Daar zat

de werkster van de zus van Paul van Vliet in de jury omdat ze de werkster van de zus van Paul van Vliet is. Ze
klaarde het klusje samen met de vrouw van de rijinstruc-
teur van de dochter van Freek de Jonge, de rechterhand
van de tweede man van de schouwburg in Stadskanaal en
de cabaretrecensent van de *Alphense Koerier*, die onlangs nog de halfzus van Seth Gaaikema interviewde.

Stand-up-comedian is ook zo'n verschijnsel waar ik
zacht brandende uitslag van krijg. Een avond in een
kroeg en dan tien stand-ups achter elkaar. Een neger, een
nicht, een stotteraar, een jood, nog een neger, een stotterende nicht, een vrouw, nog een stotteraar, een aarzelaar
met een accent en nog een vrouw. Ik heb begrepen dat als
je als vrouw de woorden neuken en beffen door de kroeg
laat rinkelen de tent wordt afgebroken, en als je als neger
negermoppen tapt iedereen drie keer zo hard lacht. Hoe
meer ziektes en invaliden door het deeg zijn gekneed hoe
lekkerder de cake.

Iedereen cabaret zich suf en nu gaat ook nog het ergste
gebeuren. Er komt een blad uit en het heet: Cabaret. Dus
een pagina of vijftig over uitsluitend cabaret. Droever
kan het toch niet. Wat gaan ze doen? Waar gaan ze het
over hebben? Wie worden er geïnterviewd en wat gaan
ze vertellen? Krijgen we de rubriek 'Wist u dat…?'

Of het ditjes-en-datjesjournaal van Jacques d'Ancona?'

Of een reportage met als kop 'Zo woont Herman
Finkers'?

Moet ik mijn lievelingsrecept opsturen?

Gaan we met alle nieuwe abonnees naar de première
van Tineke Schouten?

Volgens mij moet een cabaretier constateren in wat
voor debielencircus we rondhangen en daar iets vrolijks

over zeggen, maar toch niet mee gaan doen aan al die treurigheid. Een blad over cabaret is toch dodelijker dan dodelijk en een reden om verpletterend in de lach te schieten. Ik zie mezelf al naar de brievenbus rennen om te kijken of de nieuwe Cabaret er al is.

Het cabaret is ooit begonnen in keldertjes en spelonken van de grote stad. Daar werden dingen gezegd en gezongen die niet voor ieders oren bestemd waren en de eerste aanzet tot de revolutie zouden kunnen zijn. En nu, honderd jaar later, verschijnt er een politiek correct blad bij een wat sullige uitgeverij en krijgen we waarschijnlijk de goudvis van Jos Brink en Frank Sanders op de cover. Een cabaretier moet zout in de wonde wrijven, citroen in de ogen spuiten en iedereen een beetje wakker schudden en vooral wakker houden. En een cabaretier moet zichzelf zeker niet serieus gaan nemen en over het kleine kunstje hoeft absoluut geen blad te worden uitgebracht. Dan wordt het namelijk een beetje sneu!

Zo en nu snel naar de redactievergadering van De Columnist.

Enschede

Je bent cabaretier en je wilt naar de Twentse Schouwburg in Enschede. Waarom? Omdat je daar verwacht wordt als de komiek van dienst. Je hebt wat rommel in je auto en moet dat bij het theater uitladen. Het is zes uur geweest. Dat laatste is belangrijk. Waarom? Omdat vanaf zes uur 's avonds de binnenstad van Enschede is afgesloten. Met een ophaalbrug, 1621 Amsterdammertjes, zwaar gegalvaniseerde hekwerken, uit de grond schietende palen en het hardnekkige gerucht gaat dat er oude Oostduitse grenswachten met machinegeweren op de parkeergarage, de plaatselijke ABN-AMRO en het station liggen. Ze vragen niet, maar vuren. Meedogenloos en gericht.

Je bent cabaretier, je staat aan het randje van het centrum van Enschede, weet dat de schouwburg vijftig meter verderop ligt en moet daar over anderhalf uur optreden. Hoe kom je met je auto aan de achterkant van dat gebouw?

'Bij dat gele bord rechts,' zegt een vriendelijke man met een mooie Finkers-tongval.

Dat doe je en je stuit op een dikke paal. De paal staat midden in een winkelstraat in de grond en je kan daar met geen mogelijkheid langs. De paal kan in de grond zakken en dan kan je zo de straat inrijden. Deze paal reageert echter uitsluitend op uitrijdend verkeer.

'Als u de stad in wilt, moet u naar een andere paal. Daar is een kastje met een knop en daar moet u op drukken, dan hoort u het diensthoofd binnenstadsverkeer en als u dan zegt wie u bent en waarom u vindt dat u de stad in moet, doet hij de paal naar beneden!'

Ik bedank het aardige meisje voor het advies. Maar waar is die andere paal? Ze weet het niet.

'Ik wel,' haast een bemoeitype zich tussen ons. 'U moet hier keren en aan het einde links, maar dat mag niet. U gaat dus naar rechts, via de ring verlaat u de stad, rijdt tot Glanerbrug, daar volgt u de borden "Hengelo" en bij de universiteit gaat u links. Dan rijdt u op de juiste paal aan. Wel in één keer goed hoor, anders moet u via de Boekelo-route opnieuw beginnen.'

Wat ik verkeerd deed weet ik niet, maar ik heb Delden gezien, Borne, Neede, ik heb voor de schouwburgen van Almelo en Hengelo gestaan, ik heb de Jericho-truc geprobeerd door zeven keer om Enschede heen te rijden in de hoop dat het in zou storten, ik ben in Markelo aangehouden omdat ik met honderdtachtig door het voetgangersgebied denderde en eindigde vloekend en tierend op het dorpsplein van het gehucht Saasveld, waar ik zoveel onzin uitsloeg dat men dacht dat ik de broer van Adelheid Roosen was. Maar ik eindigde toch weer voor de uitrij- en niet voor de inrijpaal.

Ik heb gesmeekt, gehuild en gebeden. Uitgelegd dat ik redelijk bevriend ben met burgemeester Mans en dat ik deze man ken als zeer gastvrij. Niet als een grendeltype. Hij heeft absoluut geen cipierskarakter. Waarom mag ik Enschede niet in?

Ik ben gek op Twente, waai er nog wel eens uit in een bungalowtje, dweep met de poëzie van Willem Wilmink, adoreer de muziek van Harry Bannink, mag Herman Finkers tot mijn vrienden rekenen, heb FC Twente nog eens onder mijn gehoor gehad, heb ladykiller Youri

Mulder aangeraden om daar te gaan spelen en afgeraden naar Schalke 04 te verhuizen en...

Niets helpt. Ik kan de inrijpaal niet vinden. Er komt stoom uit mijn oren, mijn auto is van binnen mist, ik bijt mijn lippen stuk, schreeuw en sta uiteindelijk op het dak van mijn automobiel te tieren en te janken dat alle Tukkers wat mij betreft...

Vier verplegers en twee agenten hebben mij uiteindelijk begeleid naar de inrijpaal, daar heb ik door het microfoontje gestameld dat ik drie kwartier geleden in de schouwburg moest zijn en dat ik graag de stad in wilde. De paal zakte de grond in en ik reed stapvoets naar de achterkant van het theater om daar mijn auto neer te zetten. Het parkeerterrein was echter afgesloten met een slagboom. Achter mij toeterde een auto dat hij verder wilde en ik blokkeerde de straat. In mijn zenuwen trok ik iets te snel op en voor ik het wist stond ik voor een uitrijpaal, die vanzelf naar beneden ging. Ik was het centrum weer uit. Toen ik rond middernacht weer bij de inrijpaal stond en schreeuwde wie ik was, vertelde het diensthoofd dat dat niet kon.

'Die is allang binnen,' sprak de man streng.

En een ongebreideld zuipen nam een aanvang.

's-Hertogenbosch

Als rondreizend komiek doe ik wekelijks een andere stad aan en het wordt steeds moeilijker om die steden van elkaar te onderscheiden. Alle winkelstraten van Den Helder tot Geleen zijn precies hetzelfde. Bart Smit, C&A, Intertoys, Kruidvat, Etos, Blokker, Free Record Shop en vult u verder zelf maar in.

Heel soms zie je een laatste authentieke groenteman zich wanhopig handhaven, maar ook hij wankelt al een aantal jaren. Het aanbod van de onroerend-goedmagnaat wordt steeds aantrekkelijker. Hij doet nog een poging om te blijven drijven door *Groenterette* te worden en Zuid-Siamese gemberbonen (eerste pluk!) op ginsengolie te gaan verkopen, maar ook hij wordt op een goede dag getroffen door de guillotine van het grote geld en valt. En valt hij niet, dan valt zijn zoon. We noemen dat gewoon zwichten en niets is menselijker dan dat. Zwichten voor het grote geld. Binnen een week hangt er een bord op de pui met de tekst: Hier komt HIJ. En HIJ gaat nooit meer weg.

Hengelo wordt Almelo wordt Enschede wordt Arnhem wordt Nijmegen wordt enzovoort. Allemaal dezelfde bloembakken, allemaal dezelfde wanstaltige muzak uit de speakertjes en allemaal dezelfde mensen, die op zoek zijn naar dezelfde dingen en op weg naar huis nog even wat viooltjes en afrikaantjes scoren bij de Intratuin. Ik word er al jaren zo droevig van en ik blijf rammen op het beeld van de vergrauwing en vergrijzing van de geest. Maar ook ik weet: de hamer sneuvelt eerder dan het aambeeld.

Afgelopen januari was ik in Den Bosch en daar overkwam mij iets heel leuks. Midden in een van de winkelstraten was een raar heuveltje en daar waren een stuk of wat jongetjes aan het spelen met hun skateboard. Ik heb daar een tijdje geamuseerd staan kijken en was vooral onder de indruk van het feit dat die kereltjes alles met die dingen kunnen. Rare sprongen, vreemde bochten en de meest geestige capriolen. Ook moest ik lachen om de outfit van de heren. Ik zag het uniform van gescheurde jeans, omgekeerde baseballpet, gel in het haar en de blik op erg nonchalant. Zal wel uit een videoclip, blad of film komen, dacht ik en voelde me een gezonde ouwe lul. Ik was niet de enige die keek. Het was een uiterst gezellig oploopje met heel veel volk. Denk aan een straattheateract in de zomer. De jongens wisten heel duidelijk dat er naar ze gekeken werd en maakten er iets meer show van. En als dat dan weer mis ging raakte ik extra ontroerd.

Een zacht juichen woedde in mijn binnenste toen ik de plaatselijke boekhandel binnenstapte en van pure blijdschap probeerde ik het aan te leggen met de aardige verkoopster. Ik deed dat niet zo handig want ik kocht boeken voor mijn kinderen. Maar ik was blij! Ik had eindelijk, na jaren winkelworst, een hoekje originaliteit ontdekt. Ik zag ook wel dat het skateboardbaantje niet door de gemeente was aangelegd. Het was toevallig ontstaan. De stenen waren ideaal, de helling precies op maat en het kleine pleintje was gezellig. Een flard Parijs kwam in mijn neus, een vleugje wereld, een toefje grote stad. Heerlijk.

Gelukkig zag ik donderdag een prachtige foto in deze krant van twee protesterende mannetjes. Het waren

Bossche skateboarders. De gemeente had ze het baantje afgepakt en een skate- en skeelerverbod in het winkelgebied afgekondigd. Op een journaal zag ik nog een paar midlife-trutten verklaren dat de overlast niet te harden was en de burgemeester vertelde dat de jeugd een skatebaan zou krijgen op een plek waar het wel kon. Dat wordt natuurlijk op een tochtig parkeerterreintje achter De Vliert, vlakbij de gedoogzone van de heroïnehoertjes, drie kwartier fietsen vanaf het centrum.

Ik was even bang dat ik mijn vooroordeel over de middenstand of over plaatselijke burgemeesters zou moeten wijzigen, maar gelukkig niet. Het zijn nog steeds dezelfde kleingeestige, katholieke bourgeois-mannetjes. Te schijterig om iets te zeggen over kankerlozende fabrieken, te bang om huisjesmelkende CDA'ers te grijpen en wat doen ze? Ze sluiten een illegaal speelplekje van een paar honderd kinderen in een winkelstraat. Goed zo!

Queen

Ik hou van Trix. Ik ben zelfs een beetje op haar. Heb op mijn werkkamer een foto hangen. Daarop loop ik met haar gearmd door het spiksplinternieuwe FNV-gebouw en ik hoorde onlangs van haar oudste zoon dat zij diezelfde foto ook op haar kamer aan de muur heeft. In haar koesterhoekje. Ik bloosde toen hij mij dat vertelde.

Ooit werd ik gevraagd om op te treden bij de opening van deze vakbondstempel en door de Rijksvoorlichtingsdienst werden de regels mij van tevoren uitgelegd. Ik mocht geen grappen maken over ministers. Waarom niet? De aanwezige koningin zou in de lach kunnen schieten en dat kan niet. Dus ben ik als mijn broer gegaan en heb ik verteld waarom ik niet kwam. Vervolgens heb ik alle grappen verteld die mijn broer, ik dus, niet mocht vertellen omdat de koningin dan in de lach zou schieten en de koningin schoot hartelijk in de lach. Om de licht corrupte Lubbers, de saaie De Vries, de parmantige Brinkman en al die andere Haagse types. Ik vertelde haar dat ik een chronisch medelijden met haar had omdat ze weer het zoveelste lint moest doorknippen, naar allerlei lulkoekspeeches moest luisteren en voor de tienduizendste keer in haar limo zou worden afgevoerd. Ik stelde haar voor om naar huis te bellen dat het wat later werd, dat zou ik ook doen en we zouden in de stad wild en heftig gaan dansen tot in het diepst van de nacht. Ik liep naar voren, bood haar mijn arm aan en zei: 'Trix, we gaan.'

De RVD-meneer had mij dit expliciet verboden en verteld dat de koningin zou blijven zitten. Dit kon echt niet. En wat deed Trix? Ze stond op, gaf mij een arm en verdween met mij naar de deur. Daar moesten wij elkaar loslaten en opende zij alsnog het gebouw. Protocol blijft protocol, afspraak blijft afspraak en het kan nou eenmaal niet anders.

Maar alleen ik weet wat ze tegen me zei, alleen ik heb het heerlijke kneepje in mijn onderarm gevoeld en ik ben zo netjes om de woorden niet te herhalen. Maar ze waren goddelijk en sindsdien droom ik regelmatig over haar. We laten dan het FNV-gebouw met de vakbonzen achter ons en verdwijnen in een schuimend Amsterdam. Alles wil ze dan zien. Nichtendisco's, nachtcafés, houseparty's, De Kring en illegale gokholen. We snuffelen de nacht af en eindigen op mijn eerste kamer waar ik haar ontroerd zeven gedichten van Hans Lodeizen voorlees. Dan moet ze weer naar huis en ik ook.

Claus wacht, de jongens popelen en ik heb inmiddels ook een gezin met twee bloedjes van kleuters. We willen allebei ons thuisfront niet kwetsen. We fietsen ieder een andere kant op, kijken nog een paar keer om en mompelen allebei: 'Shit met peren!'

Het ergste mis ik nog haar gulle lach. Want wat hebben we gelachen. Om wie? Om iedereen. Om alle ijdeltuiten, alles wat zichzelf serieus neemt, voor camera's kakelt, op toneeltjes staat, boekjes schrijft, in besturen zit of op een andere manier zijn of haar tijd doodt. En zij kan prachtig vertellen. Over alle jojo's die ze in haar leven heeft moeten aanhoren en dat zijn er nogal wat. Allemaal mannen en vrouwen die weken gezwoegd hebben op een toespraakje van vier minuten en die allemaal na afloop vertellen dat de koningin het een van de mooiste en helderste toespraken vond die ze ooit gehoord heeft. De schat. Ze moet wat liegen om 's lands bestwil. Vanochtend heeft ze weer lopen banjeren door een dorp en vanonder haar zoveelste hoedje moeten lachen naar al die sneue zielen met hun volksdansen, oude ambachten, middeleeuwse spelletjes en ander zielig gefröbel. Ze heeft weer moeten luisteren naar een Swiebertje-burgemeester met zijn ambtsketen om en moeten wuiven naar de verschrikkelijkste onderdanen. Ze weet als geen ander hoe er in het plaatsje geroddeld, gebekvecht en geëlleboogd is om wiens dochter uiteindelijk het tuiltje bloemen aan Hare Majesteit mocht overhandigen.

En regelmatig schoot het door haar heen: welke god heeft deze kermis voor mij bedacht? Van wie moet ik dit leven leiden?

Zij wordt elke avond weer opgewonden van de prachtige Aegon-reclame waarin het paard zich losrukt uit zijn teugels en de vrijheid kiest. Vanavond rinkelt de telefoon in mijn Amsterdamse kleedkamer, ik weet wie het is, ik weet waar we afspreken en ik weet dat we allebei weer een nacht lang onbedaarlijk lachen. Dat hebben we allebei zo af en toe nodig. Ik weet dat je dit leest en knipoog vast: tot straks!

Vidioot

Twee dagen ziek. Messen in mijn hoofd, roest uit mijn neus, veertig rond op de thermo, mijn bed een zompig moeras en grote tijgers in mijn dromen. De dokter, een kuurtje, druppels, goed stomen, bruistabletten, drie keer twee paracetamolletjes en de volgende dag liep ik weer fluitend buiten. Gezond is het niet, maar om het nou macrobiotisch aan te pakken en drie weken lang met een Afghaanse gemberwortel onder mijn kussen te slapen tot de koorts op natuurlijke wijze twee graden is gezakt, leek me ook zo wat.

Twee dagen prachtig verslapen en verzapt. Verteeveet mag je ook zeggen. Ik was te slap om te lezen en luierde mijzelf met een half oog langs de kanalen. Fascinerend. Overdag televisie kijken. Je ziet dan een herhaling van een debielenprogramma en dat is veel erger dan een de-bielenprogramma live. Ook werd ik vertederd of nog er-ger: verliefd. Op het programma Koffietijd. Hans van Willigenburg en Mireille Bekooy ontvangen een BN (Bekende Nederlander) en de BN hoort hoe de gemiddelde huisvrouw over hem of haar denkt door middel van een rapport. Smullen, smullen en nog eens smullen. Ik zou er zo werkloos voor willen worden. Ik moet eerlijkheidshalve bekennen dat ik alles door de roze koortsbril heb gezien, maar juist daarom was het misschien zo lekker. O, wat is het leven simpel.

Verder is er iedere ochtend een herhaling van GTST en ik had het lang niet gezien, maar ik kan u melden dat iedereen nog meedoet. Ze lullen nog allemaal even stomp-zinnig, hebben nog steeds dezelfde problemen en je zit er na anderhalve minuut meteen weer middenin. Heerlijk. 's Morgens om een uur of kwart voor negen wordt er al geboggled en de presentator begint elke ochtend met een vrolijk 'goedenavond'.

Dampend van de verhoging vroeg ik me steeds af: voor wie is dit allemaal? Welke kijkers vragen hier om? Is hier onderzoek naar gedaan? En zo ja, door wie?

Toch moest ik ook wennen. Ik keek namelijk sinds tijden weer eens videoloos. En dat is vervelend. Vervelend is een te soft woord. Het is verschrikkelijk, hemeltergend. Martelen is het.

Ik leg het uit.

Omdat ik 's avonds altijd weg ben, neem ik de meeste programma's op. Ik kan dan bij het kijken altijd doorspoelen als het me gaat vervelen, terughalen wat ik niet helemaal goed verstaan heb en stilzetten als ik even een pilsje uit de koelkast ga halen.

De samenvatting RKC-Willem II van zeven minuten gun je je ergste vijand niet en kan je beperken tot veertig seconden. Je racet vooruit tot je een kluwen spelers ziet juichen, spoelt even terug en ziet het doelpunt. Voor vechten wil ik ook nog wel eens teruggaan en een lekkere rode kaart ontgaat me zeker niet. Zo zie ik alleen wat ik wil zien.

Het journaal kijk ik bijna volledig, alleen het financiële deel spoel ik altijd door, net als de reclame, het weer en wederom de reclame. Het is toch ook te gek dat we in dit land elke avond vijf minuten over het weer praten. Gezien het landelijk werkloosheids- en WAO-gemiddelde kan ik me voorstellen dat veel mensen erbij gebaat zijn om te weten of ze kunnen gaan vissen, maar ik hoef van dat geneuzel toch geen last te hebben? Ik hoef nu nooit in afwachting van mijn favoriete sport korfballen te zien of Nederlands ijshockey of marathonschaatsen of weet ik veel wat.

Dus doe verstandig. Sla één avond televisie over en neem het op, de volgende dag kijk je een half uur video en heb je alles gezien. Het scheelt je uren. Je komt weer aan boeken toe, leest de krant uit, kietelt je vrouw weer vaker. Je zal het merken: als je drie dagen vidioot bent, komt het nooit meer goed.

Ik moet alleen waarschuwen voor hele vreemde bijverschijnselen. Vorige week zat ik 's ochtends de vorige avond door te spoelen, terwijl door de gracht een hele rare boot kwam. Er stond een maffe gozer aan het roer en ik had geen idee waar de motor van het vaartuig zat.

Hoe zit dat nou?, dacht ik terwijl het ding voorbij gleed. Ik hield routinematig de afstandsbediening richting Prinsengracht en drukte op *rewind*. Er gebeurde niets. Vreemd.

Godelinde

Meer dan 41 jaar geleden ben ik geboren in het Naardense Rembrandtkwartier, om precies te zijn op Ferdinand Bollaan 21. Sinds de dood van mijn ouders heb ik daar niks meer te zoeken, maar vorige week reed ik in een vlaag van weemoedigheid toch nog een keer door het keurige laantje. Er is weinig veranderd. Alleen heeft ons huis hele rare gordijnen gekregen. Van die dingen uit een *Schöner Wohnen*-blad.

Belachelijke lappen die voor de ramen van een Loirekasteel horen en niet in een Naardens hoekhuis, maar smaken verschillen.

Ik was daar rond de klok van twaalf en op de hoek van de Ferdinand Bollaan en de Gerard Doulaan was een enorme verkeerschaos, een opstopping van jewelste. In eerste instantie dacht ik aan een aanrijding, maar het bleek het uitgaan van de Godelindeschool. Dat is een doodgewone basisschool voor de kinderen uit de buurt. Geen moeder haalt haar kind nog lopend of met de fiets, terwijl ze allemaal op een afstand van negen passen lopen wonen. De Volvo-Stationcar, de Jeep en de Renault Espace (zo'n debielenbusje met een zijdeur) zijn nog altijd favoriet. Deze parkeren ze eerst op de stoep en als die vol is blokkeren ze de straat. De eerste de beste goede parkeergelegenheid is namelijk voor hun eigen huis en dat is te ver. Anders waren ze wel komen lopen. De dames kakelen rustig en lustig wat laatste hockeyroddeltjes, roepen op Gooise sirenentoon naar elkaar dat

Wéjé vanmiddag pianoles heeft en houden onderhand de rijbaan bezet. Ze trekken regelmatig een sorry-ik-kan-er-ook-niks-aan-doen-en-ben-zo-weggezicht, maar mij kan het allemaal niet lang genoeg duren. Ik bestudeer ze zo graag. De Gooise meisjes in hun golfplunje.

Wat zijn het toch een vertederende uniformpjes. Alles wat eind twintig is, lijkt dik in de veertig en wauwelt ongecompliceerd een kwartier lang de wax uit hun jas. Achter mij stond een man en ik had de indruk dat hij onderweg was voor zijn werk. Hij gaf na een kwartier ergernis een beschaafd veegje op zijn toeter. Furieus reageerden de zuiver zijden sjaaltjes of de man gek geworden was. En ik genoot met volle, volle teugen. Drieëntwintig jaar geleden ben ik uit die buurt vertrokken en er is geen verfspatje veranderd. Heerlijk.

Een vriend van mij vertelde dat er aan de Hilversumse Mozartlaan ook een Godelindeschool is en die is nog veel erger. In geuren, kleuren en smuldetails kreeg ik alles te horen over deze Hilversumse basisschool. Het verschil is dat mijn Godelinde wordt bevolkt door grut van de betere middenklasse (advocaatjes, accountantjes), maar dat de zijne wordt bezocht door de kiddo's van de echte kak. De nieuwe rijken die deze muziekbuurt bevolken komen de kinderen niet alleen met de auto halen, maar er schijnt er daar eentje tussen te lopen en die komt op haar paard. Hoog op de knol zit ze in haar amazonenpakje en stelt dan aan haar dochtertje van amper zeven voor: 'Wil je er op of loop je er naast?' Op woensdag heeft ze ook het paard van het kind bij zich en dan rijden moeder en dochter samen naar huis. Het gemiddelde verjaarspartijtje op deze eliteschool is geen koekhappen of een Disney-bioscoopje, maar gaat een beetje verder. De ene vader organiseert een rondvlucht boven Hilver-

sum met de privé-jet en wees nou eerlijk: het is toch fees-
telijk voor de kids als je de ouderlijke villa ook van bo-
venaf aan je vriendjes kan laten zien? Een ander kind
vierde zijn verjaardag wel met een eenvoudig filmpje,
maar toen had papa wel een hele bioscoop afgehuurd.
Het vervoer geschiedde per taxi. Bazin boven bazin,
dacht een moeder en regelde dat haar zoon of dochter de
verjaardag in Aalsmeer kon vieren. Bij de Mini Play-
backshow. Dit kind nam de hele klas mee en ze kregen
van de school zelfs een dagje vrij. Je zal toch maar bij de
laatste principiëlen in dit land horen en je kinderen heel
ver weg van het Aalsmeerse gepeupel willen houden?
Dat lukt dus niet. Met open bek luisterde ik naar mijn
vriend en besloot mijn Amsterdamse huis te koop aan te
bieden en een stulpje te zoeken aan de Hilversumse
Bachlaan. En dan het liefst dicht bij de man die eerst een
zwembad in de tuin liet graven, twee seizoenen geen duik
in het water nam om het vervolgens dicht te laten gooien
en er een manege op te beginnen. Hij sprak de prachtige
woorden: 'Ik ben helemaal uitgezwommen'.

Toon

De voorstelling. Het is dat moeilijk uit te leggen gevoel. Naar Nijmegen rijden of naar Arnhem of naar Winschoten. Veel Radio 1 en 4, geduldig in de file, om een uur of vijf dat lege theater binnenkomen, de laatste technische voorbereidingen gadeslaan, hapje eten, krant, terug naar het podium, geluidstest, koffie drinken, half oog op de tv, mijn kinderen bellen voor een hartelijk welterusten en rondslenteren. Ik heb een rare manier van concentreren, hobbel een beetje heen en weer tussen de artiestenfoyer en de kleedkamer, lees nog een paar bladzijden van het een of ander, hoor dat er 'vijf minuten voor aanvang' wordt gegeven en begin me dan pas te verkleden.

Bijgeloof. Niet te lang in dat pak. Hoor van theatertechnici dat André van Duin zich nog later verkleedt. Dan richting podium. Aanvang. De muziek start, het zaallicht dooft, het doek gaat op en ik betreed het toneel. Klaar voor een dikke twee uur praten, praten en nog eens praten. Jij bent vanaf dan de baas, bepaalt de humor, de stilte, de ontroering, de gezelligheid en je doet een poging om een klein deel van al je gedachten in die zevenhonderd koppen te krijgen. Mooi vak.

Terug naar voeger. Zondagochtend. Ferdinand Bollaan 21 in Naarden. De hele familie sliep. In de kamer smeulde de gezelligheid van de avond ervoor. Lege wijnflessen en als mijn ouders het extra naar hun zin hadden gehad stonden er ook nog cognac- en likeurglazen. Mijn broertje en ik genoten van de stilte, ruilden onze Esso voetbalplaten met elkaar en draaiden platen van Toon Hermans of Wim Kan. En toen wist ik het. Dat wil ik ook. Zoals anderen van een opkomst met Ajax in een uitverkocht Olympisch Stadion droomden, wist ik zeker dat ik het theater in wilde. Toon, Wim Kan, Wim Sonneveld en later Freek, Koot en Bie, Don Quishocking, Ivo de Wijs. Theater maken, mensen laten lachen, mooie liedjes, sterke verhalen en vooral: op het verkeerde been zetten.

Terug naar nu: de voorstelling loopt, heeft na een aantal try-outs zijn cadans, ik weet wanneer de lach komt en laat me er toch door overvallen. Speel dat enigszins behendig, maar soms gaat de computer op hol en komen er woorden uit mijn mond die nergens staan opgeschreven, nog niet in mijn hoofd zaten toen ik naar dat theater reed en mijzelf evenzeer verbazen als de zaal. Er huist dan een engeltje in me, er gebeurt iets dat niet uit te leggen is, de volgende dag niet te kopiëren valt en me een paar centimeter van het podium tilt. Je hebt wedstrijden waarin alles lukt. Milan-Ajax in Triëst was zo'n wedstrijd. Ik heb het soms in Cuijk, soms in Middelburg en vaak niet. Het heeft niet met de dag te maken, de conditie of persoonlijke omstandigheden. Ik hoef niet uiterst vrolijk te zijn.

Het gebeurt op de meest droeve momenten. Veel en hard lachen met de zaal en het liefst over de verschrikkelijkste zaken.

Toen: mijn ouders gingen naar Toon Hermans in Carré en waren daar al dagen een beetje koortsig van. Vrolijk opgewonden. Toon was onze absolute huisheld. Het feit dat mijn vader aan kaartjes was gekomen was al reden voor een klein feestje. De mensen lagen voor Toon in de rij. En terecht. Niemand evenaart *de Gehaktbal, de Goochelaar, het Vaandel, Suzanne* en ga zo maar door.

De volgende dag was het anders in huis. Mijn moeder leek opnieuw verliefd. Op mijn vader, op ons, op het hele leven. Ze zat nog na te genieten, vertelde over de voorstelling en herhaalde grapjes en situaties.

Toon. Dat wilde ik. Nog meer dan Kan of Sonneveld. Voor Kan was ik toen te klein om het te snappen en Sonneveld sloop later de familie in. Vonden we leuk en ook goed en bijzonder, maar Toon was het.

Nu: ik sta op het toneel, mitrailleer mijn grappen op het publiek, slijp aan mijn tempo, vijl aan mijn verhaallijn en kneed tot en met de laatste voorstelling aan het beeld. De laatste avond heeft helemaal niets meer met de eerste te maken.

Iedere avond komt er een grap bij en valt er een af. De komplottheorie is mij heilig. Volgens mij is het de wet van Wim Kan. De deuren zijn dicht, de wereld is buiten en wij hier binnen gaan het met z'n allen gezellig hebben. Toon Hermans kon van Carré een cafeetje maken, Wim Kan maakte van het Nieuwe De La Mar een huiskamer en ik wil dat ook. Of het nou IJmuiden of Hoogeveen is. Ze zullen genieten. En genieten is niet alleen lachen. Kippenvel is ook genot, bijna huilen is ook lekker en op een zachte glimlach is niks tegen. Daarbij ben ik het publiek nogal wat verschuldigd. Mensen hebben vaak een nacht in de rij gelegen, de kou getrotseerd en ik weet dat een kaartje voor mij op dit moment heel veel waard is.

Zelfs zoveel dat de meesten het niet voor meer geld willen verkopen. Of ik daar trots op ben? Natuurlijk. Als dat niet zo zou zijn dan zou ik met spoed naar paviljoen 3 moeten. Het gevoel is Ajax. Kampioen willen zijn. De beste. Of in elk geval een daarvan. Met dat gevoel is niks mis. Ondertussen geniet ik ervan en besef dat het op een dag over kan gaan. Dat wil ik niet en daarom koester ik het, bewaak het, train ervoor en probeer het vast te houden. De heenweg is nou eenmaal leuker.

Toen: mijn vader had heel veel kaartjes voor Toon kunnen krijgen en we gingen met zijn allen. Mijn eerste keer Carré. Alleen dat al. Het Wembley van de theaters. Wat een weelde. Wat een pluche. Wat veel stoelen. Wat een… Ja, wat eigenlijk?

Het lawaai van achttienhonderd mensen die zin hebben in een leuke avond. Zoveel voorpret in één gebouw. En toen gebeurde het. Het heerlijke orkestje, het doek op, de meester zelf en ik werd betoverd. Door alles. Zelfs de pauze vond ik een feest.

Ik zinderde in mijn stoel en wist het zeker: dit wordt mijn vak. Toon was niet aan het werk. Toon speelde! Misschien speelde hij wel dat hij het speelde, maar dat interesseert mij niet. Mij heeft hij die avond veroverd en gezegd dat ik komiek moest worden. Geen Toon. Youp, terwijl ik toen nog Joep heette.

En zo is het gegaan. Ik werk niet. Ik speel. Elke avond stap ik lekker het podium op en speel ik alles van me af. Het is mijn beste medicijn. Tegen alles. Wat is er leuker dan negenhonderd mensen tegelijk aan het lachen te maken? Niks toch? Op de begrafenis van mijn moeder was ik ondersteboven van verdriet en toen zei een mevrouw tegen mij: 'Wees maar blij dat je vanavond niet hoeft op te treden.' Ik zei niks en dacht alleen maar: Nou, eigenlijk zou ik nu meteen een podium op willen stappen en als een doorweekte hond alle tranen van me af willen schudden.

Ik hoop het lang zo te houden.

Schreeuwlelijk

Nederland heeft het smerigste zwemwater van Europa, maar dat laat Groot-Brittannië zich geen twee keer zeggen.

'Zinken met dat platform', riep Major. Ondertussen schreeuwt Shell paginagroot hoe milieuvriendelijk deze methode is. Veel Nederlanders vinden het heel erg wat Shell doet en als ze daar geen air miles hadden zouden zij er zeker niet meer tanken.

Ontroerend. Verpletterend zelfs. Om voor je air miles de wereld naar de kloten te laten gaan. Er komt een beeld op mijn netvlies. 1971. Sinterklaasoptocht in Amsterdam. In de stoet reden reclamewagens en eentje was van een sigarenfabrikant.

De sigarenboer liet Zwarte Pieten doosjes met daarin twee sigaartjes naar het volk gooien. In mijn herinnering ging het om Agio Tip, met zo'n plastic mondstukje. De vaders vergaten hun kinderen en wierpen zich op de gratis doosjes. Twee mannen vochten tot bloedens toe. Eentje had een peuter op zijn nek en liet het kind vallen. Sinds die dag snap ik alle Bosnische Hutu's en Servische Tutsi's. Om een doosje sigaren. Om de air miles. Meer is het niet. Als ik er maar beter van word.

De wereld is ons speeltje en we geven de fles pas terug als zij leeg is. Er hangen borden aan de pui: alles moet op. Een vijfde baan op Schiphol. Natuurlijk vroeg Milieudefensie of ik tegen deze verslindende onzin wilde protesteren. Maar ik wilde niet. Ik vond het hypocriet van mijzelf en heb het door een collega laten opknappen. Hij had net per vliegtuig de hele wereld rondgereisd en legde terecht een pakje boter op zijn hoofd.

Aanstaande week vertrek ik naar Zuid-Amerika. Waarom? Om de Amazone-Indianen te steunen in hun protest tegen het meedogenloze kappen van hun regenwouden? Nee hoor. Mijn zusje woont daar en ik geef een paar voorstellingen op Curaçao. Volgens mij zit daar ook een oliemaatschappij het water te vergiftigen. Dus zie ik mij na afloop van de voorstelling staan discussiëren met een blazer en hij verdedigt het afzinken van het vervuilde platform. Mevrouw De Boer in Almere haalt ondertussen haar vingers open omdat zij het nietje uit haar theezakje peutert. Dit nietje mag namelijk niet in de groene bak. Vandaar.

Ik bestel nog een pilsje en maak een snorkelafspraak met de olie-meneer. We gaan genieten van de zeebodem. Bij Curaçao schijn je het beste te kunnen snorkelen en duiken. Die Shellmeneer weet er alles van. Zijn vrouw staat verderop te golfen en komt bijna klaar als zij een bal van een meter of tien afstand in één keer in het gaatje put. Misschien mogen wij daar wel langer blijven. Waarom? De KLM-piloten gaan staken. Heerlijk. Dat is pas goed. Kan ik een dag langer luieren en 's avonds in de schaduw van de plaatselijke Van der Valk beloof ik mijn vrouw dan een liefdesbaby. Een jongetje. Een negertje. Een lekker, slank, atletisch negertje dat later heel trouw voor ons zorgt als wij oud en eenzaam zijn. Hoe kom je aan een negertje? Even Utrecht bellen. Daar passen ze de nieuwste methode spermascheiding toe. En als ze ervoor kunnen zorgen dat er een jongetje in plaats van een meisje komt, moeten ze ook een negertje kunnen regelen. Als ik maar niet weer ethisch hoef te discussiëren. Ik word daar zo moe van.

Gisteren begon een man tegen mij te kakelen dat een troepenmacht naar Bosnië ons land honderd miljoen gaat kosten.

'Dat is nog geen vier pilsjes per persoon', sprak ik nuchter. 'Ik vind dat geen dure vrede.' Dit snapte de schat niet. Hij was zelf al aan zijn tiende versnapering. 'Weet je wat jij bent, Van 't Hek? Een schreeuwlelijk!' zocht hij zijn gelijk. Mooi woord, dacht ik. Lekker werkwoord. Ik schreeuwlelijk.

Zijden draadje

Natuurlijk heb ik de laatste jaren veel te hard gewerkt, niet genoeg van mijn mooie vrouw, lieve kinderen en riante huis genoten. Natuurlijk heb ik me veel te veel laten opjagen door het carrièrespook en moet ik nu de tol van de gepleegde roofbouw betalen. Een lichaam is niet onuitputtelijk, je moet op tijd je rust nemen, want op een dag zegt je hart: 'Ho'.

'Het gaat wel weer,' antwoord ik steevast op de minstens tien keer per dag aan mij gestelde vraag: 'Hoe is het nou?'

Details krijgt men niet en ik laat de goedbedoelende tegenpartij steeds heel duidelijk blijken dat ik verder wil, doorlopen, naar de toekomst, richting de winter, ver weg van het infarct, de intensive care, de monitor, de dokters en de allesoverheersende, o zo beklemmende doodsangst.

Het zijn allemaal aardige, meelevende mensen die mij op de markt, in de tram en bij de sigarenboer aanklampen of bloemen, beterschapskaarten en andere harten onder de riem sturen, zachtmoedige levensadviesjes geven, maar ik wil er niet aan herinnerd worden. Nogmaals: ik wil door, ik wil werken, ik wil laten zien dat ik weer de oude ben. Ik ben geen wrak, hartpatiënt, pacemaker of bypasser en ik kan het woord cholesterol niet meer horen. Geef me de kans, praat er niet over, laat me lopen, babbel met me over de zinderende zomer, de beginnende voetbalcompetitie, Mururoa, blinde blauwhelmen, Sarajevo of weet ik veel wat, maar zwijg over mijn gezondheid.

Het is allemaal verschrikkelijk genoeg geweest. Balanceer zelf maar eens op het randje van leven en dood. Dag en nacht zat mijn lieve vrouw Debby aan mijn bed, luisterend naar de piepjes van de machine, angstig kijkend naar de fronsende cardioloog en ze smeekte mij wel honderd keer: 'Blijf bij ons! Vecht door! Doe het dan minstens voor de kinderen!'

Veel vrienden herinnerden mij aan de dood van de quizmaster Willem Ruis. Die is ook tijdens zijn vakantie overleden. Net als koning Boudewijn. Die ging hemelen terwijl hij van zijn rust genoot en waar werd onze eigen Trix een paar jaar geleden getroffen door een lichte beroerte? Precies. Toen ze lag te zonnen in Porto Ercole. Als de druk van de ketel is, slaat het infarct meedogenloos toe. Wat is er nu precies gebeurd?

Afgelopen juli waren wij met ons gezin op liefdesvakantie. Het huwelijk heeft door het harde werken van zowel mijn vrouw als van mij de laatste jaren een aantal flinke deuken en schrammen opgelopen en wij waren met het hele gezin toe aan een nieuwe start, een schone lei. Na een loodzwaar seizoen van keihard jakkeren langs de Nederlandse theaters zochten wij onze rust in Zuid-Amerika, maar helaas werd ik daar, tijdens de landing op Aruba, getroffen door een hartaanval. Mijn vrouw zag mij schokken, mijn ogen draaiden weg en ze schreeuwde om hulp. Twee toegesnelde artsen hadden hun diagnose snel gesteld en via de verkeerstoren werd met spoed een ziekenauto geregeld. Deze reed sirenend en zwaailichtend met hoge snelheid naast het taxiënde toestel, en dat u dit door mij geschreven stukje leest, dankt u aan de koelbloedigheid en het doeltreffend ingrijpen van het

132

ambulancepersoneel. Waarom moest het nu gebeuren? Waarom juist op het moment dat wij een laatste poging zouden wagen om de scherven van ons huwelijk te lijmen? Waarom net op het moment dat wij, de Van 't Hekjes, zouden gaan genieten van onze welverdiende rust en bovenal van elkaar? En dan zo'n drama als dit. Wat ga je anders tegen het leven aankijken. Alles is zo relatief. Wat is roem? Wat is succes? Wat betekent een wekenlang uitverkocht Carré als je dit alles moet afrekenen met een kantje-boord-infarct?

Hierboven vindt u kort samengevat wat er over mij en mijn familie de afgelopen weken in de roddelpers is verschenen. Met mijn gezin ben ik net als alle andere jaren naar de Belgische kust geweest, geen seconde heb ik hartklachten gehad en ik fluit mezelf vrolijker dan ooit door het leven.

En gezien het aantal mensen dat tegen me aan heeft lopen zeiken over mijn hartinfarct weet ik nu zeker dat iedereen die onzin leest. En nog veel erger: ook gelooft.

Crematietoerist

Ik ben de laatste weken een begrafenis- en crematierou-
tinier geworden. Vriend na vriendin na goede kennis
gaan van me heen en het maakt me elke dag nietiger, stiller, maar ook lacheriger. De beul loert de hele dag op ons
allemaal.

Donderdag hebben we met een heleboel vrienden en
bekenden Marten Putman begraven. Marten was een
van de leukste theaterdirecteuren van ons kleine land.
Buiten het feit dat hij zeer deskundig was, had hij een
zeer goede smaak, was hij leuk eigenwijs en kon je erg
met hem lachen. Marten overleed na een auto-ongeluk.
Triest, maar waar, wat moet je er nog over zeggen?

Marten was directeur van de Stadsgehoorzaal in Vlaardingen en in dat theater werd, voorafgaande aan de ter-
aardebestelling, een sobere herdenkingsdienst gehouden. Als een theaterdirecteur overlijdt, kun je er donder
op zeggen dat er een hoop artiestenvolk komt opdagen,
dus waren alle fotograferende, necrofiele vazallen van de
emotiepooiers Henk van der Meijden en Hummie van de
Tonnekreek ruim aanwezig. Zowel bij het theater als op
het kerkhof. Daarbij is Marten ook nog doodgereden
door een bekende voetballer en er zat natuurlijk een
klein kansje in dat deze jongen daar ook zou zijn. Als dat
was gebeurd, had Henk zich achter een zerk even lekker
afgetrokken of misschien wel door Hummie laten pijpen.
Zoveel emotie wordt zelfs deze gieren te veel.

Nu ben ik aan deze taferelen gewend geraakt en je erover opwinden is natuurlijk zinloos.

Mij viel nog wel iets anders op. Het aantal 'gewone' mensen dat een kijkje kwam nemen. Bij het theater kon ik het nog begrijpen, dat ligt midden in Vlaardingen en daar gebeurt natuurlijk nooit iets. Als er dan opeens een bonte stoet met een aantal bekende mensen langskomt, wil je de met spruitjes, Croma en trekvlees gevulde boodschappentas wel even op de grond zetten om dat eens even stevig te bekijken. Maar het kerkhof ligt echt een heel eind buiten Vlaardingen en daar stonden er ook een stuk of twintig. Ik heb het nu over mensen die de fiets, auto of brommer moeten hebben gepakt om bij het kerkhof te komen. Ik kan daar heel lang over nadenken. Als je in je eentje die hobby hebt en je familie weet het niet, dan begrijp ik het. Dan ga je gewoon stiekem tussen de middag naar begrafenisstoeten loeren, maar ik zag ook een aantal echtparen. Dus die hebben het ooit aan elkaar moeten bekennen. Zoals er ook echtparen zijn die van ruige seks houden en het lekker vinden om af en toe even stevig over elkaar heen te urineren. Die moeten dat ook ooit aan elkaar bekend hebben. 'Zou jij vanavond in plaats van wat we anders altijd doen een keertje...'

Hoe werkt dat nou? Mijn vrouw en ik zijn allebei gek op Toscane en hebben dat ooit, toen we elkaar pas kenden, tijdens een intiem etentje aan elkaar verteld. Sinds die tijd reizen we minstens één keer per jaar een week of wat door dit prachtige stukje Italië. Sjoelbakken doen we ook graag, net als jeu de boules en midgetgolf, maar als je nou gek bent op het verdriet van anderen en je vindt het gewoon lekker om jankende mensen te zien, hoe vertel je dat de eerste keer aan je geliefde? Vertel je aan haar je relaas van de begrafenis van Willy Alberti of wie er bij de cremate van Jan Blaaser allemaal niet bij waren? Hoe

135

werkt dat? Wat zijn de betere begrafenissen? Hoe was de begrafenis van Annie M.G. Schmidt ten opzichte van die van Ischa? Wordt het ooit nog zo als toen bij Manfred Langer? Herken je elkaar van andere begrafenissen? Rijden ze met elkaar mee om de kosten te drukken? Hoop je ook op bepaalde begrafenissen? Dat je tegen elkaar zegt: 'Als Paul de Leeuw gaat hemelen wordt het zeker kermis!'

'Leuk. En dan komen er ook veel huilende homo's.'

Als je het van elkaar weet dat je het lekker vindt, hou je het dan onder elkaar of vertel je het ook aan je omgeving?

'Zullen we morgen afspreken?'

'Nee, dan kunnen we niet. Er wordt namelijk een theaterdirecteur begraven en daar komen een hoop bekenden, dus Wim en ik gaan daar even kijken. We moeten er om ongeveer half drie zijn als we een beetje goede plek willen hebben. Bij Rien Poortvliet heb ik namelijk bijna niks gezien.'

En het bleef nog lang onrustig in mijn hoofd.

Call–tv

'Hallo Richard, wil jij je tv wat zachter zetten?'
'U spreekt met Richard uit Schiedam.'
'Ik vraag of je je tv wat zachter wilt zetten.'
'Ja.'
'Dankjewel. Waar bel je voor?'
'Voor het spelletje!'
'Wat denk je dat het is?'
'21?'
'Eenentwintig is niet goed, helaas!'
'Hallo Inge.'
'Met Inge uit Geleen. Is het 26?'
'Inderdaad. Het is 26. En we gaan kijken wat jij gewonnen hebt. Een gezichtsbruiner. Hij komt naar je toe.'
'Mag ik de friteuse?'
'Wat zeg je? Nee, je mag niet de friteuse. Die is verbonden aan de volgende vraag: 'Hoe lang duurt de 24-uursrace van Le Mans? U kunt nu bellen.'

Radeloos staar ik naar het scherm van mijn televisie; Endemol, TROS, RTL en Veronica hebben mijn incasseringsvermogen de afgelopen decennia met behoorlijk wat onbenul doorzeefd, maar dit slaat alles. *Call-tv* heet het. Sportverslaggever Leo Driessen, entertainment-nitwit Jacques d'Ancona, who the hell is-Jessica Broekhuis en een paar dozijn andere geestelijke gnomen bellen in beeld met debiel, dronken, werkloos, eenzaam en vooral stuurloos Nederland. Huisgemaakte videoclips worden getoond en daarop zie je hoe het echt met ons land is. We weten het niet meer. We willen niet meer verder, weten niet meer voor wie of wat we 's ochtends wakker worden, doelloos draven we door elkaar, schreeuwen indirect om hulp, maar het is te laat.

Op het ene net bekent een agent hoe hij tienduizenden kilo's coke heeft doorgevoerd en bij God niet weet waar het spul gebleven is, maar zap je door naar het andere net, dan weet je het. Volslagen in de war kakelen mensen door elkaar heen voor een prijsje. 's Avonds zie je Rolf Wouters een tandenborstelshow presenteren, Robert ten Brink twee mongolen bij elkaar brengen en Hans Kraay jr. laat loopse provincieteefjes kirren tegen verschrikkelijke sportschooldombo's die alles hebben opgepompt, behalve hun hersens. Dit alles gebeurt onder de bezielende leiding van Joop van der Reijden. Toch een ouwe gelovige die ooit in de kerk op de knieën is gegaan om God te danken voor de schepping. En God vroeg hem wel eens zachtjes: 'Wat ga je met die schepping doen, Joop?'

En dan mompelde hij: 'Ik ga shit, shit en nog eens shit produceren en ik doe dat net zo lang tot het volk verzuipt in zijn eigen shitoverschot.'

We weten het echt niet meer. We willen ook niet meer verder.

Indirect smeken we Frankrijk om volgende keer niet meer op Mururoa, maar op ons te oefenen, we bidden openlijk tot God om zijn eerstvolgende orkaan over Nederland te laten razen en we vragen haar beleefd voortaan niet alleen armeluizenplekjes als Mexico en Sumatra te laten schudden. Laten de vijandelijke legers onze kant op komen en ons afschieten. Massaal. Mosterdgas mag. Napalm is ook een prima methode, maar help de patiënt uit zijn lijden. Ik zie de archeoloog die over enkele eeuwen een video opgraaft en daarop staan beelden van *Man oh Man, Vergeet je tandenborstel niet, All You Need is Love* en *Call-tv*.

Heel stil sta ik aan het graf van mijn ouders en prevel: 'Wat is jullie een hoop bespaard gebleven.'

Jol

Irene gaat bij Beatrix op bezoek, rijdt Den Haag binnen, denkt opeens: laat ik eerst even boodschappen doen, schiet een onbekende groentewinkel in en hoort daar de spinazie tegen het witlof zeggen: 'Heb jij gisteren Jol hier nog gezien?'

Waarop het witlof zegt: 'Ik niet.'

'Hij denkt dat Volendam van Ajax wint en heeft zijn geld op de palingvissers gezet,' lacht de andijvie en gaat verder tegen de knolselderij over het nitraatgehalte van de kastomaten. Uiteindelijk hebben de laffe worteltjes het op de veiling rondgeroddeld en dan gaat het snel. Via een groentewinkel in Harderwijk kwamen de dolfijnen het te weten en zo is het in het Oibibio-circuit terechtgekomen. En toen Irene het via die spirituele kringen voor de tweede maal hoorde, wist ze dat het met de carrière van scheidsrechter Dick Jol gebeurd was.

Gokgeil, las ik in de krant, tricky Dickie is zijn bijnaam en via de televisie mocht zijn ex-vrouw ook nog even haar gram op de verslaafde Scheveninger halen.

Voor de kijker is dit smullen geblazen en onmiddellijk moet ik denken aan vijfentwintig jaar geleden. Ik mag namelijk over Dick Jol geen enkel oordeel vellen, daar ik ooit hetzelfde heb gedaan. Ik was zestien jaar oud en coach van jongetjes D-1 van de Gooische Hockey Club. In die tijd floot de coach samen met de elftalleider van de tegenpartij ook de wedstrijden, dus u begrijpt...

Op een dag kon mijn team kampioen worden. Ze

moesten maar één ding doen: winnen! In de rust stonden 'mijn mannen' met 1-0 achter en ik beloofde mijn team het volgende: bij 1-1 zouden ze allemaal een Mars krijgen, bij 2-1 een Mars én een flesje en bij 3-1 mochten ze bij mij thuis pannenkoeken komen eten. Ik woonde nog bij mijn ouders. Joelend liepen de kereltjes het veld in. En het kapitalistische beloningssysteem werkte. Binnen de kortst mogelijke tijd scoorde Basje Klinkhamer 1-1 en hadden zij de Mars in de tas. Maar de mannen gingen door voor het flesje en neem van mij aan: dit was belangrijker dan het kampioenschap. De druk werd verhoogd en tien minuten voor tijd scoorde Bas, de Cruijff van A-1, zijn tweede doelpunt, 2-1. Voor mij was dat geen probleem. Het geld voor elf flesjes en elf Marsen had ik uiteraard niet, maar er stond altijd wel een rijke vader langs de lijn die mij wilde sponsoren. Maar toen gebeurde het: één minuut voor tijd brak Bas Klinkhamer virtuoos door. Hij passeerde op uiterst legale manier een mannetje of vier, had toen een vrij veld voor zich, omspeelde in de cirkel op zeer behendige wijze de keeper en snoeide de bal loeihard in de hoek. Ik had een tiende seconde de tijd om na te denken; ik zag mij bij mijn ouders niet aankomen met elf van die opgeschoten mannetjes en floot voor 'sticks'. Sticks is de regel dat de stick niet boven de schouder uit mag komen en die regel werd vooral gehanteerd als je daarmee een tegenstander hinderde, maar in dit geval hinderde Basje niemand. Sterker nog: hij maakte helemaal geen sticks. Maar dit kon ik mijn ouders niet aandoen, dus ik keurde het doelpunt af. Elf kleine kakkertjes stonden op mij in te schreeuwen en maakten mij voor alles uit wat lelijk was. Ik ben niet zo ver als Jol gegaan door de grootste bek een rode kaart te geven. Daarvoor wist ik te goed hoe fout ik was.

Vorig jaar kwam ik een Amsterdams café binnen en daar trof ik stomtoevallig Bas Klinkhamer, inmiddels een man van begin dertig, in gezelschap van zijn hoogzwangere vrouw, hij keek mij aan en zei: 'En toch zat ie'.

Ik wist onmiddellijk waar hij het over had en bekende hem mijn motieven. We hebben wat gedronken, ik heb honderdduizend excuses gemaakt, maar Bas bleef wantrouwend naar me kijken. En terecht. Op elfjarige leeftijd heb ik hem fundamenteel belazerd. Ik had dit laffe verhaal nooit aan iemand verteld. Nou ja, één keer, net als Irene, aan een oude beuk in het Amsterdamse Bos. Dat zijn dan van die intieme gesprekken die niemand iets aangaan. Dan zeg ik ook altijd tegen de kleine berkjes: 'Gaan jullie even het bos uit.'

Lek Ratelbandje

Alle voetballiefhebbers hebben Ratelband gezien en wees eerlijk: het was aandoenlijk. Zo'n rennende, rade-loze man door de Kuip die probeert het publiek op te zwepen. Het was alles: moedig, zielig, verhelderend en indrukwekkend droef. We zijn met z'n allen dood- en doodziek, leger dan leeg, opper dan op en niets kon deze situatie beter illustreren dan de rennende charlatan met zijn oranje sjaaltje.

Ik moest heel erg denken aan de ex-vrouw van Emiel. Zij keek natuurlijk ook en werd voor de zoveelste keer overtuigd dat ze toen de juiste beslissing heeft genomen. Ze zag hem zonder geluid, haar hele huwelijk passeerde de revue: van hem heeft ze kinderen, met deze man heeft ze vakanties en kerstdineetjes gedeeld en opeens werd ze overvallen door een oeverloze huilbui.

Ik moest ook heel erg denken aan de oude mevrouw Ratelband. De schat zit licht in de war in het bejaarden-huis, legt een klaverjasje met een stel medebewoners en hoort opeens haar zoon over de afdeling schallen. Ze schuifelt richting het televisietoestel en ziet hem door het beeld draven. Ze is zo alert op haar dementie en belt gauw haar dochter.

'Lieverd, zie ik het goed? Is dat onze Emiel? Wat is er met hem? Ben ik in de war? Is het 'm echt? Zeg me dat het niet zo is! Zie ik nu dingen die niet waar zijn? Moet ik nu naar een andere afdeling?'

De dochter stelt de oude vrouw gerust en neemt zich

voor toch eens een familieberaad bijeen te roepen. Ze moeten Emiel vragen om dit niet meer te doen zolang mamma nog leeft. Het oudje schaamt zich dood in het tehuis en waarom zou je haar de laatste jaren van haar leven opzettelijk laten twijfelen? Zijn broers hebben zich inmiddels bij de situatie neergelegd. Als zij zich aan iemand voorstellen slikken ze hun achternaam in, zodat ze niet hoeven te antwoorden op de vraag 'Bent u de broer van?' De een heeft uit voorzorg een ander montuur genomen en de oudste is overgegaan op lenzen.

En Emiel zelf? Emiel is losser dan los, heeft twee telefoons in zijn Bentley, woont in België en weet natuurlijk zelf, beter dan wie ook, dat-ie handelaar in lucht is. Ongebakken lucht. Soms moet hij er verschrikkelijk hard om lachen, maar veel vaker springen de tranen in zijn ogen. Hij vult zijn zakken met schreeuwen tegen muisgrijze KPN-managers, ordinaire makelaars en sneue directeuren. Mannen die vijf minuten opveren, denken dat ze helemaal niet die lul zijn die ze dachten te zijn om later in een dieper gat dan ooit te lazeren en te beseffen dat ze de grootste eikel van de zaak zijn. Emiel is niet dom, hij ziet deze types dag in dag uit en weet als geen ander hoe door en door ziek we zijn. Hij kreunt zijn loze *Tsjakka's* in sporthallen, congreszalen en evenementenpaleizen, maar kan 's avonds laat op de hotelkamer zichzelf nog amper oppeppen. Weemoedigheid, die niemand kan verklaren, en die des avonds komt, wanneer men slapen gaat. Hij weet het: iedereen is gek, volslagen in de war, niet meer goed te krijgen. We zijn aan het einde van de eeuw, impotenter dan ooit en Emiel belt naar zijn oude moeder en huilt zachtjes: 'Mamma, wil je nog een keer jachtschotel maken? Ik wil zo graag de smaak van toen alles nog gewoon was.'

144

Röntgendrömen

Rijdend naar de voorstelling in Zwolle liet ik mijn fantasie op het onderwerpje röntgennöken kauwen. In het Academisch Ziekenhuis Groningen wil er namelijk eentje afstuderen op de menselijke daad en hij zoekt paren die in een scanner willen wippen. De dokter ziet op het beeldscherm de skeletten aan de gang en volgt dan wat er allemaal bij mevrouw en meneer van binnen gebeurt. Ik word 's morgens natuurlijk al nerveus wakker. Half twaalf zijn we aan de beurt. Aan de beurt! Een woordspeling. Onderhand zie ik welk ondergoed mijn vrouw aantrekt en vraag me af of ik me ermee moet bemoeien.

'Dit is veel te heavy voor de dokter,' probeer ik haar tot een preutsere lingeriekeuze te dwingen, maar mijn vrouw is niet te vermurwen.

'Drink je koffie op, want we gaan,' jaagt zij mij richting de auto en zwijgend rijden wij naar het hoge noorden. Voorzichtig probeer ik af te spreken wat we moeten doen als ik hem door mijn zenuwen niet omhoog krijg, maar zij veegt dit onderwerp met een ruw gebaar van tafel.

'Dat heb ik bij jou nog nooit meegemaakt. Jij wilt zelfs op begrafenissen, dus het ziekenhuis lijkt me zeker geen drempel.'

'Maar al die toekijkende dokters en verpleegsters.'

'Niet zeuren, doorrijden,' zegt ze streng en zet de radio wat harder. Tien over elf komen we de lift uit. Twintig minuten te vroeg.

'Ha, mevrouw en meneer Van 't Hek,' glimlacht de receptiemevrouw.

'U komt voor dokter Van Andel.'

Op hetzelfde moment zie ik een lange gang en uit elke deuropening steekt een hoofd dat zich proestend terugtrekt.

'Ze zijn er,' giert een meisje tegen haar collegaatjes. We worstelen ons in de wachtkamer door oude roddelbladen en uiteindelijk verschijnt de dokter. 'Mevrouw, meneer Van 't Hek, aangenaam kennis te maken, loopt u maar even mee,' roept de goede man iets te enthousiast en voor we het weten staan we in een kleedhokje te prutsen. Alsof we gaan zwemmen. We worden opgehaald door een droom van een verpleegster, mijn vrouw kijkt bestraffend naar mijn erectie, ik bied mijn excuses aan en het prachtige meisje zegt dat het niet erg is. Zij helpt ons in de koude, metalen tunnel, doet het deksel dicht en verlaat de kamer. De dokter spreekt ons door een speakertje toe.

'Begint u maar,' klinkt het nasaal.

'Je moet beginnen,' zegt mijn vrouw.

'Hoe? Hoe begin ik altijd? Ik ben de volgorde kwijt. Waar begin ik normaal mee? Waar hebben we het altijd over als we zin hebben? Help me nou! Begin jij maar! Jij begint toch ook wel eens?'

'Die kans heb ik bij jou nog nooit gehad. Kom op, aan je werk!' zegt mijn schat.

'Bent u al begonnen?' roept het speakertje.

'Ik moet pissen,' roep ik schaamrood uit mijn kokertje.

'Kunt u mij misschien even bevrijden? Er zit namelijk een kinderslot op de scanner.'

De verpleegster komt mij bevrijden, wijst mij het toilet en daar sta ik minutenlang zenuwachtig mijn angst weg te druppelen. Ze klopt op de deur en vraagt of het een beetje gaat. Inderdaad, het gaat een beetje. Ze helpt mij weer in het supersonische apparaat en de dokter roept dat we moeten ontspannen.

'Juist niet,' bijt ik mijn vrouw toe.

'Die gozer leest te veel Viva's. We hebben het nog nooit ontspannen gedaan.'

'Begint u nou maar', roept hij opnieuw en ik moet aan het nummer *Duif is dood* van Toon Hermans denken. 'Mijn naam is Bemelmans. Jack Bemelmans.'

We modderen nog een kwartiertje door, horen in de andere kamer vloeken, lachen, zuchten en mijn vrouw sist in mijn oor waar ik in godsnaam mee bezig ben.

'Met jou,' sis ik… en opeens zie ik de dokter naakt voor de scanner staan. 'Stapt u maar even uit, meneer Van 't Hek. Ik zal het een keer voordoen.'

Vlak voor Zwolle raak ik van de weg en sla met mijn auto drie keer over de kop. Ik word wakker in het Zwolse Sophia ziekenhuis en lig helemaal alleen in een scanner.

'Waar is mijn vrouw?' schreeuw ik tegen de dokter.

'Die komt eraan,' zegt de man met de dubbelzinnigste glimlach die ik ooit gedroomd heb.

Dom boos

In de donkere dagen rond kerst probeer ik mijn oudejaarsconference uit in de Amsterdamse Kleine Komedie en ik doe dat twee keer op een avond. Afgelopen donderdag gebeurde er bij de tweede voorstelling iets verschrikkelijks. Op de eerste rij zaten twee echtparen, ik gok midden dertig. Het ene schatte ik in op ouwe kakkers en het andere op goede middenstand of nog erger: middenkader bij een hele degelijke verzekeringsmaatschappij. Ze waren duidelijk met zijn vieren uit. De mannen en dus ook de vrouwen zaten naast elkaar. Gezellig. Lekker bijpraten.

Een van de onderwerpen van mijn oudejaarspraatje is dat als het te moeilijk wordt, men naar een pretnet zapt. Je levert een doorlopend gevecht tegen de afstandsbediening. Tien minuten later komt het enige moment dat ik de zaal wil laten huiveren (ik verraad niks!), ik wil dat heel politiek Den Haag en daarmee een heel volk, inclusief mijzelf, zich schaamt. Dieper dan diep. Tot nu toe lukt het mij dit te spelen in een doodse, bijna magische stilte. Alleen donderdag ging het mis. Op dat zojuist genoemde moment doet de bekakte dame haar tas open, haalt er een truttig potje uit en gaat uitgebreid haar lippen invetten (ik hou me in), dan gaat het potje terug in haar tuttige tasje, ze rommelt nog wat in haar buideltje (ik hou me nog steeds in), buigt zich over haar buurvrouw richting haar echtgenoot en begint tegen hem te kakelen! Waarover? Waarschijnlijk over dropjes of over het gas dat wel of niet uitgedraaid is of over de vuilniszak die nog buiten moet of...

In elk geval schiet het mij zó in het verkeerde keelgat dat bij mij alle dijken breken. Ik stop de voorstelling, loop naar de rand van het podium, buig me naar het gansje en schreeuw: 'Trut!!!' Dit kwam niet uit de grond van mijn hart, niet uit mijn tenen, maar vanuit het eelt onder mijn voeten en van dieper kan ik het niet halen.

Daarna volgde de meest verbitterde scheldkanonnade uit mijn hele carrière, geen spatje humor, geen druppeltje vermaak en door de zaal ging een terechte siddering. De onderwijzer was boos, dreigde met nablijven, strafwerk of zelfs schorsing. De komiek had zijn grapjas uitgetrokken en spoog het gal van al zijn desillusies in het gezicht van de domme dame. Zij dook weg in haar stoel, was het liefst door de grond gezakt en via het buizenstelsel van de Amsterdamse riolering weggevlucht. Dan had men ergens in de buurt van Artis midden op de weg een putdeksel zien bewegen en was daar even later een verwilderde, schichtige dame met tuttig tasje uitgekropen.

Mijn minachting was zo groot dat ik mij moest inhouden om haar niet vanaf het podium in haar keurige hockeygezichtje te spugen. Het is wederzijdse minachting. Want hoe haal je het nou in je botte kwabben om op het moment dat het echt ergens over gaat, lekker met je man te gaan lullen en dan nog wel hangend over je buurvrouw?

Normaal los ik dit soort zaken altijd dollend met de zaal op en wordt er juist vaak erg hard gelachen om zo'n incident. Ik hou te veel van mensen om ze echt te kwetsen, maar donderdag sloegen bij mij alle stoppen door. En volkomen terecht. Wat een trut.

De voorstelling kwam niet meer goed. Er is nog wel gelachen, maar 500 mensen zagen een teleurgestelde man zijn best doen om er nog een leuke avond van te maken en eerlijk gezegd lukte mij dat niet helemaal. Eén ding weet ik wel: 499 mensen, inclusief de man van die mevrouw, waren het hartgrondig met mij eens. Wel heb ik nog lang nagedacht over het huwelijk van die mevrouw. Zou ik, door wie dan ook, mijn vrouw in een volle zaal laten uitschelden voor 'ongelofelijke trut'? Ik denk het niet. Deze man liet het begaan en ik denk dat hij later in de auto tegen zijn eigen dombootje heeft gezegd: 'Nou hoor je het ook eens van een ander' en 's avonds heeft hij waarschijnlijk in de Gouden Gids gezocht onder het rijtje 'advocaten'. Dit was de druppel om de scheiding definitief door te zetten.

Of ik spijt heb? Ja. Ik was natuurlijk heel dom boos. Hoe kan je nou een avond van vijfhonderd mensen zachtjes om zeep helpen omdat er één trut op het meest verkeerde moment doorheen zit te kakelen? Dat is waar. En dat spijt me. Ik ben ook maar een mens. Maar een ding staat vast: het blijft een peilloze trut en ik weet zeker dat zij nooit meer een voorstelling van mij zal bijwonen. En dat lucht enorm op. Haar man wel. Die komt volgend jaar met zijn nieuwe vriendin. Ik wens hem sterkte met Kerstmis!

Mitterrand

Mazarine Pingeot, de 21-jarige buitenechtelijke dochter van Mitterrand is door de dood van haar vader wereldnieuws geworden. Goed idee van François om de beide gezinnen bij zijn begrafenis in Jarnac bij elkaar te brengen. Ook een beetje laf om de dames pas na je dood met elkaar te confronteren. Of zal hij tijdens zijn leven ook al een keer een lekker kerstdineetje voor zijn Anne en Daniëlle gekookt hebben? Ik weet het niet. Ik denk dat veel mannen en vrouwen bij de begrafenis van Mitterrand hebben nagedacht over hun eigen buitenechtelijke geliefde. Wil je je scharreltje op je crematie? En zo ja: wil je hem of haar anoniem of echt pontificaal achter de kist? Zelf ben ik er nog niet uit, maar ik denk dat ik mijn buitenechtelijke speeltje vraag of ze in de lange rij van condolerenden wil plaatsnemen, mijn vrouw zacht op beide wangen wil kussen en sterkte wil wensen met dit verschrikkelijke verlies. Het geeft zo'n gedoe als ze naast mijn vrouw gaat staan en ook scheve ogen bij een aantal andere bijslaapjes. Waarom zij wel?

Mijn vriendinnetje kiest zelf voor de anonimiteit. Zij wil na mijn dood zachtjes huilen op de achterste rij van de aula. Zij zit dan gewoon naast haar man, die van niets weet. En na mijn dood wil zij mij iedere dinsdagmiddag op Zorgvlied komen opzoeken. Dinsdagmiddag is namelijk al jaren het moment waarop wij samenkomen op een geheime plek in de stad. Ik heb hiervoor speciaal een eenvoudig gemeubileerd appartement gehuurd. We hebben daar niet veel. Een koffiezetapparaat, een beetje wijn, altijd een fles champagne koud en een daverend groot bed. Ik ga daar altijd òf lopend òf per taxi heen en voor haar maakt dat minder uit. Niemand kent haar. Ja, ik ken haar. Als geen ander. Niemand van mijn vrienden weet dat zij bestaat. Zelfs met mijn beste vriend heb ik nooit over haar gesproken. En ook zij heeft nooit over mij gepraat. Met niemand. En dat maakt ons geheim zo heerlijk. In het begin voelden we ons verschrikkelijk schuldig en het is dan ook al een paar keer een tijdje uit geweest, maar dat hielden we geen van beiden vol. We zijn verslaafd. Niet alleen aan elkaar, maar vooral aan het geheime. Het schitterende verbond van ons tweeën. In het begin struinden we zowel dure als hele goedkope ho- telletjes af, maar het is zo ordinair om een kamer na twee uur te verlaten. Vandaar die etage die we nu hebben. Veel buitenechtelijke geliefden hopen diep in hun hart dat het op een dag uitkomt, zodat de kogel door de kerk is en zij samen verder kunnen, maar wij willen dat niet. Wij willen absoluut niet samen verder. Wij hebben elkaar voor erbij en zullen onze liefde voor elkander tegen ie- dereen altijd ontkennen. Mijn vrouw heeft een paar maal gevraagd of er iemand anders is en zonder blikken of blo- zen antwoord ik dan ontkennend. Dat leer je heel goed. Ik kan zelfs tegen mijn vriendinnetje heel goed liegen. Want ook binnen onze relatie schaats ik heel soms even scheef, maar dat is dan weer het verbond met mijzelf en dat andere meisje. Die liefdes zijn echter altijd van korte duur. Ik ga er overigens van uit dat mijn vriendinnetje over haar escapades ook weer zwijgt. Zo wil ik niks van mijn vrouw haar avonturen weten. Het zou zelfs kunnen dat zij allang weet wat ik elke dinsdagmiddag doe en dat zij zelfs weet waar en met wie. En dat dat voor haar een hele mooie gelegenheid is om op dat moment ook een afspraak te maken met haar minnaar. Misschien is dat wel de man van mijn vriendinnetje. Jaren geleden heeft hij zijn vrouw vier dinsdagmiddagen gevolgd, daaruit zijn conclusies getrokken en heeft hij mijn vrouw ingelicht. Diezelfde middag zijn zij hun relatie gestart. Alleen een veel betere dan die van mij en zijn vrouw. Eerst uit wraak en nu is het echte passie. Heel veel mensen die dit stukje lezen herkennen hun eigen situatie en vragen zich af of ik het bovenstaande heb verzonnen of dat het echt waar is. Zelfs mijn eigen vrouw schrikt van dit stukje. Misschien rent ze wel naar boven om haar vriend te bellen om te zeggen dat ik alles door heb. Of vraagt ze mij verbolgen of het waar is wat ik schrijf. Ik zal ontkennen. Dat heb ik mijn vriendinnetje beloofd. Ingewikkeld.

Vriendinnetje

Vorige week schreef ik over mijn buitenechtelijke liefde en ik vertelde dat ik haar elke dinsdagmiddag ontmoet op een geheim adres. Ook heb ik proberen uit te leggen waarom wij het zo willen houden. We willen niet echt met elkaar. We vinden elkaar lekker voor erbij. Meer niet. Zij heeft een aardige man en twee schatten van kinderen en ook ik ben meestal zielsgelukkig met mijn gezin.

Veel reacties gekregen. Niet van mijn vrouw. Zij reageert nooit op mijn stukjes. Zij denkt waarschijnlijk dat ik alles achter de computer heb zitten verzinnen en eerlijk gezegd hoopte ik, bij het schrijven van het stukje, dat zij dit zou denken. Dat is ook het beste. Zou ze mij gevraagd hebben of ik het verzonnen had, dan zou ik trouwens met een volmondig 'tuurlijk' geantwoord hebben.

De huisbaas van ons illegale liefdesnest belde met de mededeling dat hij de huur ging verdubbelen en als ik daar niet mee akkoord ging, zou hij het adres aan mijn vrouw doorgeven. Chantage dus.

Mijn vriendinnetje is boos en wil ermee ophouden. Zij denkt dat iedereen nu weet dat het waar is en we hadden afgesproken er nooit, maar dan ook nooit met iemand over te praten.

'Maar iedereen denkt dat ik het heb verzonnen. Dat is het slimme van het stukje,' verdedig ik me wanhopig. Maar ze is vastbesloten. Als ze er echt mee ophoudt, zit ik wel met een zinloos appartement met een dubbele huur in mijn maag, maar dat kan ik waarschijnlijk wel kwijt. De meeste reacties komen namelijk uit mijn kennissenkring en daar kan men wel een kamertje gebruiken.

De meest gedetailleerde bekentenissen kwamen afgelopen week tot mij. Schitterende en vooral onverwachte dubbellevens openbaarden zich. Vrouwen van wie ik het absoluut niet had verwacht vertelden mij over hun jarenlange slippertjesbestaan. Het begon op een cursus in een Veluws hotel, inmiddels woont hij in Landgraaf en zij in de buurt van Apeldoorn, maar toch zien zij elkaar nog elke week. Een vriend van mij maakte het het bontst. Vorig jaar ging hij samen met zijn vrouw twee weken naar Jamaica en in hetzelfde vliegtuig zat zijn vriendin. Sterker nog: zij zat twee weken in hetzelfde hotel. Het reisje was door hem geboekt en betaald. Zijn vrouw is nogal een trut en gaat meestal om een uur of tien slapen. Mijn vriend ging dan altijd nog even een frisse neus halen. Dit was al de zesde vakantie waarop het zo ging.

Een vrouw vertelde dat ze twintig jaar lang een verhouding heeft gehad met de vader van haar beste vriendinnetje. Het begon op haar twintigste. Hij was toen vijfenveertig, een keurige Amsterdamse advocaat, wonend in het Gooi en zij was een prille studente psychologie, net een paar maanden op kamers. Op een middag lagen ze in bed en ging de bel. Zijn vrouw.

'Ik kom zomaar eens even kijken hoe je woont,' sprak de vrouw monter.

'Je schijnt zo'n leuke etage te hebben.'

Ze kende de vrouw zo goed dat ze haar niet kon weigeren.

Ze mocht de hele woning zien, behalve de slaapkamer. Het was daar zo'n rotzooi.

'Ach kind, daar kijk ik toch doorheen.'

Bijna ruzie. In de gang. Naast de kapstok. Daaraan hing de jas van haar man. Ze zag het niet. Waarom kwam de vrouw haar woning bekijken? Wist ze iets of was het echt gewoon belangstelling als moeder van een vriendinnetje? Dat laatste bleek het toch echt te zijn. Na een uur ging ze weg. Op de stoep stonden de vrouwen nog even te praten. Ze leunden bijna tegen zijn auto.

Ik kan een paar pagina's vullen met de meest smakelijke anekdotes over dit onderwerp en ik heb begrepen dat mijn verhouding met mijn vriendinnetje eigenlijk de grijze degelijkheid zelf is. Ondertussen geloof ik niemand meer en u moet dat ook niet doen. Kijk vanavond goed naar uw geliefde, stel geen vraag (er wordt namelijk altijd ontkend), maar kijk. Kijk lang en intensief. Volg je lief als de camera in de schitterende film 'Zusje', die iedereen moet gaan zien. Meer niet. Je ziet je geliefde vanzelf nerveus worden en dan weet je genoeg. Maar misschien wil je het niet weten. Dat laatste lijkt me voor iedereen het beste. De liefde is een leugen en de gelogen liefde is het leukst.

Alias

Waarom word je crimineel? Om geld te verdienen. Geld is vrijheid, vrouwen, oesters, Yab-Yum, reizen, champagne, chique hotels, palmen, oceanen en Porsches. Daarom word je crimineel. Tenminste, dat heb ik altijd gedacht.

Dus als ik weer eens een berichtje over Johan V. las, dacht ik: de politie moet naar Aruba, Curaçao of een ander warm oord en daar alle strandbarretjes af. Zien ze een man met een Pamela Anderson-type aan een felblauwe cocktail zitten lurken, dan kan je er zeker van zijn dat het een topcrimineel is en kunnen ze hem zo inrekenen. Je vervoert geen tonnen coke om van je geld de baptistenkerk in Boston te steunen of om een pater met een zwerfjongerenproject in een sloppenwijk van Rio te helpen. Nee, je vervoert coke om ordinaire dingen te kunnen doen. Daar ben je dan ook wel aan toe. Als je tijdens zo'n zenuwslopend transport al die spanning van de onderwereld hebt doorstaan, de kogels om je vogelvrije vest hebt horen fluiten, met de meest louche types in de onguurste barretjes hebt moeten onderhandelen, dan heb je wel recht op een tropische verrassing aan een of ander hagelwit strandje.

Adje K. was bij Octopus hoofd binnendienst, manusje van alles en nog wat, duvelstoejager, rechterhand van de baas. Ieder bedrijf heeft er zo een. 'Vraag dat maar aan Adje' of 'Adje weet dat wel'.

K. verzorgde het laden en lossen van de tienduizenden

kilo's, regelde duikapparatuur, rubberboten, hijskranen, cokesnijmachines, waterdichte vaten en uiteraard paraffine. Want als je onderzeese magazijnen bij de Azoren en Portugal hebt, dan moet je de vaten sealen. Anders krijg je zoute hasj. Zo simpel is dat.

En nu heeft Adje K. een monstercontract met justitie gesloten. Het gaat erom dat Johan V., alias 'de Hakkelaar', alias 'de Stotteraar', alias 'de Zigeuner', voor lange tijd achter slot en grendel gaat en Adje K. moet tegen Johan V. getuigen. Ik vind 'alias' zo'n lekker woord. Telegraafproza. Jongensboekentaal.

V. is wat je noemt een topcrimineel, hij deinst niet terug voor liquidaties, is goed voor honderden miljoenen, had in zijn eentje Fokker kunnen redden, heeft ergens in een la nog een stapeltje naaktfoto's van de Van Randwijckjes liggen en is de eerste uit het circuit die niet genoeg heeft aan één Moszkowicz. Hij heeft er twee. En de vader én de zoon. Johan is de absolute godfather van Nederland, een super-Dalton, heeft een paar mollen bij justitie rondlopen en het gerucht gaat dat hij van alle deuren in alle Europese gevangenissen een sleutel heeft.

Afgelopen zondagavond kreeg de cipier in Vught de cel van Johan niet meteen open en toen stotterde de Hakkelaar: 'Probeert u deze eens.'

En inderdaad: de sleutel paste. Heerlijk nieuws. Ik slurp het ongegeneerd uit alle kranten. En nu is hij verlinkt door Adje. De eerste vraag die ze aan K. hebben gesteld was natuurlijk: 'Waar is ie?'

Vrakking stond al met de hoorn in zijn hand om een reisbureau te bellen om met de hele afdeling een op-kosten-van-de-zaak-tripje naar Barbados te boeken. En toen kwam het verpletterende antwoord: 'Op zondagavond kijkt hij altijd Studio Sport bij zijn schoonmoeder en daar eet hij meestal wat de stamppot schaft.'

De verbijstering op het politiebureau moet onthutsend zijn geweest. Neerlands meest gezochte crimineel, de man die zich tranen heeft gelachen om de misleiding van Van Traa, die Sorgdragertje bijna tot zelfmoord heeft gedreven, die alles, maar dan ook alles kan kopen wat-ie wil, die man zit op zondagavond niet in een casino, niet in New York, niet in St.-Tropez, niet in Bangkok, niet in Tour d'Argent in Parijs, nee... die man zit op zondagavond, net als de rest van Nederland, bij zijn schoonmoeder aan de boerenkool en kijkt naar Sparta-Ajax. Ik ben sprakeloos.

Notaris

'De notaristarieven voor onroerend goed gaan met on-
middellijke ingang omlaag. Van zes tot in sommige gevallen zelfs tweeëntwintig procent'.

Ik zie verslagen gezinnen. Ze realiseren het zich nog
niet echt. Laatste wintersport, de golfsetjes van pap en
mam worden in het huis-aan-huisblad aangeboden, het
lidmaatschap van de hockeyclub moet opgezegd, de
Margriet, de *Elsevier* en de NRC gaan de deur uit en op het
Zwitserse chalet komt het meedogenloze bordje 'A
VENDRE'. Krijgen we een notarissenstaking? Een demonstratie op het Malieveld? Worden er andere acties
aangekondigd? Blokkades? Werkonderbrekingen?
Gaan ze de nieuwe brug bij Zaltbommel met hun Volvo's
vastzetten? De broederschap broedt, maar de grote
vraag is: hoe komt de notaris de winter door? Krijgen we
zwerfnotarissen? Is het iets voor Foster Parents? Dat je
een notarisgezin kan adopteren? Wanneer vriest de eerste dood? Toevallig heb ik volgende week een afspraak
met mijn notaris om mijn laatste wil vast te leggen en ik
denk dat ik hem ook wat geef. Dus een deel naar mijn
vrouw, een deel naar mijn kinderen en dat ik dan zachtjes
mompel: 'En de rest is dan voor u.'

Zijn secretaresse hoeft het niet te horen en de kandi-
daat-notaris gaat het ook niets aan. Gewoon heel discreet. Zo zal ik ook het pakje met afgedankte truien en
gedragen schoenen aan hem geven. Alsof er iets heel anders in het plastic tasje zit. Ik zeg gewoon 'bedankt voor

het lenen' en dan weet niemand wat er in zit.

Het zijn de verschrikkelijkste verhuizingen. Terug naar de doorzon. Van de lommerrijke villawijk naar het woonerf. Hoe vertel je het je tuinman? En kamperen! Hoe doe je dat ook alweer? Zo'n tentje met haringen en een luchtbed dat opgeblazen moet worden. Nooit meer Club Med. Wat doe je met je Rotary-speldje? Moet je dat inleveren als je uit de club bent? Hoe ruikt Croma? Hoe onderhandel je op de autosloperij over een uitlaat? Moet je afdingen? Big Mac, Aldi, c&a, Zeeman. Allemaal nieuwe begrippen. Koopjes worden uitgewisseld, de Wehkamp-gids wordt gespeld en het is hard, maar mevrouw gaat drie ochtenden per week schoonmaken. Voor vijftien gulden zwart per uur. Bij wie? Bij de mensen die hun huis gekocht hebben. Daar kent ze de weg.

Het is zo'n klein berichtje. Meedogenloos staat het op de voorpagina's: 'Tarieven notaris fors naar beneden' en niemand realiseert zich welk verschrikkelijk leed daarachter schuilgaat. Wat is 'goedemorgen' in het Turks? Hoe zeg je 'eet smakelijk' in het Marokkaans? Je wilt toch aardig zijn tegen je buren. Wanneer is het ramadan? Zoon Jan Willem moet weg bij het Utrechtse studentencorps en kan hij een krantenwijk wel aan?

Hoe reageert je broer de tandarts? En je neef de neuroloog? Die hebben een aantal jaren geleden ook een paar gevoelige klappen opgelopen, maar geen tweeëntwintig procent. Wie wil de Poolse au pair?

Met gebogen hoofd zal ik dit weekeinde langs het grachtenpand van mijn gordelnotaris lopen. Zwijgend pakken ze daar alles in de verhuisdozen. Hoe krijg je de inboedel van twaalf forse kamers in een gewoon rijtjeshuis? De Zwarte Markt in Beverwijk brengt uitkomst. Wat doet een tweedehands Jan des Bouvrie-bank vandaag de dag? Wie wil een gedragen jurkje van Pauw? Wat doen we met de tennisrackets? De stemming in het notarisgezin is net als buiten: ver beneden nul. Wat een meedogenloze klap. Daar gaan mama's boetseer- en schilderspullen. Had ze na al die jaren eindelijk een hobby en hup: verkopen de boel. De spanning stijgt, ruzies stapelen zich op en uiteindelijk schreeuwt hij: 'Ik kan er toch niks aan doen? Die verrekte Bolkestein had nooit met die rooien in zee moeten gaan.'

Hard slaat hij de deur achter zich dicht en verdwijnt in de stad.

'Wat ga je doen?' huilt zijn vrouw hem wanhopig na.

'Mijn Fokkers verkopen.'

Zentijd

Welk dag-, week- of maandblad je de laatste tijd opslaat, er staat iets in over goeroes, ratelbanden, stressontladers en andere handige handelaren in arbeidsmotivatie. Eerlijk gezegd dacht ik dat dit geneuzel bij de jaren zeventig hoorde, maar het is erger dan ooit. We zijn met zijn allen door onze stuitende welvaart zo radeloos van slag dat we de meest vreemde types erbij moeten halen om ons het nut van het bestaan en de daaraan verbonden arbeid te laten inzien. Bedrijven geven jaarlijks honderden miljoenen uit aan deze handel in het oppeppen van de ingedutte medewerkers. En dat personeel vindt het prachtig. Een paar dagen weg op kosten van de zaak en dan een beetje lachen om een op hete kolen dansende charlatan. En vooral even een paar dagen van huis! Heerlijk.

Het is een industrie. Op maandagochtend trekt half Nederland richting Veluwe, Salland en Achterhoek om in treurige hotelzaaltjes te luisteren naar allerlei ongediplomeerde kakelkonten. Spijkerbroekenverkopers, accountants, burgemeesters en computerprogrammeurs luisteren naar zogenaamde deskundigen. En wie zijn dan die deskundigen? Gesjeesde voetbaltrainers behandelen het begrip teambuilding, geflipte journalisten geven een cursus presenteer jezelf en vuttende scheidsrechters babbelen lustig over conflictbeheersing. Uiteraard doen ze dit niet voor niks, maar vragen voor deze duimzuigerij minimaal vijf ruggen per dag. Dat is de enige manier om in die wereld serieus genomen te worden. Je moet niet zeggen: 'Ik kom wel voor vijf meier.' Dan verpest je de markt. En het absurde bedrag wordt grif en grof betaald. Proestend rijden de 'deskundigen' naar hun opdrachtgevers, houden hun prietpraatje en keren snikkend van het lachen huiswaarts. Als ik wil, kan ik ook zo meedoen in het kletsmajorenleger. Regelmatig wordt mij gevraagd of ik een bedrijf wil peptalken ('En daar mag best een stukje humor inzitten'), maar ik weiger resoluut.

Ik zie me al een zooitje RABO-bankbeheerders vertellen dat het hartstikke leuk is om RABO-bankbeheerder te zijn, terwijl het mij verschrikkelijk lijkt om een RABO-bank te beheren. Ik zou ze aanraden om op een regenachtige donderdag de kas leeg te roven en zonder vrouw en kinderen naar Rio af te reizen om daar met een allesverzengende Braziliaanse schone een nieuw leven te beginnen. Wie gaat er nou zijn leven lang een RABO-bank beheren?

Vorige week las ik in *HP/De Tijd* over een meneer die in een Utrechts Zen-trum IBM-medewerkers laat mediteren. Hij had het ooit transcendent geprobeerd, maar dat was iets te zweverig. Zen is beter. Hij heeft een monnikskapsel, stookt haikuun-wierook, zingt sutra's en laat ze op een kussentje zitten om hun koan te beantwoorden. Een koan is een door een Zen-meester opgeworpen vraag waar je jaren op kan mediteren. Bijvoorbeeld: 'Wat is het nut van een emmer zonder bodem?' of 'Wat is het geluid van één klappende hand?'

Ik weet het niet, maar ik zou toch echt weigeren om mee te hersengymnamystieken met de rest van het bedrijf. Donder toch op. Ik ben aangenomen om computers te verkopen, ik word om half negen verwacht om met die onzin te beginnen en om vijf uur wil ik zo snel mogelijk naar huis om leuke dingen te gaan doen. Als ik op een tapijtje door mijn eigen *mind* wil vliegen dan doe ik dat thuis wel. Net als schaken, patiencen en back-gammon. Maar ik ga toch echt niet met al mijn collega's om me heen aan een bodemloze emmer zitten denken, laat staan dat ik met ze over smeulend houtskool ga wandelen. Iedereen is gek, leeg en in de war. En er is een grote groep oplichters die daar schuddebuikend gebruik van maakt.

Het zieligst zijn natuurlijk de slachtoffers, die al dat gekakel moeten consumeren. Zelf heb ik de oplichterij een keer van heel dichtbij mogen meemaken. Ik zat ergens diep in de provincie in een hotel, om precies te zijn in Ommen, omdat ik daar in de buurt een nieuwe voorstelling uitprobeerde.

Door mijn favoriete hotel De Zon sneakte een groepje brave borsten, van die bovenstebeste niets-aan-de-hand-types. Keurige middenklassers met allemaal dezelfde kledingwinkel, dezelfde ouders en zeker dezelfde kapper. Later bleek het om een assertiviteitscursus van middenkader-ambtenaren uit middelgrote gemeentes te gaan. Ze moesten assertief worden. Volgens de Van Dale betekent dat gewoon 'zelfverzekerd'. Daarvoor moet je als ambtenaar een dag of wat in een goed hotel op cursus. Dus dat je je niet langer door de roos van je baas laat ondersneeuwen en gewoon doet wat jijzelf wilt.

Samen met een vriend van mij zat ik in het cafégedeelte van het hotel het een ander door te praten toen de tafel naast ons bezet werd door de cursisten. Ze zwegen zich door de lunch, lachten af en toe om een beschaafd grapje en aten heel gedisciplineerd hun boterhammetjes. Toen de borden leeg waren, luisterden ze keurig naar de instructies van de cursusleidster, stonden toen op en gingen Ommen in.

Vanaf mijn tafel kon ik ze aan de overkant van de Vecht zien lopen. Ze liepen in groepjes van twee en de achterste hield zijn hand op de schouder van de voorste. Daarbij hield de achterste zijn hoofd naar beneden. Normaal bemoei ik me nooit met andere gasten in het hotel, maar nu moest en zou ik weten wie ze waren en wat ze aan het doen waren. De aan tafel achtergebleven mevrouw las lekker in haar Volkskrantje en toen hield ik het niet meer. Ik vroeg haar wie dit waren. Het was een schat van een mens en zij deed vrij nauwkeurig uit de doeken om wat voor cursus het ging.

'Maar wat doen ze daar aan de overkant?'

En toen vertelde zij dat het om een vertrouwensoefening ging. De achterste was de 'blinde' en moest zich laten leiden door de voorste. En nou ging het erom: vertrouw je de voorste zo goed dat je inderdaad je ogen dichthoudt? Weet je zeker dat je nergens tegenop botst? Durf je je lot tijdelijk in handen van een ander te leggen?

Mijn bek viel open en ik dacht eerst dat het om een grap ging. Maar de aardige cursusmevrouw bleek bloedserieus. Volwassen mannen en vrouwen speelden blindemannetje door Ommen om assertiever te worden op de afdeling ruimtelijke ordening van de gemeente Delfzijl. Ze heeft het mij drie keer uitgelegd en ik heb het verhaal daarna al zeker duizend keren naverteld en diverse malen opgeschreven. En elke keer als ik het vertel, zit er onder mijn gehoor een jojo die het ook wel eens gedaan heeft en daarna krijg je nog veel ergere oefeningen te horen. Ik heb vrienden die bomen hebben nagedaan, de zee zijn geweest, de wind, de storm, een angstig klein vogeltje…

Ik zie de afdeling sociale zaken van de gemeente Terneuzen voor me. Van Deudekom drinkt met veel meer

166

lef zijn koffie, vraagt veel duidelijker om een extra klontje suiker, hij kopieert anders en staat de Zeeuws-Vlaamse uitkeringsgerechtigden veel meer to the point te woord. Niemand weet hoe het komt. Wat is er met Van Deudekom gebeurd? Niemand weet het. Alleen ik. Ik weet dat hij voor lul door Ommen heeft gelopen. Met zijn hand op de schouder van het hoofd bibliotheekzaken van de gemeente Velsen. En in Velsen bloeit de bieb als nooit tevoren.

Overlijden	Advertentie	Advertentie namens***	Plaatsen advertentie	Brief	Bestellen bloemen c.q. graftak	Vlag halfstok
Medewerker	Tubantia Twentsche Courant Landelijk * Regionaal **	CvB Instituut Academie CvB/Afdeling	Instituut Academie Afdeling	Namens hoofd instituut, academie of afdeling	Instituut Academie Afdeling	Hoofdlokatie Lokatie waar medewerker werkzaam was
Hoofd instituut, academie of afdeling	Tubantia Twentsch Courant Landelijk * Regionaal **	CvB Instituut Academie Afdeling	Instituut Academie Afdeling	Namens voorzitter CvB	Instituut Academie Afdeling	Hoofdlokatie Lokatie waar medewerkers werkzaam was
Lid CvB	Tubantia Twentsche Courant Landelijk * Regionaal **	CvB Instituut Academie Afdeling	Afdeling P&O Personeelsconsulent	Namens voorzitter/lid CvB	Afdeling P&O Personeelsconsulent	Alle lokaties
Student	Tubantia Twentsche Courant Landelijk * Regionaal **	CvB **** Instituut Academie	Instituut Academie		Instituut Academie	
Oud medewerker	Tubantia Twentsche Courant Landelijk * Regionaal **	CvB Instituut Academies Afdeling	Afdeling P&O Personeelsconsulent		Afdeling P&O Personeelsconsulent	

* Nagaan of landelijk plaatsing gewenst is.
** Nagaan of regionale plaatsing gewenst is.
*** Afhankelijk waar medewerker werkzaam was dan wel student studeerde.
**** Afhankelijk of de student zitting had in de CMR, in een bestuur van een studentenvereniging, e.d.

Huilen met een pet op

'Wat te doen bij overlijden van medewerker/student'

Als organisatie kunnen wij niet voorbijgaan aan de dood van een medewerker of student. De afdeling personeel & organisatie heeft in overleg met het college van bestuur gemeend een aantal punten op papier te moeten zetten die kunnen dienen als leidraad bij het overlijden van een medewerker/student. Een instituut/academie/afdeling neemt in principe initiatief na ontvangst van een rouwkaart, naar aanleiding van een overlijdensadvertentie of na een mededeling van één van de nabestaanden. Van de verschillende categorieën 'medewerkers' en bij het overlijden van een student kunnen de volgende richtlijnen aangehouden worden. Er wordt een advertentie geplaatst in de Tubantia *en de* Twentsche Courant *en eventueel in een landelijk en/of regionaal dagblad (zie bijlage).*

Het hierboven afgedrukte tekstje is het begin van een officiële regeling inzake het overlijden van medewerkers/studenten uitgevaardigd door het college van bestuur van de Hogeschool Enschede. Ik bespaar u het ijskoude stukje Kafka dat nog volgt, maar voor iedereen is er een afgemeten hoofdstukje. De medewerker wordt apart genoemd, net als het hoofd van een instituut, academie of afdeling, het lid van het college van bestuur, de student en uiteraard de oud-medewerker. De maker van het werkstukje heeft alles samengevat in bijgaande tabel en ik moet toegeven: overzichtelijker kan het bijna niet. Het is modern management van de bovenste plank en nog nooit zag ik zo'n economisch en efficiënt staaltje verdrietverwerking.

Het opwekkende proza werd mij toegezonden door een onthutste medewerker van deze onderwijsinstelling, die zijn 'meerderen' inmiddels al heeft laten weten dat hij na zijn overlijden verschoond wil blijven van dit postmortale dienst- en eerbetoon. Sterker nog: hij heeft zelfs een kopie van de brief aan zijn eigen testament toegevoegd. De goede man neemt geen enkel risico. En terecht. Voor je het weet staat er een boterletter uit het college van bestuur aan je kist te kakelen. Niet spontaan, maar volgens de tabel. En zijn speech is geschreven door de personeelsconsulent van de afdeling personeel & organisatie. Ik heb de afgelopen weken een beetje in het Twentse rondgebeld en kwam tot de verbijsterende ontdekking dat de consulent alle brieven, advertenties en toespraken al op floppy heeft staan. Het is een heel slim computerprogramma en hij hoeft alleen maar moedig gedragen ziekbed te koppelen aan oud-medewerker of student aan tragisch ongeval. Zelfs voor zelfmoord heeft hij een aangepaste tranentrekker klaarliggen. Het is eigenlijk alleen een kwestie van naam, geboortedatum en geslacht invullen. De computer doet de rest. Wel is het slim om de tekst voor de zekerheid even door te lezen. Ook een computer gaat wel eens de mist in en dat is niet alleen vervelend voor de familie, maar je staat als lid van het college van bestuur zelf ook voor joker. En dat is lastig. Je staat daar nou eenmaal niet voor je lol te janken. Het is toch huilen met een pet op. In de tabel moet ik erg lachen om het voorschrift dat er, als iemand uit het bestuur het tijdelijke met het eeuwige verwisselt, sowieso in een landelijk dagblad moet worden geadverteerd en dat het bij de medewerker afhangt van het antwoord op de vraag waar hij werkzaam was. Dus de kantinebeheerder hoeft niet in de NRC. Volgens mij kan je je, als oud-student, juist de man van de koffie en de gevulde koeken het beste herinneren. Maar dat hij dood is, mag men buiten de regio niet weten. Dat hebben de bestuurders zo besloten. Wat een ordinaire ijdeltuiten. Heerlijk. Ook willen ze, als zij zelf dood zijn, de vlag halfstok op alle locaties, terwijl voor een student alle masten leeg blijven. Mocht je als student voor altijd inslapen dan kan er nog geeneens een briefje naar de familie af, maar als een bestuurslid sterft, dan krijgt de familie wel een condoleance. Waarschijnlijk met de tekst hoe erg het is. Ik hoop dat ze voor zichzelf het woord 'onmisbaar' niet vergeten.

De tabel voor de overleden student! Als ik het had verzonnen dan hadden allerlei fatsoensrakkerige lezers mij via een ingezonden brief laten weten dat ik een ziek brein heb, maar gelukkig is dit stukje gemaakt door de veel perversere geesten van de Hogeschool Enschede. De mentaal verwrongen managers van 1996 hebben het bedacht en er is niemand die ertegen protesteert. De slome sukkels voeren het gewoon uit.

Iedereen op de Hogeschool Enschede weet vanaf nu welk stukje 'medelevenplanning' in de la van de directie ligt en waar het bestuur zich zoal mee bezighoudt. Voor de Twentse studenten heb ik maar één advies. Als iemand van het college van bestuur overlijdt: vlag in top op alle locaties. En adverteer groot in alle kranten: Weer een ijdeltuit minder!

Fluistercolumn

Ik wil schreeuwen, verschrikkelijk schreeuwen. Krijsen wil ik, gillen, janken, jammeren en iedereen wakker maken, maar het gaat niet. Ik ben namelijk mijn stem kwijt. Gewoon griep. Is moeilijk uit te leggen, daar al mijn vrienden denken dat ik hem in Athene heb verloren. Was ik daar dan? Natuurlijk was ik daar. Juist nu. Als Ajax in nood is en met 1-0 achterstaat, dan gaan de echte supporters mee. Was wel blij dat ik toen al niet kon schreeuwen. Mijn hele vak zong: 'Joden, joden, joden kampioen'.

Het schaamrood zonk in mijn schoenen, mijn vrienden en ik keken elkaar besmuikt aan en even hoorden we er niet bij. Ik zag wie het zongen. Mijn moeder zou gezegd hebben: 'Ze weten niet beter' en mijn vader zei dan: 'Maar ze hebben wel stemrecht!'

Zullen de Israëlische piloten, die afgelopen donderdag in Libanon een vluchtelingenkamp bombardeerden, ook dat soort liedjes hebben gezongen? Iedereen heeft de kermende kinderen op de buis gezien en ik vroeg me onmiddellijk af of dat kleine Libaneesje, dat zojuist ouderloos was geworden, al wist dat het nu door twee Nederlandse homo's geadopteerd kan worden. Het is toch een mooie reden om je als islamietje (geen woordspeling!) door je kop te schieten. Je zal uit een hongerkamp waar ter wereld ook worden verkast naar twee doorzonnichten in Zeewolde. Sommige mensen blijft niets bespaard.

Het homohuwelijk. Ik zie een bruidstaart met twee bruidegommen, wil weten hoe de bachelorsparty eruit zal zien en ik ben verbijsterd dat ze het überhaupt willen. Het meest verstikkende instituut dat de hetero's ooit bedacht hebben is het huwelijk en de enige manier om daar onderuit te komen is of playboy worden of nicht. Het eerste is voor de meesten onhaalbaar, dus dan maar nicht en dan lekker elk weekend met elkaar in een donkere kamer onder een broeierige disco op de vuist. Maar nee hoor: ze willen trouwen. De tutmussen. Lekker met de wederzijdse familie met een corsage op in een zaaltje van een partycentrum en dan bitterballen eten en lauw bier drinken.

Als mijn stem terug is, zal ik van mijn dak schreeuwen dat homo's geen kinderen mogen adopteren. Bij twee lesbo's kan ik het me nog voorstellen, maar bij het beeld van twee leatherboys op zondagmiddag met een kinderwagen in het Vondelpark krijg ik rode vlekken in mijn nek. Misschien is het leuk om bij de kleine de speen met een kettinkje aan een van de tepeltjes te piercen. Raakt-ie hem tenminste niet zo gauw kwijt.

Ik wil schreeuwen, maar het gaat niet. Donderdag bestel ik bloemen voor een hele lieve schat die overleden is en de bloemenmevrouw zegt:

'Dat zal wel morgen worden'.

'Hoezo?' vraag ik.

'Het is vandaag een gekkenhuis'.

'Hoezo een gekkenhuis?'

'Nou, het is Nationale Secretaressedag en we kunnen het werk niet aan.'

Vervolgens legt ze mij uit dat heel zakelijk Nederland zijn secretaresse een ruikertje cadeau doet. Een uit Amerika overgewaaide traditie. Alles wat van die kant komt aanwaaien grenst aan het debiele, maar dit is toch wel het ergste. Op commando bloemen naar je typetrut

173

sturen. Iedereen is gek. 's Avonds zit ik in de schouwburg en ik zie heerlijk toneel. Een stuk van Noël Coward, schitterend gespeeld door het Nationale Toneel. We staan met het hele publiek de voorstelling dankbaar af te klappen en wat gebeurt er? Er klimt een hark het toneel op en die begint te stamelen dat hij van de Gouden Gids is en dat de Gouden Gids een publieksprijs heeft en dat deze voorstelling voor de 'Gouden Gids Publieksprijs' genomineerd is. Dus die hakkelaar komt niet eens die ton brengen, maar vertellen dat ze kans maken op die fooi. Schrijf dat in je personeelsblad, ruk je af in kleine kring, maar hou mij er als gewoon toneelbezoeker buiten. Verstoor mijn theaterillusie niet met je ranzige verkooppraatjes. En het ergste is nog dat al die makke lammetjes in het publiek het maar zo laten. Niemand schreeuwt die lamlul het podium af. Iedereen is zijn stem kwijt. Heel Nederland heeft griep.

Penicillinekuurtje

Afgelopen week vierden wij vakantie. We verbleven met ons gezin in een huisje buiten Amsterdam. Daar werd mijn dochtertje (7) getroffen door een hele gemene oorpijn. Dus wat doe je? Je belt een dokter. Deze bleek, net als wij, vakantie te houden en via zijn antwoordapparaat verwees hij ons door naar dokter x in hetzelfde dorp. Wij belden dokter x en maakten met de goede man een afspraak. Hij loerde in het kinderoor, zei: 'Zo, da's een gemene middenoorontsteking,' en schreef de volgens hem benodigde medicijnen voor. We dienden ze onze zieke dochter toe. De schat viel in een inktzwarte slaap, werd zieker, nog zieker, op een gegeven moment bleek de koorts opgelopen tot tegen de eenenveertig en eerlijk gezegd begrepen wij het niet. Ze was in Amsterdam wel vaker behandeld tegen dezelfde kwaal en dat ging altijd sneller.

Onze Amsterdamse dokter is geen ijshockeyer en ik bedoel daarmee: hij draait niet lang om het doel heen. Integendeel, hij is een Litmanen en scoort het liefst zo snel mogelijk. Als een kind doodziek is door een of andere ontsteking, kijkt hij op zijn horloge, ziet dat het 1996 is en gooit er een stevig antibioticum in. Gelukkig is de medische wetenschap zover en hoeven kinderen tegenwoordig niet langer te lijden.

Terug naar mijn dochter. Terwijl we toch wat nerveus bij haar zaten, viel mijn oog op de rekening van dokter x die op tafel lag. Opeens zag ik het: dokter x was een antroposofische arts. Ik trok onmiddellijk mijn conclusies: mijn dochter werd dus onnodig gemarteld en had waarschijnlijk iets op basis van brandnetel, tijm en eucalyptus gekregen. Onmiddellijk begon ik te vloeken en te tieren, schold de mij onbekende man uit voor Noordzeekustdruïde, eikeltjeskoffiebrander, maretakverzamelaar en algvleesklier, greep het telefoonboek, belde de dichtstbijzijnde normale arts en een halfuur later kwam ik met het door de sofen verafschuwde penicillinekuurtje het vakantiehuisje binnen. Ze kreeg ook de o zo vertrouwde paracetamollen en binnen twee uur was ze van de pijn verlost, wist ze weer wie ze was en wie haar ouders waren. Na twee dagen fladderde ze door de duinen, fietste ze poëtisch tegen de wind in en vond ze Beatrix de liefste koningin van de hele wereld. Bijna nog liever dan Flapoor, haar konijn.

Wat is nou precies de moraal van dit verhaal? Die is simpel.

Als je antroposoof bent, neem je een antroposofische huisarts, ben je het waarschijnlijk volledig met de dokter eens als hij homeopathische kruidnagelthee, laurierbladerenkorrels of komijnzaadjesextract voorschrijft, vind je het niet erg als je kind een dag of wat rondjes van 40.1 draait en alles letterlijk en figuurlijk stevig uitziekt. Dat is een vrije keuze. Maar als je geen soof bent, sterker nog: je bent iemand die niets met deze theorieën te maken wil hebben, je bent zelfs bang dat je kind er onherstelbaar door beschadigd kan worden, dan vind ik dat de antroposofische arts je hoort te waarschuwen dat hij een aanhanger van Rudolf Steiner is en bepaalde medicijnen liever niet geeft. Dat is toch redelijk? Het dorp weet wel van welke club je bent, maar een simpele toerist weet dat niet. Zoals zij niks met ons chemisch gif te maken willen

hebben, mag ik de helmgrasflinters en gemalen venster-
banken van deze tovenaars toch ook weigeren? Ik wil al
deze artsen vragen of ze heel groot op hun praktijk willen
schilderen dat ze antroposoof zijn, zodat verdwaalde toeristen met een grote boog om ze heen kunnen. Volgens
mij blijven we dan even goede vrienden. Bij voorbaat
heel hartelijk dank. Dit laatste zeker mede namens mijn
dochter.

Muisdieren

Wij hebben muizen. Niet één, maar echt duizend. Ze schieten uit de broodrooster, racen door de kamer, trippelen over de plafonds en komen op de meest onverwachte momenten tevoorschijn. Schreeuwende werkster, gillende oppas, juichende kinderen en een krijtwitte echtgenote zijn het gevolg. Ik vind het allemaal uiterst plezant. Er zat een Belgische muis tussen. Die had zich in de oven laten opsluiten en is vorige week levend gecremeerd. We wisten niet dat een simpel appeltaartje zo kon piepen. Huisdieren hebben bij ons geen geluk. Onze hamster Albert knaagde het snoer van de schemerlamp door en daarna deed-ie het niet meer. Het snoer was te repareren. Albert niet. Onze goudvissen oefenen altijd binnen drie dagen voor de rugslag en geven het dan op. De schildpadjes Truus en Willem hebben wij door de plee gespoeld omdat ze een aantal dagen niet bewogen. Later legde een bevriende bioloog uit dat dat bij schildpadjes hoort. Schildpadjes bewegen niet graag. Zullen wel van cricket houden.

Onder mijn kennissen heb ik een paar dierenvrienden en die zeggen dat we een kat moeten nemen. Dan zijn ze zo weg. Ik moet er niet aan denken. Ik ben een ouderwetse kattenhater. Als ik bij mensen kom en de kat springt op mijn schoot dan gooi ik met het beest onmiddellijk iets kapot. Een theeservies, een luchtertje, een schuifpuiruit. Ik zeg dan wel altijd 'sorry'. Zo ben ik opgevoed. Mensen met katten zijn gestoord. Een vriend

van mij vertelde dat hij laatst met zijn kat bij de dierenarts was en dat hij werd doorverwezen naar een specialist. Die maakte een echo en een cardiogram! Driekwart
van de wereldbevolking komt om van de dorst en wij zitten met cyperse Minouche bij de fysiotherapeut omdat
ze moet herstellen van haar meniscusoperatie.

Gister las ik in de krant dat een mevrouw uit Velsen op
haar verzoek was begraven samen met haar drie zeer
oude en zieke katten. De beesten hadden na haar euthanasie ook een spuitje gekregen en waren bij haar in de
kist gelegd. Net zoals ze altijd bij haar in bed lagen. Een
aan het voeteneind, een op haar kussen en een op haar
buik. Dus vier doden in één kist en alle vier aan hun eind
geholpen. Je mag hopen dat de kist van ziek hout was,
hout van een eeuwenoude, doorwurmde eik en dat hij op
verzoek van de boomchirurg geveld is. Dan is het een
mooi solidair pakketje. De dierenbescherming heeft geschokt gereageerd op de gezamenlijke begrafenis, de
overheid gaat een onderzoek instellen en als het al niet
verboden is, dan zal het dat worden.

Jammer. Persoonlijk zou ik er erg voor zijn dat, als de
huisdierenbezitter het loodje legt, zijn geliefde dieren
meteen mee moeten worden afgemaakt. Echt verplicht.
In één moeite door. Dus dat de huisarts bij de lijkschou-
wing heel discreet vraagt of er nog dierlijke nabestaanden zijn en dat hij bij een bevestigend antwoord onmiddellijk zijn ampullen met insuline pakt. Je verlost het dier
uit zijn lijden. Anders gaat hij maar naar zijn baasje lopen
zoeken, jankt hij hele nachten de buurt bij elkaar en het
kan nog erger: je hebt honden die op eigen houtje naar
het kerkhof gaan en het verse graf van de baas gaan mollen. Op zoek naar de vertrouwde aai of het beloofde
koekje. Daarbij bespaar je het beest een vernederend en

gekooid asielverblijf. Mij lijkt het een geweldig idee. Zelf wil ik al jaren met een stevige mitrailleur alle honden en katten die in de zandbak van mijn kinderen zitten te schijten, afschieten. Maar veel mensen vinden dat niet aardig. Het beest kan er niks aan doen. Als mijn plan doorgaat, wordt het voor mij veel gemakkelijker. Dan schiet ik gewoon de baas dood. Weet ik zeker dat ik vanaf dat moment nooit meer met mijn slaperige kop op mijn eigen stoep in zo'n verse, dampende, zachte, goudgele hondendrol stap. En dan is die zinloze discussie met de buurman ook voorbij.

Hemelvaart

Afgelopen weekend vertelde een vriend van mij dat zijn buren de verjaardag van de hond hadden gevierd met een heus verjaarspartijtje. Ook cadeautjes? Ja, ook cadeautjes. Ze waren vanuit het Gooi naar een afgraving bij Deventer gegaan en daar had de jarige met zijn vriendjes mogen rennen. Alle baasjes van de andere honden waren er ook bij. Ze hebben de dag niet afgesloten met een bezoekje aan McDonald's, maar dat komt vast ook nog wel eens. Dat gaan de vrienden van de buren organiseren. Overal moet een schepje bovenop! Als je je verveelt, verveel je dan goed. Het is niet typisch Goois. Ook bij mij in Amsterdam gebeurt het. Ik vertelde dit hondenverhaal aan een keurige mevrouw uit het chique Zuid en zij reageerde geïrriteerd. Waarom? Zij had, toen haar Boris zijn eerste verjaardag vierde, namelijk ook een feestje gegeven. En toen hadden ze nog zo gelachen. Alle mensen hadden die avond uit een hondenbak gegeten. Je rijdt wel eens door de Van Eeghenstraat en denkt: wat gebeurt er achter die ramen van die villa's en herenhuizen? Nou, dat dus.

Het is druk op de Mount Everest. Er kleven heel veel klimmers tegen de wand. Tot vorig jaar gaven de Nepalese autoriteiten slechts enkele vergunningen af, maar het beleid is versoepeld en nu hangt de berg vol. Het lijkt wel een klokkenwinkel. Ze roepen ook naar elkaar. Het is het lome, zomeravondse waterfietsensfeertje in een Amsterdamse gracht. Gewoon maar wat roepen. Iets lolligs. Liefst in het Engels. Alle kwaliteiten hangen door elkaar. De echte klimmer ziet een verveeld Arabisch prinsje modderen met zijn touwen, de ervaren sherpa wordt bijna verpletterd door het iets te dikke zoontje van een Texaanse oliebaron en iedereen lacht om de Australische onderaannemer, die met een babbelbox belt. Dat is het nieuwste. Allemaal hebben ze een telefoon bij zich. De een belt met zijn vriendin, de ander met zijn effectenmakelaar, weer een ander met zijn rugbymaatje en de absolute kick schijnt het bellen met een sekslijn te zijn. Vanaf die hoogte is dat heftiger dan SM.

Robert Hall was een ervaren klauteraar, is vijf keer boven geweest en dat is geen geringe prestatie. Afgelopen weekend ging het mis. Op de terugweg kwam hij niet verder dan vierhonderd meter onder de top van de hoogste berg ter wereld. Hij zocht nog contact met het basiskamp en begreep al heel gauw dat ze daar niks voor hem konden doen. Zijn zuurstoffles was bijna leeg, zijn tenen waren bevroren en zijn vriend lag al dood naast hem. Het was een kwestie van wachten. En wat doe je dan? Robert belde via de satelliet naar huis en voerde het definitieve eindgesprek met zijn zeven maanden zwangere vrouw. Beiden wisten dat dit hun laatste contact was. Het duurde tien minuten. Fascinerend gegeven. Hoe banaal was dit gesprek? Waar hebben ze het over gehad? Ik wil de dialoog voor de film graag schrijven. Hoe lang praat je in zo'n geval eigenlijk door? Tot je het bewustzijn verliest of tot de batterij op is. Misschien hangt er aan de Mount Everest wel een kwartjestelefoon en waren zijn muntjes op. Hij riep nog: 'Kan er iemand wisselen?'

Doodvriezen schijnt een heel aangenaam einde te zijn. Van onderkoeling word je een beetje high. Zo wil ik eigenlijk ook wel dood. Op de top van een enorme alp en dan met mijn prachtige vrouw aan de telefoon. Lijkt me heerlijk. En waar gaan we het over hebben? Ik ga haar niet troosten, ga geen hou-van-jou-dingen zeggen, biecht niets op en ga haar zeker niet aanraden met wie ze de rest van haar leven moet delen. Ik wil alleen maar heel hard lachen en zal haar dus vragen om nog één keer het verhaal te vertellen van de mensen uit 't Gooi, die een verjaarspartijtje voor Woef gaven. Met een papieren mutsje op blaft hij het kaarsje op de taart uit. En dan geven de plooirokken een applausje. Met dat beeld wil ik doodvriezen. Prachtig einde van een zinloos leven.

Majesteit,

In verschillende kranten las ik over Uw oudste zoon Willem-Alexander en zover ik begrijp heeft een deel van het klootjesvolk zich serieus opgewonden over zijn iets te heftig uitgevoerde vreugdedansen in Atlanta, terwijl een ander deel van het gepeupel zijn gedrag juist enig en spontaan vond. Kortom: men is verdeeld.

Wat ik ervan vond? Laat ik het voorzichtig zeggen. Zijn beetje wereldvreemde gedrag tijdens de Olympische Spelen getuigt niet van een hoge intelligentie. En ik geloof dat dat in zijn geval ook een beetje het probleem is. Schat van een jongen, goed voor U en Uw man, altijd in voor een meter bier, maar om nou te stellen dat we onder zijn leiding een oorlog gaan winnen, is op zijn zachtst gezegd overdreven. Wat deed de lieverd fout in Atlanta? Ik zal het U uitleggen.

Iedereen die iets van sport begrijpt, weet hoeveel bloed, zweet en tranen er aan zo'n gouden plak kleven. Dat is voor een gewone sterveling bijna niet te bevatten. Roeit U Uw bootje maar eens in een metronomisch ritme naar de overkant van de hofvijver. Probeert U maar eens een rondje op de mountainbike over een van Uw landgoederen of studeert U in Uw koninklijke fitness-zaaltje maar eens een sprongservice of een sleep-push in. In dat soort handelingen zit jaren en jaren oefenen op uren dat alle andere mensen slapen of feesten. Daarbij weet de echte sporter al die tijd dat aan de andere kant van de wereld een aantal net zo gestoorden hetzelfde staan te perfectioneren, en dat hij dus geen dag mag verslappen. Als het je dan eindelijk lukt en je krijgt als verdiende loon een gouden medaille, dan moet je dat even verwerken en wil je je overwinning vooral vieren met diegenen met wie je al die jaren gevochten hebt. Het was voor onze topsporters dan ook vreemd dat in de eerste de beste seconde dat zij zich realiseerden dat ze Olympisch kampioen (!) waren, die bolle zoon van U met hen stond mee te hossen. Je moet wel heel weinig van sport begrijpen wil je zo'n moment verstoren. Het was echt gênant. Dus begrijp me niet verkeerd: dat hij er was vind ik prima en dat hij blij was is ook niet erg, maar de volgende keer moet hij even een kwartiertje wachten. Dit alles uit respect voor de topsporter en zijn gouden prestatie.

Stel dat hij trouwt met zijn verloofde Emily, hij geeft haar zijn jawoord en net voordat hij de bruid wil kussen, kom ik naar voren stormen en zoen ik onze aanstaande koningin recht op de bek. Dat zou Uw Willempie vreemd en zeker niet leuk vinden. Dat was nou precies het merkwaardige aan zijn eigen dansgedrag.

Hoe is het trouwens met Uw aanstaande schoondochter? Uit de krant begreep ik dat ze gewond is geraakt bij een binnenbrandje. Ik las iets over een jasje reinigen met wasbenzine en dat naast de geiser. Da's niet handig. Ik zou, als ik U was, toch eens met het meisje praten. Wasbenzine naast de geiser! Dat wil je toch niet in je familie. Nu is er een simpele studentenetage in de hens gegaan, maar beeldt U zich toch eens in: volgende keer is het een van Uw paleizen.

Ik zou toch nog eens even met Apeldoorn bellen en vragen of alles goed verzekerd is. Uiteindelijk hebben wij als volk in de loop der eeuwen al dat onroerend goed met hard werken voor U en Uw familie bij elkaar gesprokkeld en dat zien we niet graag in vlammen opgaan.

Kortom: werk aan de winkel. Praat eens met hem en praat eens met haar, leg hun uit hoe het zit en dan denk ik dat het allemaal best goed komt. Ik was zelf vijfendertig toen ik enigszins volwassen trekjes begon te krijgen, dus er is nog hoop.

Hopende dat ik U hiermee van dienst ben geweest en wetende dat hij zijn opdringerige en handtastelijke gedrag ten opzichte van de bronzen hockeymeisjes zelf wel aan zijn vriendin zal uitleggen (een beetje relatie kan tegen een stootje), verblijf ik met de vriendelijkste groeten en de meeste hoogachting,

Youp van 't Hek

Majesteit,

Wat was ik afgelopen woensdagavond ontroerd door Uw wave in de spiksplinternieuwe Arena. Ik kon U heel goed zien doordat ik echt recht tegenover U zat. U deed het zo chic. Wie had die wave trouwens ingezet? Uw oudste zoon, of durft hij niet meer na al dat gezeur over zijn gedrag in Atlanta? Toch was er iets vreemds aan deze wave en dat kwam door U. U maakte namelijk een essentiële wave-fout. Daar kunt U niets aan doen. Daarvoor komt U te weinig bij onze club. Zou U een seizoenkaart hebben, dan had U het geweten.

Ik zal het U uitleggen: normaal wordt de wave ingezet in een vak met gewone supporters, daarna golft hij met de klok mee door het stadion, stopt bij het ereterras – waarna een snerpend fluitconcert volgt – en dan gaat-ie weer verder. Bobo's waven niet! Soms wil een kakelverse echtgenote van een bankier nog wel eens voorzichtig omhoogkomen, maar dat is nieuwigheid en wordt onmiddellijk afgestraft. Ik heb nog nooit een bobo zien waven.

Ook nu was het eerste rondje een klassieke wave, zij het dat U, spontaan als U bent, opeens met Uw volk mee de lucht in ging. De bobo's om U heen schrokken zich de tering en konden niet anders dan in een reflex Uw koninklijke voorbeeld volgen. En daar gingen ze. Wat een kontkruipers, dacht ik. Wat een gladjakkerige hielenlikkers zijn het toch. Natuurlijk wist ik dat wel, maar nu werd het zo prachtig bevestigd. Ik kom een jaar of vijfendertig bij Ajax en ik heb echt nog nooit iemand in dat vak zien waven. De arrogantie druipt normaal van die vrij-kaarttypes af, maar nu U en Uw man de handjes in de lucht gooiden, gingen zij ook. U was woensdagavond omringd door karakterloze baklappen. Of ik wave? Nee, Majesteit. Geen hersencel in mijn hoofd wil mij aanzetten tot die beweging.

Ik heb de hele wedstrijd goed op U gelet en eerlijk is eerlijk: ik heb U niet benijd. Wat een vak. Volgende keer moet U gezellig bij ons komen zitten. Dan heeft U een veel leukere avond. U moest nu natuurlijk doodernstig naar de huppelende vutter Rob de Nijs blijven kijken, maar bij ons werd daar gewoon hard en smakelijk om gelachen. Wat was die Gordon laat, hè? Bij ons werd gesuggereerd dat hij eerst Overmars moest afdouchen, maar dat moet U zien als Amsterdamse humor. Die regen van gouden snippers op het einde was volgens mijn buurman een ideetje van Bogarde.

Hoe vindt U het stadion? Ik vind het zo zwembadderig. Het zingt niet lekker, het juicht hol en er is veel te veel gedoe om je heen. Het is net of het voetballen in dat subtropisch zwemparadijs maar bijzaak is. Nou durf ik na zo'n Mickey Mouse-wedstrijd waar het publiek een hoog Vanessa- en Harry Mens-gehalte heeft, nog niet definitief te oordelen, maar ik vrees toch dat er een hoop echte sfeer weg is. Volgende keer zit er weer gewoon volk. Hoewel het daar veel te duur voor is. Eigenlijk is Ajax alleen nog voor poenerige nul-optie-miljonairs die hun kaarten aftrekken van de belasting die ze nooit betalen. Wist U dat? Je kan je Ajax-kaarten fiscaal aftrekken. Ik doe dat ook. Dan kan ik zogenaamd relaties verwennen. Ik heb een stuk of wat stoeltjes en een heleboel neefjes en nichtjes en die mogen allemaal op kosten van de staat met oom Youp naar Ajax. Zo doen we dat. Vroeger had ik hier principieel bezwaar tegen, maar het is nog de enige manier om naar mijn club te kunnen en dan heiligt het doel de middelen.

U deed gelukkig niet mee aan het uitfluiten van Davids, of kunt U niet op Uw vingers fluiten? Wat was dat Ajax-onwaardig. Ik heb Edgar 's nachts in zijn hotel gebeld om hem namens de echte supporters excuses aan te bieden, maar hij was er niet. Hij was rond drie uur vertrokken. Om half vier ging De Meer in de hens en ik denk dat U het met mij eens zal zijn als ik afsluit met: hij heeft gelijk! Tot volgende week. Uw trouwe onderdaan,

Youp van 't Hek

Majesteit,

Allereerst mijn hartelijkste dank voor Uw schrijven en Uw verzoek om er niet uit te citeren wordt uiteraard gehonoreerd. Voor mij is dat vanzelfsprekend. Heeft U een beetje genoten van Sport7 of moet U ook nog even wennen? Zelf ben ik dolenthousiast. Het spelletje van Frank Masmeijer vind ik persoonlijk heel verfrissend.

Het geeft weer eens een heel andere kijk op televisie. En waar ik heel blij mee ben, is het feit dat ze een wedstrijd als Ajax-PSV drie dagen lang analyseren en er steeds stevige brokken van herhalen. Heeft U die man al gezien die het nieuws op onze Nationale Sportzender presenteert? Ze hebben eerst een pak gekocht en daarna die man erin gezet. Maar het is goed dat hij al dat nieuws brengt. Ik weet nu dat badmintonvereniging BBV uit Barendrecht afgelopen week op de training vier shuttles heeft versleten. Vroeger wist ik dat niet en dat was toch een gemis. In mijn omgeving hoor ik alleen maar negatieve geluiden over het kindje van Jos Staatsen en dat vind ik jammer. Het doelpunt van Kiki Musampa heb ik inmiddels vierentachtig keer gezien en bij de zuinige NOS kwamen we vroeger niet verder dan twee keer. Ook was ik erg opgetogen over de magnifieke samenvatting van de handbaltopper Dukla Praag tegen het altijd gevaarlijke Karlsbad. Mag ik U vragen of U na wilt denken over een lintje voor Jos Staatsen? Hij is toch maar de man die dit allemaal bewerkstelligd heeft. Voor mij, als Bekende Nederlander, is het kanaal ook aantrekkelijk. Al ettelijke malen heeft op mijn kantoor de telefoon gerinkeld of ik in een forumpje wil zitten. Gewoon een uurtje kakelen over sport. Als je aan de Tafel van Zeven (een programma van de door mij zeer bewonderde Rik Zaal) gaat zitten, vang je tweeduizend gulden. Je moet daar als Bekende Nederlander wel om vragen. Ivo Niehe Producties, de maatschappij die het programma maakt, zegt het niet uit zichzelf. Een productieblondje schrijft een slijmerige brief of je aan die tafel wilt en als je zelf niet over geld begint, zeggen zij ook niks. Pas als je erom vraagt, dan krijg je het. Dus ik vroeg heel netjes: 'Wat schuift het?' om het bedrag aan U te kunnen melden. Dan weten ook de andere gasten die nog in het programma moeten, waar ze aan toe zijn. Ik vertelde aan de aardige Ivo Niehe-mevrouw dat ik het honorarium in *NRC Handelsblad* zou melden en toen zei ze: 'Dat is gemeen!'

Maar wat is nou gemeen? Volgens mij is het gemeen om voor je gasten te verzwijgen dat er een budget van twee ruggen per persoon is. Dus dat steekt die Niehe of een Sportkanaalproleet anders in zijn zak. Dat deugt toch niet? Volgens mij is het heel goed voor de volksgezondheid dat

a. de gasten weten dat ze het ordinaire uurloon van twee rooien kunnen vangen en

b. dat de kijker weet dat alle zogenaamde deskundigen niet voor de kat z'n viool zitten te blaten. Dat is ook weer opgelost.

Er zit nog een voordeel aan de Nationale Sportzender. Bij ons in Amsterdam (en daar heeft U ook nog een paleisje) komt hij vanaf 1 oktober in een zogenaamd pluspakket. In dat pluspakket komt ook een softpornozender. Dus dat is onze kans. Wees nou eerlijk: het is heel ordinair om naar de kabelmaatschappij te bellen en te zeggen dat je lellende dellen elkaar wilt zien likken. Mijn vrouw zou vragen of ik iets tekortkom. Maar nu zeg ik gewoon dat ik het pakket om de sport wil. Nee, ik zie alleen maar voordelen aan de Nationale Sportzender en ik begrijp al die zuurpruimerige geluiden niet. Het gaat goed met Uw land en het gaat nog beter met Uw onderdanen. Komende week is mijn zoontje jarig en gisteren toog ik naar de feestartikelenwinkel voor een setje slingers. Op de toonbank stond een bak met 'condooms met alcoholsmaak'. Dat zijn toch dingen die je niet gauw verzint. Omdat U zelf niet vaak in dit soort zaken komt, lijkt het mij goed dat ik U af en toe op de hoogte houd van de jongste ontwikkelingen in de genotsmiddelenindustrie. Ik wens U een week vol zomer.

Uw trouwe dienaar, ook bij tegenwind,

Youp van 't Hek

Majesteit,

Afgelopen maandag stonden er fraaie foto's in de kranten. Sandaaltypes die tegen de jacht zijn hadden een galgenmaal voor Uw wilde zwijnen klaargemaakt en die domme beesten kwamen het heel zoet opeten. Dus zo wild zijn ze ook weer niet. Het schijnt dat ze zich elke avond laten bijvoederen op een parkeerterrein bij Niersen.

Zover ik heb begrepen komen lokale peuzelvrouwtjes en andere eenzamen daar met kroppen sla, oud brood en koude aardappelen de natuur verstoren. Als zwijn zou ik behoorlijk in de war raken. Heb je de mazzel dat je op het domein van de rijkste familie van Nederland woont en dan moet je nog worden bijgevoerd. Dat is toch vreemd! Voor U vind ik het trouwens beledigend. Alsof U die gezellige beestjes eigenlijk niet kan onderhouden. De buurt moet helpen, anders redt U het niet. Onzin. Het gebeurt allemaal in de achtertuin van Uw zwager Van Vollenhoven. Is dat zo'n krent? Ik zou hem daar toch eens over onderhouden. Dan maar een pianolesje minder. Of wat ook een idee is: laat hem eens een recital in de Arena geven. Volgens mij krijgt hij dan zoveel rotte tomaten naar zijn hoofd dat hij daarna de complete fauna van de Hoge Veluwe een jaar lang kan trakteren. Laatst hoorde ik de roddel dat Uw familie zo slecht bij kas zit dat U en de Uwen de arme beestjes regelmatig afschieten en opeten. Eerlijk gezegd geloofde ik dat niet. Ik heb U met hand en tand verdedigd, maar mijn opponent, een vuige republi-

193

kein, zei toen: 'Denk je dan dat ze die arme beesten voor de lol neerknallen?' En dat kon ik me ook weer niet voorstellen. Wie gaat er nou voor zijn lol een machteloos zwijntje neerhalen?

Inmiddels heeft iemand van de RVD gelukkig bekendgemaakt dat Uw familie stopt met de mensonterende en weinig eigentijdse drijfjachten en eerlijk gezegd lijkt mij dat een opluchting. Niet alleen voor die sneue zwijnen, maar ook voor Uw oudste zoon. Zover ik heb begrepen is Willem-Alexander, die zo te zien ook regelmatig wordt bijgevoerd, een liefhebber van deze 'sport'. Maar ik zou me, als ik hem was, toch een beetje lullig voelen als ik als grote vent moest gaan schieten op machteloze dieren. En dan nog wel bijstandszwijnen die door anderen jouw kant opgedreven zijn. Als je dat leuk vindt, ben je toch een enorme sukkel? Als hij zo'n zwijn voor z'n donder heeft geknald, gaat onze Obelix dan net zo hossen als hij in Atlanta deed? Of maakt hij dan de andere beesten wakker? Het is toch laf als je een geweer pakt en op dieren gaat schieten? Stel dat je mist? Dan moet zo'n hertje in een rolstoel doordat Uw zoon zijn dag niet had.

Uw vader wist er vroeger ook weg mee. Aan de ene kant stond hij te roepen voor het Wereld Natuur Fonds, maar in de bossen rond Het Loo schoot hij met zijn vriendjes op tamme fazanten die, volgens de geruchten, op rails langskwamen. Die beesten waren gekortwiekt en zaten onder de valium. Dat heb ik altijd vreemd gevonden en hijzelf waarschijnlijk ook. Volgens mij zit U achter de beslissing om te stoppen met die ordinaire drijfjachten en ik wil U daar, mede namens de zwijntjes, hartelijk voor bedanken. U heeft voor de zoveelste keer mijn jongenshart gestolen. Verder wil ik U nog zeggen dat ik ontroerd was door Uw spontane verschijning op het Catshuis bij de ontvangst van de gehandicapte sporters. Toen ik hoorde dat ze het alleen met Kok en Terp moesten doen, was ik diep teleurgesteld en ik kon me al nauwelijks voorstellen dat U de gewone sporters wel en de gehandicapte niet zou ontvangen. En inderdaad, U kwam, zag en overwon. Drempelloos als altijd. Ik wens U een mooie week, gehuld in nevelen van weemoed en zachte poëzie. Uw loods in de mist van het bestaan,

Youp van 't Hek

ps Iemand zei dat ik U nooit mag aanvallen, omdat U zich niet kan verdedigen. Ik denk dat U daarom zo goed begrijpt wat die zwijntjes voelen.

Majesteit,

Allereerst veel dank voor Uw fax. Moest erg lachen om die laatste anekdote, die ik inderdaad niet kende. Ik hou erg van dit soort puntige antwoorden. Maar ik ben het met U eens: het blijft een vreemde snuiter.

Uiteraard ook nog mijn felicitaties voor Uw echtgenoot. Zeventig is toch een mooie leeftijd. Was het leuk? Vandaag niet met een kater bij de glasbak? Bij ons thuis loopt elke verjaardag altijd uit op veel te laat en veel te veel. Het bezoek dweilen we meestal om een uur of vier naar buiten en dat lalt en toetert zich daarna op zo'n manier de buurt uit, dat ik wekenlang heel devoot sorry loop te knikken naar alles en iedereen wat om me heen woont. Ik heb een schoonzuster die zo trommelvliesverscheurend 'Doei-en-bedankt-hè' door de nacht kan lallen, dat de hele gordel daarna nog uren wakker ligt. Zij heeft de bijnaam 06-11.

U was afgelopen week naar aanleiding van onze man in Zuid-Afrika stevig in het nieuws. Even tussen ons: is het waar dat U die Röell heeft teruggeroepen omdat hij met zijn minnaresje naar Pretoria was afgereisd? Vind ik wel leuk. U kent natuurlijk de eerste mevrouw Röell goed uit Uw VVSL-tijd en U bent gewoon onvoorwaardelijk solidair met deze in de steek gelaten echtgenote. Dat is nog eens klare vrouwentaal. Ik hou wel van dit soort acties. Die Röell dacht lekker met een jong ding aan een tropisch zwembad te gaan liggen, terwijl zijn vrouw thuis worstelt met haar opvliegers, maar niks daarvan. Terug naar moeders. Grote klasse. Om mij heen merk ik dat Uw bemoeienis niet erg gewaardeerd wordt, maar ik zou me daar niks van aantrekken. Het is trouwens ook wel goed dat U het aan die Van Mierlo hebt verteld. Juist aan hem. Dat is ook zo'n schuinsmarcheerder. Die mooie blonde dame, met wie hij al jaren op alle recepties verschijnt, is ook zijn vrouw niet. Ben je gek. Dat is zijn vriendinnetje. Ze had zijn dochter kunnen zijn. Hij hokt met haar ergens op een paar kamers. Het wordt tijd dat we al die losgeslagen vijftigers gaan aanpakken.

Ik begrijp Uw reactie zo goed. U bent zelf groot geworden in een sfeer van buitenechtelijk rollebollen. Allereerst Uw grootvader Hendrik, die in zijn bronstige jaren heel vrouwelijk Den Haag de stuipen op het lijf joeg. Ik heb mij ooit laten vertellen dat hij het zelfs op de achterbank van de hofauto deed. En dan Uw eigen vader. Die at ook nog wel eens buiten de deur. Men fluistert dat hij toentertijd dat Lockheed-geld nodig had om het een en ander in Parijs te regelen. Dat kon hij moeilijk van Uw moeders pasje pinnen.

Ik begrijp Uw afkeer van dit soort zaken als geen ander en ik vind het goed dat U die Röell publiekelijk tot de orde hebt geroepen. Het is daarbij ook een goede les voor Uw oudste zoon, want ik kan U wel vertellen: ook over hem gaan geruchten!

Als U niet had ingegrepen, had U bij Uw aanstaande staatsbezoek aan het prachtige Zuid-Afrika naast zo'n blaag van achttien aan het banket gezeten. Zo eentje die niet weet hoe je een glas moet vasthouden en over Marco Borsato begint. Wegwezen.

Even iets anders. U zult vast en zeker die Mandela ontmoeten, maar weet U dat ook hij daar niet met zijn Winnie zal verschijnen? Ja Majesteit, ook hij… En hoe zit het met U? Heeft U nooit moeite met de huwelijkse voorwaarden? Loopt er bij U nooit een jonge tuinman te snoeien bij wie U aan iets anders denkt? Mijn vrouw en ik worstelen dagelijks met deze problematiek en zijn veel korter bij elkaar dan U en Uw man. Niks menselijks is U toch vreemd hoop ik?

Weet U trouwens dat er al jaren over U een hele vette roddel gaat over een verhouding tussen U en een gehuwde politicus die nu in Japan woont? Ik treed niet verder in detail, maar ik vind het belangrijk dat U weet wat het volk over U kakelt. Wees van één ding overtuigd: ík geloof het niet. En zeker niet na Uw manhaftige ingrijpen in de zaak-Röell. U bent wederom een treetje geklommen op de toch al zo hoge ladder van mijn achting en ik groet U nederiger dan ooit.

Youp van 't Hek

Majesteit,

Wat een kakofonisch weekje. Iedereen vindt iets van U. Jurgens meent dat U de troonrede niet hoeft voor te lezen, Bolkestein neemt zelfs het woord 'schijnvertoning' in zijn mond, de socialist Rehwinkel meldt dat ieder staatsbanket wat hem betreft zonder problemen een homosueel pottenparadijs kan worden en anonieme (dus laffe) politici melden in *de Volkskrant* dat U Uw conservatieve opvattingen nogal eens doordrukt. Hoe kijkt U nou tegen al die meninkjes aan? Schiet U in de lach? Of wordt U oprecht boos?

Zowel door de PvdA als door de VVD wordt gesuggereerd dat de troonrede net zo goed door een actrice zou kunnen worden voorgelezen. Ik hoor op dat moment de niet te verdragen stem van Femke Boersma, de wettige echtgenote van Frits Bolkestein. Zij ruikt haar kans. Zij was ooit actreutel van een kaliber dat nog niet voor een Nederlandse soap gevraagd wordt en zij heeft Frits ongetwijfeld aangezet tot zijn guerrilla tegen Uw gezag. Femke, die nu door haar man aan een baantje in een of andere kunstencommissie is geholpen, is toe aan een schnabbeltje en heeft Frits gedreven tot dit republikeinse geweld. De liberale houtwurm knaagt aan de poten van Uw troon, maar mijn advies is: niet bewegen. Alles waait voorbij. Meer dan 94% van Uw volk staat achter U, dus wat valt er nou te zeuren? Dinsdag stapt U monter in de Gouden Koets en crosst U optimistisch richting Ridderzaal. Natuurlijk wordt U tijdens het lezen overvallen door het René Diekstra-gevoel. Het is toch raar dat je net moet doen of het je eigen tekst is, terwijl je als geen ander weet dat het van een ander is. In dit geval van Kok en zijn pimpelpaarse vriendjes. Maar het aardige is: iedereen weet dat. Alle partijen spelen al eeuwen zonder blozen mee. En U acteert al jaren als de beste!

Ze moeten blij zijn dat iemand als U al hun leugens wil voorlezen. Heeft U nooit de neiging om tijdens het declameren van de zoveelste loze kreet iets zinnigs te roepen? Bijvoorbeeld: Uw eigen Claus maakt zich op ontroerende wijze sterk voor ontwikkelingshulp en het lijkt me verschrikkelijk als U dan moet voorlezen dat er op die post gekort gaat worden. U kunt dan toch gewoon 'Ik schaam me dood' toevoegen. Ik zou me ook generen. En misschien is het ook een idee om keihard in de lach te schieten als het blokje Justitie langskomt. Doe net of U eerst een flinke snuif onversneden Haarlemse coke van de Sapman neemt en lees het stukje daarna proestend voor. Ook bij Buitenlandse Zaken mag U een beetje relativerend de zaal in kijken. Uw zoon heeft net weer een dag of wat door Sint Petersburg lopen dolen, in een hele droeve buitenwijk een standbeeldje mogen onthullen en heeft met deze nobele actie nog niet de roddelrubriek van het plaatselijke sufferdje gehaald. Zelfs de burgemeester kwam voor hem zijn bed niet uit. Geen Rus die weet waar Nederland ligt, laat staan dat iemand daar weet of we een koning of een president hebben. Het zal ze ook jeuken. Ze hebben daar wel andere zorgen aan hun hoofd.

Misschien is het ook nog leuk als U bij het onderdeel cultuur (waar valt dat tegenwoordig onder?) even uitlegt hoe het in de Amsterdamse Stadsschouwburg toegaat. Daar neemt de directeur ontslag, krijgt een dijk van een baan bij het veel winst makende ID-TV en schijnt te hebben bedongen dat ze altijd terug mag bij de gemeente Amsterdam in eenzelfde soort functie met dito salaris en toeslagen. Misschien kunt U zich afvragen of ze daar eens een toneelstukje over willen maken, in plaats van over Uw kandidaat-schoondochter Emily.

Mijn zegen heeft U, geef al die valse politici van katoen en als U nog wilt repeteren of nog wat verrassende 'inside information' wilt, dan sta ik U volgaarne terzijde. U heeft mijn nummer,

Uw vriend en dienaar als altijd,

Youp van 't Hek

Majesteit,

Genoten van Prinsjesdag en vooral van de foto's de volgende dag. Die pet stond Uw oudste zoon leuk. Het maakt hem jong. In een van de kranten stond hij in de Gouden Koets zo over U heen gebogen dat het net leek of hij de conducteur was die Uw kaartje knipte. Het blijft een vrolijk kereltje.

Even een welgemeend compliment voor Uw jurk en uiteraard Uw hoedje. Allebei in de kleur van de bekleding van Uw troon. Dat vond ik nou klasse. Dat is je op de juiste manier verdedigen tegen alle kritiek van de laatste tijd. U mag niks zeggen, maar U kunt tussen de regels door wel even laten zien hoe de verhoudingen liggen. Volgens mij wilde U met deze kleurencombinatie zeggen: Ik ben de troon. Voor mij was het glashelder en overduidelijk.

Ook deze week ligt U nog steeds stevig onder vuur. Of je nou *De Groene* leest of *Elsevier*, aan alle kanten wordt U aangepakt en niet altijd zachtzinnig. Mijn vader zei altijd: 'Als je geschoren wordt, moet je stil blijven zitten.' In Uw geval is dat niet moeilijk, daar U nooit kunt reageren. Maar toch denk ik dat U regelmatig briesend door Uw paleis loopt. Want er worden natuurlijk ook dingen gezegd die gewoon niet waar zijn. Of dingen die niet moeten uitlekken. Zo was het niet handig van die Van Mierlo om te verraden dat we op Uw verzoek een ambassade in Jordanië hebben geopend. U wilt de banden met de Hoesseintjes een beetje aanhalen, begrijp ik. Nou en?

Daar heeft U recht op. Maar die Van Mierlo moet daarover zwijgen. Maar ja, het is al jaren bekend: Hans is een drinkertje en die kunnen moeilijk een geheim bewaren. Dus ik zou U willen aanraden: volgende keer nog voorzichtiger. Het lijkt me verschrikkelijk om dingen terug te lezen die niemand hoort te weten en dat alleen doordat minister 'Flapuit' een beetje tegen een journalist heeft zitten kakelen. Bij Kok zal U daar geen last van hebben. Inmiddels heb ik wel begrepen dat U met Lubbers beter overweg kon. Is dat zo? Ik las zelfs dat Ruud op vrijdagmiddag, na zijn werk, wel eens naar het paleis reed om een borrel bij U te drinken. Is dat waar? En vond U dat leuk of ging U ook wel eens achter de radiator liggen, zodat hij U niet zag? Dat U tegen Claus zei: 'Daar heb je hem weer. Bukken!' Ik kan me toch een hoop vrolijkheid op vrijdagmiddag voorstellen, maar Ruud Lubbers op de borrel? Ik zou zo mijn weekend niet willen beginnen. Voor Kok hoeft U niet bang te zijn. Die gaat na zijn werk gewoon naar huis. Zoals het hoort.

Ik vond de troonrede wel lang dit jaar. Was hij ook langer of leek het zo? En wat is dat paarse kabinet tevreden met zichzelf. Niet te geloven. Wat mij betreft mag U volgend jaar best een paar van die zelfingenomen passages schrappen. Ik heb niet alles gehoord wat U zei, want ik was erg afgeleid door de dameshoedenparade. Prinsjesdag wordt zo langzamerhand een tweede Ascot. Heeft U Terpje gezien? Op een gegeven moment was ze lang in beeld en ik moet zeggen: indrukwekkend. U las iets voor over de toegenomen welvaart en ter illustratie bracht de regisseur Erica vol in beeld. Wel een minuut lang. Met die hoed op. En toen wandelden Uw woorden een beetje weg. En de lampenkap van Sorgdrager was nog erger. Die had een schotel op waarmee ze probleemloos zonder decoder Sport7 kan ontvangen.

Tot slot nog even Uw zus Margriet. Wilt U haar, als U haar spreekt, vragen wat zij met haar jurk bedoelde? Volgens mij kunnen zo dertig studenten van de modeacademies op dat ding afstuderen. Wat zeg ik? Je kan erop promoveren. Heeft ze hem al uit?

Maar goed: afgelopen dinsdag heb ik met volle teugen genoten, zeker toen ik hoorde dat de vvd overweegt om de topinkomens tien procent minder te belasten. Dan zitten U en ik goed.

Ik wens U een week vol herfst in de ziel.

Uw broeder in de strijd tegen de aangeboren eenzaamheid,

Youp van 't Hek

AMSTERDAM, 28 SEPTEMBER 1996

Majesteit,

Eigenlijk zou ik met pen 'Beste Bea' achter de aanhef 'Majesteit' moeten zetten en dan de brief naar Uw huis-adres sturen. Wat een week, wat een week. Schaamt U zich af en toe niet voor Uw onderdanen? Wat een krake-lend zootje ongeregeld. De enige die zich tot nu toe net-jes heeft gedragen is verdachte Frits B. zelf. En zijn frac-tie uiteraard. Die is gewoon, zoals het hoort, pal achter hem gaan staan.

Maar het journaille dat over Cyprus doolde was toch ronduit beschamend? Het leek wel of ze de schuilplaats van een ouwe ss'er hadden ontdekt.

Wat heeft die man nou misdaan? Je mag ook niks meer in dit land. Niet eens even op je eigen briefpapier een briefje schrijven aan iemand met wie je op dezelfde school hebt gezeten om iets te regelen voor een Haar-lemse pillenboer voor wie je al vijf jaar schnabbelt. Dan gaan we ethisch doen en het woord 'onoorbaar' gebrui-ken. Hou toch op. De hele zakenwereld hangt van dit soort kattebelletjes aan elkaar. We worden eindelijk een volwassen natie, gaan op België en Italië lijken en krijgen Kamerleden met wie je wat kan dealen. Heel veel men-sen vinden de MSD-affaire schadelijk voor het aanzien van de politiek, maar ik begrijp daar niks van. Ik vind het van de VVD zelfs een van de beste reclamestunts.

Het is heel moeilijk om als partij aan de gewone man uit te leggen voor wie en wat je nou precies staat in deze maatschappij en dat is nu in één klap duidelijker dan ooit. Als ik zakenman was, dan wist ik het wel. Vandaag ging er nog een brief uit. 'Beste Frits' en dan het verzoekje. Zeker nu iedereen zijn tarief kent. Dat had ik niet verwacht. Dertig ruggen vraagt-ie voor zo'n klusje. Wat een fooi. Voor dat bedrag laat ik niet eens mijn eigen hond uit. Eerlijk gezegd vind ik het honorarium zelfs vertederend.

Tot nu toe straalde de VVD bij mij altijd macht uit. Ik associeerde ze met kakkers, hockeyers, poen, banken, founders, golfers, kaviaar, Harry Mens, skyboxen, onroerend goed en zo. Iemand komt met een idee om voor Ajax een nieuw stadion te bouwen en binnen drie kwartier hebben veertig vrienden onder leiding van Cor van Zadelhoff bijna driehonderd miljoen krediet bij elkaar. Zo ontstaat Sport7, verbouwt men het Concertgebouw en hadden ze, als ze hadden gewild, Fokker kunnen redden. Alleen dat laatste wilden ze niet.

Dat was mijn vastgeroeste idee van de liberalen, maar het schijnt een bijstandspartijtje te zijn. Je kan de voorman van deze partij al voor vijfentwintighonderd piek per maand een brief naar de minister laten schrijven. Wat een armoe. En daarbij doet hij het ook nog in de hoedanigheid van commissaris. Dus heeft hij niet begrepen wat een commissariaat inhoudt. U en ik weten dat een commissaris de directie moet controleren en zich niet moet laten gebruiken als de eerste de beste boodschappenjongen. Dat is de omgekeerde wereld. Aan de ene kant verbaast het salarisje me, maar aan de andere kant ook niet. Bij ons thuis liggen wij elk kerstdiner gierend onder tafel na de anekdote van een van mijn beste vrienden over het VVD-Kamerlid mevrouw S. van Heemskerck Pillis-Duvekot. Jaren geleden prikte hij, als bestuurslid van de Vereniging van Theaterproducenten, een vorkje met deze dame in het Haagse restaurant Le Bistroquet (U weet wel: van die beroemde foto van Wiegel en Dries). Aan het slot van de lunch kwam de koffie met bonbons en mevrouw Van Heemskerck vrat, tot verbazing van mijn vriend, in hoog tempo het hele schaaltje leeg. Toen vroeg ze of hij het raar vond als ze nog een schaaltje bestelde. Hij zei van niet, maar vond van wel. Daar nam ze er twee van, vouwde een servetje open en deed de rest van het schaaltje daarin. Dit verdween in haar tas onder de geaffecteerde uitroep: 'Daar ben ik een hele rare in.'

Ik bedoel maar, Majesteit. Dan bent U toch de baas van een heel lief land en kunt U met een gerust hart afreizen naar Mandela en zijn vriendin. Tikt U Nelson nog wel even op de vingers? Gewoon zeggen dat U niet van dat buitenechtelijke gehok houdt en haar liever niet aan het banket heeft. Goeie vakantie en tot volgende week. Uw makker, ook tijdens wild geraas,

Youp van 't Hek

Majesteit,

U belde op een verkeerd moment. Ik was in een echtelijke twist verwikkeld. Een ouderwetse schreeuwruzie met rinkelende ruiten. Komt wel weer goed.

Capuchonkoord. Mooi woord hè! Mijn zwager handelt daar nog in. Stroken kant verkoopt hij ook. Voor Jordanese gordijnen en spannend damesondergoed. Doet U daaraan? Ik bedoel: opwindende lingerie. En zo ja, waar koopt U dat? Gaat U na sluitingstijd of komt de slipjeskoning bij U thuis?

Mijn zwager handelt soms ook in bedrijfskleding. Kent U het Kruidvat-verhaal? Hij mocht het personeel van deze drogisterijketen misschien aankleden. Hij had een ontwerp geleverd en was na een strenge selectie samen met een concurrent overgebleven. Toen kwam de volgende procedure: hij moest van zijn ontwerp een stuk of tien monsters leveren die een week of wat worden gedragen in een proef-filiaal. Daar kijkt men wat de klanten vinden, of het lekker werkt, of het niet te veel krimpt en verkleurt in de was, etc. Na die proefweken maakte men een definitieve keuze. Voor mijn zwager zou het een hele belangrijke opdracht zijn. Hij heeft maar een klein bedrijf en kan dit soort dingen goed gebruiken.

Vorige week dinsdag vertelde ik hem dat ik in Hoogeveen moest optreden en hij meldde mij dat daar het bewuste Kruidvatje zat. 's Middags liep ik met een vriendinnetje door de winkelstraat van dit dorp en zag het monsterfiliaal. Wij naar binnen. Ik had niks nodig maar het was me wel een tandenborsteltje waard.

Ik opende met de regel: 'Nieuwe kleding dames?'

'Dat u dat ziet meneer Van 't Hek.'

'Of ik het zie dames, ik vind het heel mooi.'

'Mooi? Mooi? Tuttig zult u bedoelen. En het zit niet lekker en vakken vullen gaat helemaal niet.'

'Ik vind het juist heel vrouwelijk dames. Ik vind het verre van tuttig.'

'Meent u dat nou?'

'Ik meen het dames, ik vind het werkelijk prachtig, maar doet u mij een tandenborsteltje.'

Ik rekende af, maakte de dames nog een laatste compliment en verliet blozend de drogisterij. Zelden had ik zo gelogen, nooit had ik zo'n tuttig uniformpje gezien en wat hadden die schatten gelijk. Je zal het van je baas aan moeten. Het leek zo uit een Poolse Wehkampgids geplukt.

'Dus jouw zwager levert zulke lelijke rotzooi?' sneerde mijn vriendinnetje.

Ik moest met het schaamrood op mijn kaken uitleggen dat hij zich waarschijnlijk had aangepast aan de smaak van de directie en dat die waarschijnlijk streng gereformeerd was en in Staphorst zetelde of zo...

De volgende dag belde mijn zwager en vertelde dat de opdrachtgever had gebeld met de mededeling dat cabaretier Youp van 't Hek in Hoogeveen was geweest en de nieuwe bedrijfskleding schitterend vond. Hij had het onmiddellijk gezien, was razend enthousiast en vond het vooral heel vrouwelijk. En volgens de opdrachtgever was de cabaretier toch een man van deze tijd, dus...

Het was alleen jammer, zei mijn zwager, dat ik het verkeerde filiaal was binnengestapt. Hoogeveen heeft namelijk twee Kruidvaten. In de ene werd de nieuwe kleding van hem gedragen en in de andere die van zijn concurrent. En ik was dus in de andere geweest.

Ik stamelde zacht 'sorry', kreeg een onbedaarlijke lachbui en heb me voorgenomen me nooit meer met andermans zaken te bemoeien. En de Kruidvat-dames? Ze lopen niet in de kleren van mijn zwager, maar inderdaad in turbotruttenuniformpjes.

Mooi scrabblewoord hè? Liefs, knipoog en lente,

Youp van 't Hek

Majesteit,

Zag U hard werken in Zuid-Afrika. Ik zeg dit zonder enige vorm van ironie. Was het moeilijk om daar rond te wandelen als koningin van het volk dat de apartheid ooit bedacht heeft? Heeft Mandela geen vervelende vragen gesteld? Hij is uiteindelijk toch de martelaar van dat regime. Hoe lang heeft die man niet vastgezeten? Ik zou, als ik hem was, nooit meer een glas met een blanke kunnen heffen. Dat hij dat wel kan, maakt hem groot en onaantastbaar. Gelukkig hebben wij onder leiding van Klaas de Jonge ook ons best gedaan om dit systeem om zeep te helpen, dus U kon met opgeheven hoofd aan tafel zitten. Ik vond U groots!

Zijn die Nederlanders die daar wonen inderdaad van die fossielen die alles bij het oude hadden willen laten? Het is bekend dat in het buitenland aardig wat tropenkolderieke landgenoten hun rechtse taal uittrompetteren, maar Zuid-Afrika schijnt wat dit betreft het ergste soort te herbergen.

Goed dat U de zaak-Röell hebt rechtgezet. Mooi moment ook! Even een paar weken wachten en dan op de plek des onheils, in het juiste decor, keihard toeslaan. U heeft het journaille duidelijk de les gelezen, daar hou ik van. Grote klasse.

Over racisme gesproken. Ik hoorde dat Janmaat naar het concert van Michael Jackson is geweest. Hij aanschouwde de wit geworden neger en zei: 'Zie je wel: het kan wel. Als ze maar willen.'

Ik vergeet U bijna te bedanken voor de aardige brief van vorige week. Ik was zeer vereerd dat U mij vroeg om tijdens Uw afwezigheid de plantjes water te geven en de post op een stapeltje te leggen. Wat een vertrouwen. Ik vind het trouwens altijd gek om helemaal alleen in andermans huis rond te banjeren en had heel even de neiging om stiekem in een doosje of nachtkastje te loeren. Heb dat niet gedaan hoor, maar eerlijk is eerlijk: de verleiding was groot. Alleen dat blaadje De Nederlandse Jager van de Koninklijke Nederlandse Jagersvereniging heb ik in de open haard geflikkerd en verbrand. Daar bent U nou te groot voor. Een drijver heeft mij overigens een verhaal verteld over wat er gebeurt als iemand zijn eerste zwijntje heeft geschoten en dat is zo om te kotsen, dat ik het niet durf op te schrijven. Wat een goor verhaal. Als U het niet kent dan choqueer ik U daar volgende week mee. Het is echt zo plat en middeleeuws dat ik niet kan geloven dat Uw kinderen aan die onzin meedoen.

U vroeg mij om tijdens Uw afwezigheid het land een beetje in de gaten te houden en ik kan U zeggen: er was weinig. Den Haag was Bolkestein en de zaak is zeer gênant afgelopen. Wim heeft drie briefjes geschreven (Beste Gerrit, Beste Frits en Beste Jacques), vervolgens zijn de drie musketiers samen met Dijkstal naar het torentje gekomen en hebben ze bekokstoofd dat de coalitie niet moet knallen. En toen kreeg je woensdagmiddag een schaamteloze poppenkast. Vlak voor het debat nam Frits op zijn bekende toon een paar keer het woord 'democratie' iets te gedragen in de mond en dan weet U het wel. Hij doet zich voor als naïeve sukkel, zegt niks onoorbaars te hebben gedaan maar weet tot in het puntje van zijn endeldarm dat het niet deugt. Juridisch schijnt hij goed te zitten, maar dat zit de VVD al jaren. En wat zijn die

Wallage en Wolffensperger een laffe waakvlampolitici.

Neemt U Bolkje ooit nog serieus? Een man die samen met partijgenoot Dick Dees in de fractiekamer van de VVD een hoge ambtenaar ontvangt en denkt dat deze hem op dat moment ziet als commissaris van de Haarlemse pillendraaier, mag je toch behoorlijk in de war noemen. 'Decorverlies' heet dat in de psychiatrie en MSD heeft daar het middel tryptizol tegen. Zit in het ziekenfondspakket, maar ik gok dat Frits particulier verzekerd is.

De hele zaak-Bolkestein heeft de VVD in de opiniepeilingen geen enkele schade berokkend, dus dan weet U wat voor verschrikkelijk volk U onder U heeft. Maandag en dinsdag speel ik bij U om de hoek en als het even meezit, wip ik na afloop nog even aan.

Alle goeds en groeten van Uw bondgenoot in de verbazing,

Youp van 't Hek

PS Heeft U al een decoder?

Majesteit,

Bent U al voor Toppers gevraagd? Weet U eigenlijk wel wat dat is? Het is een programma over mensen aan de top. Dus de presentator, een ranzige man met een Brabants accent, belt je op en zegt dat hij je een topper vindt. Dat bevestig je uiteraard, want dat vind je zelf ook, en vervolgens krijg je die ranzige man met dat Brabantse accent een week lang over de vloer.

Hij komt natuurlijk niet alleen, maar neemt een cameraman, een geluidsman, een regisseur, een regieassistente, een productieblondje en een schminkmevrouw mee. En dat circus heb je dan bij je thuis. Je moet wat overhebben voor je eigen populariteit.

Een goede vriend had mij al een paar keer op dit programma gewezen en vooral op het schaamteloze etalagegedrag van de Bekende Nederlanders. Mijn oude vader zei altijd: 'Op de wallen doen ze tenminste nog de gordijnen dicht.' De eerste keer dat ik het programma zag was Caroline Tensen de topper. Kent U haar? Zij is Neerlands populairste televisiepresentatrice en exact het type vrouw waarvoor ik ooit het Gooi ben uit gevlucht. Ik ken haar verder niet, maar durf er vergif op in te nemen dat ze in zo'n Range Rover rijdt. Het programma was verbijsterend onthullend. Je zag de presentatrice rond haar riante huis scharrelen, haar arme kinderen naar bed brengen, met haar man (ik gok op een BMW-cabrio!) praten en je zag haar skeeleren. De ranzige man met het Brabantse accent vroeg als een echte roomse rukker of ze een goede minnares was en deze vraag stelde hij ook nog een keer aan meneer Tensen, kortom: je had een beetje het gevoel dat je de Panorama en de Aktueel tegelijk zat te lezen. Toen nam de ranzige man met het Brabantse accent onze populaire presentatrice mee naar Rome en daar vroeg hij aan haar wie de fractieleider van het CDA is. Het Bussumse jeeptype keek alleen maar heel glazig in de lens. Hierna probeerde hij haar te ontfutselen wie onze minister van Economische Zaken is, maar ook dat was echt te hoog gegrepen. Ze zei: 'Dat moet je me hier niet vragen.' Maar ik denk dat je het haar elders ook niet hoeft te vragen. Ik bedoel: de locatie maakt in dit geval niet zoveel uit. Ach, wat kan het allemaal schelen: de kijkers hebben ook geen idee.

Waarom val ik U lastig met deze nitwitterij? Omdat het mij verwart. In diezelfde uitzending ontmoette zij in Rome namelijk kardinaal Simonis en zij gaf als het ware de fakkel aan hem over. Hij was de volgende topper. De week na Caroline liet onze kerkvader zich drie kwartier lang ondervragen door de ranzige man met het Brabantse accent. En alle vragen gingen over de gevoelens onder de zwarte rok van deze priester. Maar dan ook echt alle vragen. En dat verwart mij zo. Dat alle Vanessa's, Des Bouvrietjes en Ratelbanden in zo'n programma hun natte winden zitten te verkopen snap ik, maar dat de leider van onze laatste twaalf roomsen zich hiervoor leent, begrijp ik absoluut niet. Hij liet de ranzige man met het Brabantse accent zelfs zijn pij dichtknopen. Gewoon vrijwillig. Met alle toespelingen van dien. Als ex-katholiek heb ik het niet met droge ogen kunnen aanzien. Zachtjes mijmerde ik over het respect dat kardinaal Alfrink in mijn jeugd afdwong en anders wel monseigneur Van Dodewaard, de eerwaarde bisschop van Haarlem. Dat waren toch geen mannen die zich tot zo'n populistische knieval lieten verleiden. Maar het schijnt dus niks meer uit te maken. Iedereen doet alles en het liefste op televisie. Vandaar mijn vraag: Bent U al voor Toppers gevraagd? En vraag twee is belangrijker: Doet U het? Schrijf, fax of e-mail mij dat het niet zo is en ik kan met een geruste rikketik aan mijn weekend beginnen.

De kardinaal en onze Caroline zijn samen met de ranzige man met het Brabantse accent ook nog bij de paus geweest. De Heilige Vader is momenteel herstellende in een Romeins hospitaal.

Was ik duidelijk?

Uw compagnon in de eindeloze melancholie,

Youp van 't Hek

PS Sport7 gaat bij U van de kabel. Jammer hè!

Majesteit,

Dus U neemt een operatiemesje, snijdt het touwtje los, verwijdert het plastic laagje, haalt de pasfoto eruit, doet de nieuwe erin, plakt het plastic laagje dicht, naait het weer in elkaar en U heet mevrouw Jansma uit Dronten.

Heeft U niet af en toe die behoefte? Dat U zich zo schaamt voor Uw land en vooral voor Uw landgenoten dat U denkt: wegwezen onder de naam Truus de Jong uit Appelscha en lekker opnieuw beginnen? Het is toch allemaal niet te geloven. Met een plakstift, een mesje en een kromme naald ben je klaar. De dader is een zekere S. Maar is het S.? Hoe weet de politie dat het S. is? Omdat het in zijn paspoort stond? Bij ons thuis hebben we afgelopen woensdag alle journaals gekeken en werkelijk liggen huilen van het lachen. Vooral dat instructiefilmpje was geweldig. We hebben het op de video wel drie keer teruggespoeld en zijn toen begonnen aan de grote tafel. Mijn vrouw heet vanaf nu De Graaff-Nauta, ons zoontje gaat door het leven als René van der Linden, onze dochters als Sterre van Eekelen en Anna Kohnstamm en zelf heet ik vanaf nu Wil Baard. Zo willen we het weekend door en dan zien we wel weer. Wat zal die S. een fanmail krijgen en een hoop verzoekjes. Bolkestein heeft hem al gebeld voor een tweede paspoort. Is handig als hij die andere pet op heeft. René Diekstra zegt dat S. dat overschrijven van hem geplagieerd heeft. Ben U er nog? Edgar Davids wil na zijn bokspartijtje in Milaan (met metaal versierde handschoen!) ook graag even onder een schuilnaam door het leven en wat denkt U van Jos Verstappen? Hoorde wel dat onze Jos een nieuwe sponsor heeft! De Wegenwacht.

Ik denk dat Jos Staatsen zo langzamerhand graag onder de naam Van den Herik door het leven wil. Die twee lijken uiterlijk best op elkaar en dan heeft Jos in één klap het gelijk weer aan zijn kant. De schat gaf afgelopen zaterdag in deze krant toe dat hij het liefste samenvattingen van voetbalwedstrijden kijkt. Daarmee gaf hij meteen aan waarom zijn zendertje hopeloos mislukt is. Bij ons thuis heet het kanaaltje trouwens al Sport Even.

En U? Wie zou U graag willen zijn? Lady Di? Caroline van Monaco? De bedrogen Stephanie? Of gewoon mevrouw De Jong? Dat laatste lijkt me heerlijk voor U. En dan naar de Emotion-beurs. U hoeft zich dan niet om te schminken, daar alleen U door de lege RAI doolt. Vroeger heette de beurs Firato en kwamen er 800.000 mensen, maar slimme marketingtypes hebben de naam veranderd in Emotion en toen werd het stil. Volgend jaar zou ik hem gewoon Fiasco noemen.

U kunt ook ongegrimeerd naar de film De Zeemeerman, maar dan moet U wel deze week nog gaan. Anders is-ie weg. Ooit werd ik gebeld door de producent van deze film of ik de rol van makelaar op me wou nemen en hij vertelde mij het idee van de film door de telefoon. Ik was heel lang stil en zei daarmee volgens mij genoeg. Toen zei hij nog drie keer: 'Leuk hè?' Ik ken de man niet goed en hield beleefd mijn mond. Uit de recensies heb ik begrepen dat mijn zwijgen niet geholpen heeft. Mijn rol schijnt nu vertolkt te worden door Huub Stapel. Lijkt mij frustrerend: tweede keus in een mislukking. U snapt dat ik me daarentegen heerlijk voel. Kan gewoon mijn paspoort houden. Zelf kan ik niet over het meesterwerk oordelen, daar ik er niet geweest ben. Mijn vrienden, die wel een poging gewaagd hebben, zijn na twintig minuten schreiend weggeslopen, dus ook aan hen heb ik niks.

Trouwens, ik was nog even naar Ajax en ik moet zeggen: we geloven er weer in. Bijna had ik S. moeten vragen om de naam van de club te wijzigen, maar Louis krijgt het toch nog goed. Zag U Cruijff ook op de televisie openlijk solliciteren naar de trainersfunctie? Hij moet alleen nog wel even de namen van de spelers uit zijn hoofd leren. Babangida werd bij Johan opeens Babawiwa. Maar de aardige Nigeriaan heeft hem al een kopie van zijn paspoort gestuurd.

Mooi weekend en blijft U vooral Uzelf. Doe ik ook,

Youp van 't Hek

Majesteit,

Ik hoorde zo'n leuk verhaal over Sport7. Daar begint zachtjesaan de pleuris uit te breken en wel om het volgende: Willem van Kooten had een slecht idee, heeft dat als goudmijn gelanceerd en allerhande dombo's zijn daar regelrecht ingestonken. Hyena Staatsen als eerste. En nou komt het leuke: Willem heeft voor heel veel geld zijn aandeel aan De Telegraaf verkocht en zit nu gierend in zijn huis aan een Loosdrechtse plas.

De anderen noemen hem al Joost den Naaijer. De firma Endemol lacht zich ook suf. Zij sturen elke week een hele vette rekening voor de gemaakte opnames naar de zender en fluiten zichzelf ondertussen vrolijk naar de effectenbeurs.

De rest van de aandeelhouders kijkt sip naar de gebakken peren en bij de aandeelhoudersvergaderingen staan er uit voorzorg geen asbakken meer op tafel. Als het nog even zo doorgaat moet Philips zijn laatste kliekje winst aan de Nationale Sportzender overmaken. Heerlijk. Bij ons in Amsterdam wil 0,5 procent het kanaal ontvangen en dat staat precies gelijk aan het percentage geestelijk gehandicapten dat de hoofdstad telt. Zojuist belde mijn vriend Koos Postema en hij vertelde dat hij zich na elke uitzending contant laat uitbetalen. Een zacht zonnetje schijnt over de hoofdstad en iedereen glimlacht naar elkaar. Wat kan de herfst prachtig zijn.

Ziet U die tafel volgende week voor U: Staatsen en Jansma! En dat Jansma dan zegt: 'Zegt U het maar meneer Staatsen!' De rest kunt U zelf invullen. Wat een schitterende week.

Volgens mij bent U trots op Uw onderdanen en glimlacht U zelf ook van oor tot oor. Heeft U zin om met mij de actiegroep 'Stop de Rolexen' op te richten? Dus dat we een halt gaan toeroepen aan de geldkloppende wolven die ons halve land endemollen. Dit laatste is bij ons thuis een nieuw werkwoord. Zo gauw als wij bij iets een Arena-gevoel krijgen dan heet het endemollen. Allerhande managers maken ons wijs dat alles een product is. Voetbal is een product, informatie is een product, cabaret is een product en maakt U zich geen illusie: U bent ook een product. Het product koningshuis dat door het zakenleven als glijmiddel wordt gebruikt. Waar? Overal. Laatst in Zuid-Afrika en in Indonesië. U bent gewoon het boegbeeld van een zootje kooplui. Niks meer en niks minder. Vorige week las ik in de Volkskrant dat ikzelf ook tot de producten behoor. Het ging over de veryouping van de schouwburg. Ze schijnen aan mijn volle zalen goed te verdienen. Ik vind het allemaal best, maar misschien doe ik het wel verkeerd. Wie weet moet ik mezelf ook gaan verendemollen en een 06-nummer voor Youpinformatie openen of net als Joop van den Ende doen: wil je een kaartje voor Miss Saigon bestellen, dan bel je de kassa voor 60 cent per minuut. En al die boerenlullen doen dat! Vorige week wilde ik weten hoe laat de Intercity uit Amsterdam in Middelburg arriveerde. Ik moest voor 50 cent per minuut de Openbaar Vervoerlijn bellen, had negen wachtenden voor me en was na twintig minuten aan de beurt. Dus een joetje later had ik de informatie. Vroeger was dat een gewone vraag aan een stationschef, die blij was als de telefoon een keer ging, maar nu moet de consument eraan wennen dat ook informatie een product is waarvoor betaald moet worden. Volgens mij moeten we die Monopoly-spelers gewoon de conducteurspet over hun oren trekken en één keer per week een willekeurig station overvallen. Dat heet geen jatten, maar terugjatten.

Help mij in de strijd tegen de patjepeeërs. In Amsterdam is een spiksplinternieuw tenniscentrum geopend en daar moet je voor alles heel veel geld betalen. Zelfs je auto parkeren kost een piek. Het product parkeren. Maar toen mijn dochter zich laatst verveelde, zocht ze een muurtje om een bal tegen te slaan en dat is er niet. En ik denk dat het niet symbolischer kan. Er is geen muurtje meer. Want aan een muurtje is niks te verdienen. Volgende week ga ik hierop door en beloof me dat U meedoet in de strijd tegen het endemollen van Uw en mijn prachtige landje.

Kus man en kinderen en neem er zelf ook een,

Youp van 't Hek

Majesteit,

Veel dank voor Uw lieve briefje. Het kwam op een goed moment. Ik was wat somber, maar door Uw mooie woorden regeert het optimisme weer.

Daarbij ben ik erg vrolijk door de uitschakeling van PSV voor de Europacup door SK Brann Bergen. Waarom? Simpel: als David tegen Goliath vecht, ben ik voor David. In dit geval waren het Noorse puntlassers, postbodes en loonwerkers (met als hobby voetbal) tegen de meer dan vet betaalde full-profs uit Eindhoven, die niets anders kunnen dan voetballen en de hele dag niets anders doen. Prachtige bijkomstigheid is het feit dat de Europacupduels van PSV de laatste troeven van het door ons allen gehate Sport7 waren, maar helaas... ook dit wordt ze ontnomen! Heerlijk!

Nu kan onze nationale sportzender elke avond ballroomdancing, dwergwerpen en eenbenig rollerskaten uitzenden. God is goed en SK Brann Bergen nog beter!

Vorige week schreef ik U over de 06-pooierpraktijken van de NS en beloofde ik nog wat dieper op dit soort zaken in te gaan.

Een vriend van mij reed onlangs in Duitsland twee kinderen dood. Het gebeurde allemaal buiten zijn schuld, maar doet dat er toe als er twee kinderen dood zijn? Wie is schuldig? Een kind sowieso nooit. Mijn vriend was ontredderd, verslagen en onherstelbaar kapot. Toen al het lawaai van heli's, ambulances, politiewagens en schreeuwende mensen uit zijn hoofd was verdwenen, stamelde

223

hij voorzichtig zijn eigen naam en besefte hij dat het leven op de een of andere manier weer door moest. Hij snuffelde in de papieren van de leasemaatschappij en daarin stond dat hij in geval van pech 06-8212460 moest bellen. Het wordt omschreven als een 'hulpdienst'. Eerst hoorde hij: 'dit informatienummer kost circa 44 cent per minuut' en daarna moest hij heel lang wachten. Omdat het weekend was, zat er achter deze zogenaamde 'helpdesk' een batterij werkstudenten en de neuspeuteraar die mijn vriend hielp vroeg in welke provincie het Schwarzwald lag. Daarna ontstond de volgende dialoog:

'Heeft u pech?'

'Ik heb zojuist twee kinderen doodgereden.'

'Dat is geen pech.'

'Hoe noemt u dat dan? Geluk of zo?'

'Nee, maar het doodrijden van kinderen valt niet onder pech.'

'Moet ik het geluk noemen?'

'Nee, maar het is ook geen pech. Het valt bij ons onder ongeluk. Ik verbind u door.'

En toen gebeurde het: tijdens het wachten moest mijn vriend luisteren naar een muziekje. Dus eerst laten de verzekeringshoeren je 44 cent per minuut betalen en vervolgens walst voor dat bedrag ook nog eens André Rieu door je hoofd. Daar heb je ook echt zin in als je net twee kinderlijkjes door een traumaheli afgevoerd hebt zien worden. Daarbij moet je voor het luisteren naar die Limburgse carnavalsslager minstens tien gulden per minuut krijgen. Smartengeld wegens oorvervuiling.

Het verdere relaas zal ik U besparen, maar hij kwam net als iedereen in de jungle van hulpdiensten, ANWB, garages, sleepboeren, enzovoort. Kafka met Pinter-dialogen. U zult van deze minachtende bureaucratie nooit last hebben omdat U wordt gereden, maar neem één ding van mij aan: Uw onderdanen zijn door hun geldwolverigheid volkomen radeloos en normale gesprekken vinden er nog amper plaats in Uw land. Welke verwrongen geest verzint er nou dat je geld moet betalen aan een verzekeringsmaatschappij die al ontploft van de winst, terwijl je ontreddderd staat te stamelen wat je zojuist is overkomen? Zover zijn we. Ook ongeluk is een product geworden. Net als pech. Er vallen bladeren in mijn hoofd, maar het wordt niet lichter.

Ik wens U een schitterend weekend met veel open haard en lange wandelingen,

Youp van 't Hek

Majesteit,

Had een journalist op bezoek en hij vroeg mij of ik wel eens vreemdging. Wat moet je daarop antwoorden? Ja als het ja is of toch maar nee? Moet mijn vrouw dan in de krant lezen dat ik me zo af en toe op tournee vergrijp aan een vrouwelijke fan van begin twintig? Moet ik liegen tegen de journalist? Wat is vreemdgaan? Is dat een tintelend gesprek met een dame? Echt zo dat de bekentenissen vonken en knetteren, de nieuwe gedachten en ideeën door de lucht dansen en je denkt aan die allesverzengende smeltpartij in een groot lits-jumeaux? Telt dromen mee? Of ga je pas vreemd als het werkelijk gebeurt? Dus als je de daad bij je droom voegt? Hoe doet U dat? Heeft U een anoniem plekje op de wereld waar U zo af en toe...

Wat wij doen: is dat vreemdgaan? Wij gaan ver in onze gesprekken, wisselen behoorlijk veel details uit. Ik heb U dingen verteld die mijn vrouw niet weet en ik weet van U bepaalde details die C. niet weet. Die knipogenblikken verbinden, maar is dat vreemdgaan? Is een keer buiten de deur eten niet erg en een hele lange buitenechtelijke relatie wel? Wat weet ik niet van mijn vrouw? Van wie droomt ze? Met wie zoent ze in gedachten? Bij wie stort ze af en toe haar hart uit? Een vriend van mij gaat één keer per week naar een psychotherapeute en ontleedt met haar zijn hele geestelijke hebben en houden. Dat is toch ook vreemdgaan! Als mijn vrouw tegen een peut meer kakelt dan tegen mij dan zou ik snikkend jaloers

226

zijn. En gek! En in de war. Ik heb tegen de journalist 'nee' gezegd. Toen vroeg hij: 'Lieg je wel eens?' En toen wist ik het niet meer. We faxen. Veel spek met eieren en nog meer bloesem,

Youp van 't Hek

PS Zullen we samen een Foster Parentscavia adopteren?

Majesteit,

Volgens mij heeft U een zware week achter de rug. Ik vond het nieuws nogal heftig. Albada Jelgersma ontvangt rond de zevenhonderd miljoen, Sylvia Toth krijgt meer dan honderdvijftig miljoen op haar rekening en John & Joop Endemol strijken elk het dubbele op, kortom: er wordt aan de poten van Uw financiële troon gezaagd.

Nog even en U valt uit de toptien. Of zijn dit bedragen waar U om lacht? Ik heb geen idee hoe dit gaat in Uw kringen. Ik begrijp dat het geen enkel probleem is om de poen te vangen, maar erover babbelen is niet chic. Leuk is dat. Ik probeer me dat voor te stellen: honderdvijftig miljoen op mijn rekening. Wat zou ik doen? Een blauwe tennisbaan lijkt me wel wat. En die zou ik dan aan mijn vrouw cadeau geven. Mooi symbool van radeloosheid. En om echt te patsen zou ik de gemeente Rotterdam een nieuwe brug schenken. Geen mooie met een controversiële pyloon, maar eentje die gewoon doet wat hij moet doen: mensen van de ene oever naar de andere oever brengen.

Waarom zijn die nuchtere, hardwerkende Rotterdammers in godsnaam in zee gegaan met architecten van een Amsterdams tutbureau? God moet nog één keer kuchen en er ligt 365 miljoen in de Maas. U bent nog goed weggekomen toen U dat kreng opende. Een zuchtje meer en we waren een republiek geweest. Heeft U ook zo gelachen toen U zag hoe ze met een touwtje die tuikabels aan elkaar bonden? De tranen liepen ouderwets over mijn wangen. Sommige dingen geloof je gewoon niet, maar het is allemaal echt waar. Een meneer van het Nationaal Lucht- en Ruimtevaartlaboratorium schijnt de gemeente Rotterdam duidelijk gewaarschuwd te hebben (bij windkracht 6 gaat-ie zwabberen), maar daar heet nu iedereen opeens Haas en weet van niets. In de week dat U de brug mocht openen kakelde de architect op alle netten over zijn meesterwerk, maar nu het ding op instorten staat, zit hij onder zijn bureau en roept wanhopig naar de receptioniste: 'Ik ben er niet.'

U heeft de laatste tijd geen gelukkige hand van openen. De Arena is ook niet echt een succes. Ik zag laatst op een foto dat het gras een paar keer per week onder de zonnebank gaat. Misschien moet men bij U op de zaak toch eens wat kritischer worden. Dus dat U zich niet voor het karretje van allerlei louche architecten en voetbalproleten laat spannen. Als ik U was zou ik bij het volgende te openen megaproject zeggen: 'Draai eerst maar eens een jaartje proef en als het ding het dan nog doet dan kom ik wel een lintje doorjassen.' U bent toch ook niet de eerste de beste.

Misschien is het wel leuk om foto's van de Arena en de Erasmusbrug te gebruiken als testbeeld van Sport7. Dan hebben we alle debacles bij elkaar. Over tien jaar is het nieuwe, gezellige, dakloze Ajax-stadion klaar en worden de ruïnes van de brug en de Arena een soort weekendattracties. Misschien willen de Van der Valkjes ze wel gaan exploiteren. Die kopen wel meer oude rotzooi voor een symbolische gulden op om er daarna nieuw leven in te blazen. En je mag alleen naar binnen met een Nederlands paspoort. Een echt!

Wordt het niet tijd dat U op maandagmiddag die Kok

eens goed de les leest en hem vertelt dat hij de tuikabel-
tjes eens wat steviger in handen moet nemen? Wat U
hem moet vertellen? Dat de schoenmakers bij hun leest
moeten blijven. Dus Staatsen moet met zijn ijdele jatten
van ons voetbal afblijven, voetballiefhebbers moeten een
stadion bouwen en een brug moet je laten ontwerpen
door een deskundige weg- en waterbouwer. Gewoon terug naar vroeger: ouderwetse ambachtelijkheid en degelijk vakmanschap.

Er zitten er nog maar twee op de juiste stoel in dit land.
Wie? U en ik. En wat mij betreft zal dat nog lang zo blijven,

Youp van 't Hek

PS Gaat U dit weekend nog naar de Knuffelberenbeurs
in Ahoy'?

230

Majesteit,

Heeft U gelezen dat in Amsterdam een bedelaar veroordeeld is tot een geldboete? De man, een junk, stond op het Rokin met een bordje waarop hij had geschreven dat hij honger had en vroeg de voorbijgangers een vrijwillige bijdrage in zijn onderhoud. Een agent zag hem bezig en heeft onmiddellijk verbaal opgemaakt. Er is een oud stadswetje dat bedelen verbiedt. Heel goed. De teleurgestelde bedelaar is toen maar weer gewoon aan het werk gegaan en heeft diezelfde avond negen autoradio's gescoord.

Heeft U de agent al op Uw netvlies? Komt 's avonds thuis (Filmwijk Almere) en vertelt zijn vrouw welke heldendaad hij verricht heeft. Hij denkt op die manier in de achting van zijn vrouw te zijn gestegen, maar weet niet dat zij hem al jaren haat en drie keer per week met volle teugen geniet van een zachtmoedige minnaar.

Toen de agent de junk op de bon slingerde stond hij met zijn rug naar de Optiebeurs. Daar was iedereen bezig om met voorkennis van twintig miljoen zwart veertig miljoen wit te maken. Vijftig meter verderop werden in honderden grachtenpanden allerhande listen verzonnen zodat half Wassenaar, Blaricum en Aerdenhout van de fiscus geld terugkrijgt dat nooit betaald is. De rest van de gordel bestaat uit advocatenkantoren en daar wordt hard gewerkt aan het cellentekort. Zo min mogelijk gajes achter de stangen. Tot nu toe lukt dat aardig.

De junk is verslaafd geraakt aan spul dat door Sorgdragertje zelf is geleverd. Hij heeft daar overigens nog een behoorlijke prijs voor moeten neertellen. In de kringen van justitie zit iedereen nog lekker op zijn plek omdat dealer Winnie weet: als ik doe wat ik moet doen dan gaat iedereen praten hoe het echt zit en dan hang ik.

De Tweede Kamer heeft zich hierbij neergelegd en vraagt zich bij de komende verkiezingen hardop af waarom de mensen zo weinig in de politiek geïnteresseerd zijn. Het antwoord is simpel: omdat de politiek niet in de mensen geïnteresseerd is.

Het is het meest onbetrouwbare soort, dat nou eenmaal nooit verder komt dan 'Bolk naait Nijp'. Wist U trouwens dat Jos Staatsen ooit van politieke partij veranderd is om burgemeester van Groningen te kunnen worden? Over machtswellust gesproken.

Heeft U inmiddels ook gelezen hoe onze Europarlementariërs de zaak oplichten? Zelfs de meest gereformeerde GPV'er speelt mee. Even de presentielijst tekenen (scheelt vierhonderd piek) en dan snel wegwezen. Wat een krabbelaars. Is het een goed idee om die Amsterdamse agent over te plaatsen naar Straatsburg om al die bedelaars daar eens aan te pakken? We kunnen hem ook hoofdcommissaris in Apeldoorn maken. Daar heeft het CDA nu een eigen bedelactie opgezet. Als je lid van hun clubje wordt dan krijg je een voordeelpasje waarmee je allerhande kortingen bij de meest gruwelijke middenstand in dat stadje kunt krijgen. Dus je bent CDA'er, koopt in een wanstaltige kledingzaak een christelijk overhemd (model Helgers!) en dan moet je in die volle winkel dat pasje tonen. Het schaamrood schiet toch tot diep in je liezen. Wat een armoe.

Spaart U eigenlijk airmiles? Ik vind het altijd iets ongemakkelijks hebben om die spaarkaart aan die pompbe-

232

diende af te geven, terwijl buiten mijn chauffeur staat te wachten. Ik zeg altijd dat wij ze voor onze werkster sparen.

Veel dank voor Uw uitnodiging voor het kerstdiner. We komen graag. Mijn zoontje vraagt of jullie wel een kerstboom hebben. En mijn dochter wil de garantie dat we geen konijn eten. Zij is acht en vrijt fulltime met haar Flapoor, die ik nu ga melken. Tot volgende week.

Youp van 't Hek

PS Zie ik U dit weekend nog in Hollywood-Planet?

AMSTERDAM, 23 NOVEMBER 1996

Majesteit,

Veel dank voor Uw schitterende schrijven. Wat een hartstochtelijke boosheid. Wat een bont-en-blauwe woorden en wat een lef om dit allemaal aan mij toe te vertrouwen.

U gaat verder dan ooit en U bent daardoor nog meer in mijn achting gestegen. Hebben jullie thuis ook zo gelachen om die KNVB-vergadering? Bij ons was het dweilen. Wat een prachtige proletenkermis. Bij dat soort bijeenkomsten moet U naar het parkeerterrein kijken en weet U genoeg. Uitsluitend pooierbakken. Weet U hoe wij de hernia van Jos Staatsen noemen? Terugklachten.

Een vriend van mij werkt bij de KNVB en kreeg opdracht om de problemen die door alle geldhonger zijn ontstaan, zo snel mogelijk op te lossen. Hij belde met de De Boer & Croon Group. Dat is zo'n managementadviesbureautje dat je kan inhuren als je bedrijf in de problemen zit. En weet U met wie hij werd doorverbonden? Met Jos Staatsen. Die komt voor 4000 gulden per dag troubleshooten! Toen is hij in zo'n onbedaarlijke lachbui uitgebarsten. Hij heeft drie uur lopen gieren door de Zeister bossen. Zelfs de bomen grinnikten mee. Jos Staatsen! De lieve schat kan toch eigenlijk niet meer in het openbaar verschijnen. Zelfs ik begin een zacht pruttelend medelijden met hem te krijgen.

Ik las dat de NOS ook voor de komende drie jaar de uitzendrechten van de Europacup I heeft verworven, dus het wordt een drukke tijd voor de speelfilminkoper van

234

Sport7. De film De Zeemeerman schijnt niet zo duur te zijn.

Binnenkort zegt Jos: 'We gaan iets nieuws doen. Op de woensdagavonden gaan we cowboyfilms uitzenden.' Kunnen we Jos niet benoemen tot directeur van de Kanaaltunnel? Dat we hem de fusie tussen de Erasmusbrug en de 'Chunnel' laten voorbereiden en dan is de eerste aandeelhoudersvergadering in de Arena. Of is die te klein voor zoveel enthousiaste beleggers? We kunnen hem ook iets voor de CTSV laten doen. Daar is Martin van Rooijen, zijn voorganger bij de KNVB, ook met een dik miljoen weggekomen. Maar nu even tussen ons: die Jos kan je toch nergens meer voor gebruiken? Er is toch geen bedrijf dat een advies van deze arrogante ijdeltuit wil? Of ben ik nou gek? Iemand die zowel organisatorisch als juridisch een hele bedrijfstak om zeep helpt, kan toch niet blijven? Die wordt toch door elke trainer met spoed gewisseld?

Weet U wie de KNVB moet bellen om uit de problemen te komen? Mij. En weet U wat ik dan zal adviseren? Stoppen met Sport7. Rechten teruggeven aan de NOS en vanaf 1 januari kunnen we met z'n allen weer gewoon met het bord op schoot drie kwartier naar de eredivisie onder leiding van Mart, Kees en Tommetje kijken. En geen minuut langer dan drie kwartier. Veel beelden, niet te veel gecruijff en gekraay ertussendoor en om half acht lekker Koot en Bie. Die zijn de afgelopen weken namelijk beter dan ooit! Heerlijk toch. De NOS betaalt het bedrag dat ze vorig jaar geboden hebben en dan is die hele mislukking de wereld uit. Het scheelt de aandeelhouders miljoenen, de kijker wordt weer verliefd op het spelletje en Koos Postema is van zijn drankprobleem af. En wat ik voor dat advies vraag? Helemaal niks. Het is gratis en komt van de Van 't Hek Group! Daar zullen ze in die kringen wel van schrikken. Dat een gewoon gezond-verstand-adviesje voor nop komt. In hun draaikontenwereld kost namelijk alles geld. Die auto's moeten namelijk toch betaald worden.

Waarom ik dat advies geef? Omdat mijn vrienden en ik het voetbal terug willen. En niet het product voetbal, maar gewoon het voetbal! En niets anders dan dat.

Maandag kan ik helaas niet fitnessen, dus U zal het een keer allemaal zelf moeten doen. En bid een beetje voor Louis. Hij heeft het zwaar.

Uw vriend in het bestrijden van het Rolex-proletariaat,

Youp van 't Hek

PS Hoe houd je taai taai?

Majesteit,

U wordt geplaagd. Ik voel het aan Uw brieven, lees het in Uw jongste mailtje en merk het aan de telefoon. Er zit iets dwars. Ik weet dat U geen probleempratertje bent, maar mij kunt U het toch wel vertellen? Wat is het? Is het dat toneelstuk Emily? Nee toch? U laat zich toch niet gek maken door een vrolijk stukje amateurtoneel in de Amsterdamse Nes? Een vriend van mij heeft een try-out gezien en hij vertelde dat het uiterst vrolijk en vermakelijk is. Ga anders stiekem incognito en laat U verrassen.

Hoe is het trouwens met Emily? Is het nou waar? Wilt U haar echt niet? Of is het allemaal gissen van de roddelpers? Vliegt het Chinese porselein door het paleis of blijft het nog beschaafd? Wat vindt Claus? Of laat hij het een beetje aan U over? Volgens mij moeten ouders zich nooit bemoeien met de liefdeskeuze van hun kinderen. Als de ouders tegen zijn dan sterkt dat alleen maar de prille relatie. Alle vaders van mijn vriendinnen waren meer dan fel tegen mij. Waarom? Omdat ik in hun ogen een lapzwanserig artiestje was en ze waren bang dat ik later nooit het brood op de planken zou kunnen verdienen. Mijn prille liefdes, midden in hun puberteit, keerden zich tegen het ouderlijk gezag en ik moet bekennen dat ik daar de meest heftige vrijpartijen aan over heb gehouden. Als die vaders niks gezegd hadden dan was de relatie heel vlug een natuurlijke dood gestorven, maar nu hielden wij de boel veel langer brandende om die vader te pesten.

Wat wilt U eigenlijk? Wilt U een burgerjuffie à la Emily of toch liever wat verlopen adel? Staat er niet ergens nog een kleine Röell of een tweedehands Loudonnetje weg te roesten? Mijn indruk is dat U dat soort meer ziet zitten dan de dochter van een beugelboer. Die Emily heeft natuurlijk haar ouders tegen. Een omhooggevallen tandarts, die om de poen naar België verhuist, heeft nou niet bepaald de klasse die je als koningin verwacht. Het is toch armoe. Toch niet rijk genoeg, zeggen wij altijd. Een vet geworden onderaannemer mag naar de buren emigreren, maar een afgestudeerde bekkentrekker niet. En dat U daar moeite mee heeft, snap ik volkomen. Maar die verlopen adel is vaak weer zo tuttig. Die freules en jonkvrouwtjes zijn meestal niet de lachebekjes die een intiem diner een tandje meer kunnen geven. Hoe is dat trouwens in Uw kringen? Heeft U wel eens een lallend etentje dat eindigt met een stevige polonaise op een onvervalste Corry Konings-medley? Of is het toch meer zorgen dat je het toetje haalt en dan beleefd zeggen dat het leuk was? Ik ben zeer benieuwd naar eerste kerstdag. Zijn er nog kledingvoorschriften? Hoe laat kunt U ons hebben? Wie eten er nog meer mee? Doen jullie aan cadeautjes? Is het leuk als ik een mooi wijntje meeneem? En zo ja: wit of rood? Bel het tzt even door. Heeft geen haast. Het moet eerst nog sinterklaas worden.

Nog even iets anders: wilt U morgen naar Ajax-Groningen? Ik kan niemand vinden die met me mee wil. Ik heb een paar seizoenkaarten in de Arena, maar ik moet er tegenwoordig een pretpakket bij doen wil ik iemand nog meekrijgen. Vorig jaar gloeide de telefoon de hele week. De meest vage kennissen belden met de vraag 'of ik nog naar Ajax ging', maar dit jaar is het doodstil. Ik ben nu degene die belt, maar iedereen heeft beleefde smoezen. Het kan vlug gaan met een club. Persoonlijk vind ik het wel goed dat het even minder gaat. Het is lullig voor Ajax, maar er vallen een hoop namaaksupporters af en er komt dan weer plek voor de echte jongens van vroeger. Heerlijk. Verder heb ik weinig deze week. Geluk dat geen van Uw kinderen internationaal vrachtwagenchauffeur is geworden, anders stond hij mooi vast aan een van de grenzen en was het een stil weekend. Hoor graag over Ajax, kus Claus, dans niet te heftig en schreeuw niet te hard want de buren slapen. Knipoog en mazzel,

Youp van 't Hek

PS Zou U Uw hond een chemo geven?

Majesteit,

Het wordt een absoluut grinnikweekend. De Arena veroordeeld, Staatsen uitgekotst en Sport7 failliet. De hoogmoed is uitgegleden over zijn eigen bananenschillen. Soms komt alles toch nog goed. Voor Uw man vind ik het vervelend. U vertelde me vorige week dat hij commissaris is bij KPN en dat dat bedrijf ook aandeelhouder van het leeggelopen kanaaltje is.

Wat mij betreft hoeft de Arena zijn naam niet te veranderen. Ik zou er meteen een sleep-in van maken. Ik blijf van mening dat Ajax netjes zijn huurcontract moet uitdienen en daarna een lekker, gezellig, dakloos voetbalstadion moet bouwen. En als ik schrijf 'voetbalstadion' dan bedoel ik ook een voetbalstadion! Wat dat is? Een voetbalstadion is een stadion waar in de eerste plaats gevoetbald moet worden en waar heel soms en heel misschien wel eens iets anders in zou kunnen gebeuren. Een Kuip dus. En dat stadion moet het Johan Cruijff-stadion gaan heten en moet doordrenkt zijn van Ajax, Ajax en nog eens Ajax. Mocht de Arena toch een andere naam overwegen dan zou ik, gezien het feit dat de bezoekers aan alle kanten worden gerold en leeggeklopt, kiezen voor Hyena.

Staatsen zelf raad ik ook een andere naam aan. Maar ik denk niet dat dat genoeg is. Ik adviseer hem ook contactlenzen, een baard en een toupet te nemen. Alleen op die manier komt hij ooit nog aan de bak.

En Sport7? Dat verdwijnt. Ik zal het braille-bridgen

voor slechthorenden missen.

En dan heeft de KNVB nog een nieuw Sectiebestuur Betaald Voetbal nodig. Als ze maar zo slim zijn om nu weer eens wat mensen uit hun eigen club te kiezen en niet allerlei ijdele Josjes en Sylvia's, ofwel politici en zakenlieden. Gewoon echte voetballiefhebbers!

Verder begrijp ik dat ze hebben onderhandeld met SBS6. Dat was ook een mislukking geworden. Daar werken geestelijke gnomen die even hebben overwogen om met een verborgen camera kinderen uit een ziekenhuis te ontvoeren en dan weet U het wel. Ik durf U niet aan te raden om ooit naar hun programma *Over de rooie* te kijken, daar ik bang ben dat U zich dezelfde avond nog zal verhangen.

Als U zin heeft in champagne moet U zondagavond bij me langskomen. We knallen om 24.00 uur alle schilderijen van de muur. Deze morele overwinning laat ik me niet afnemen. Heerlijk.

Timmer deed schitterend zielig, maar er kwamen alleen maar jokkebrokken uit zijn mond. Hij geloofde in de goede bedoelingen van het sectiebestuur en in één keer begreep ik waarom Philips zachtjes naar de afgrond drijft. Hij had het over 'voetballiefhebbers' en toen ging hier thuis spontaan het alarm af.

Toch ben ik zondag ook verdrietig. Waarom? Omdat ik een zoontje van zes heb met hele grote huildruppels achter zijn brillenglazen. Hij snikte donderdag harder dan Ronald de Boer na zijn overwinning tegen die Zwitsers. Wat er gebeurd is? Het bestuur van zijn school had bedacht om dit jaar geen negers te kwetsen en Sinterklaas kwam in zijn klas met een groene, een blauwe en een diarreekleurige Piet! Zelden heb ik zo'n belachelijke en vooral zielige vertoning gezien. Daarbij is het nog een gotspe ook. U moet weten dat mijn kinderen op de witste school van Amsterdam zitten en dat de enige allochtonen die de politiek-in-orde-ouders kennen hun grachtengordelhuizen voor zeven gulden per uur schoonmaken. Zwart uiteraard. En dat volk bedenkt dat een zwarte Piet discriminerend is. Weet U wat racisme is? Om bij een zwarte Piet überhaupt aan een neger of een Turk te denken. Dan deug je niet. Iedereen is krankzinnig en sinds ik weet dat we binnenkort bij Tilburg een honderdzeventig meter hoge Skiramide met echte kunstsneeuw krijgen, weet ik helemaal zeker dat sterven steeds minder erg is.

Teder weekend,

Youp van 't Hek

PS Dank voor Uw gedicht. Leuk rijm: Staatsen de melaatse.

Majesteit,

Dank voor Uw hilarische fax. Het zijn inderdaad dingen die U in het openbaar niet hardop kan zeggen, maar ik vind het woord 'gajes' nog te lief. Ik begrijp dat U ook het programma Reporter hebt gezien.

Dat was toch op zijn zachtst gezegd onthutsend. Dus Sylvia Toth kende als bestuurslid van de KNVB alle aanbiedingen van HMG tot NOS en de klus ging naar Endemol, waar zij commissaris is. Kan je daarvoor niet worden opgepakt? En de KNVB haast zich nu om te melden dat onze Syl niet heeft meegedaan aan de onderhandelingen over de televisierechten. Dus ze zat er voor de kat z'n kut bij. Weet U wie volgens Timmer de schuld is van de ondergang van het kanaaltje? De cabaretiers en columnisten. Als dat zo is, kom ik zeker in de hemel. Als ik bij de poort aan Petrus vertel dat ik Staatsen, Timmer, Ruud Hendriks, John de Mol en Sylvia Toth genaaid heb, gaat de rode loper uit en krijg ik de mooiste skybox met uitzicht op God zelf. God houdt namelijk van voetbal.

Heeft U ook gelezen dat Endemol zijn skybox in de Arena gaat verkopen? Ik heb besloten dat besmette hoerenkamertje over te nemen. Wat ik ermee ga doen? Elke week mogen er van mij tien zwervers zitten. Voorwaarde is dat ze stinken, schurft hebben en open tbc. Ik zal ze uitleggen dat ze in het restaurant zoveel mogen eten als ze willen. Alleen niet van hun eigen bord. Ze moeten de zalm en de kaviaar van de borden van de andere gasten graaien, hun glazen leegdrinken en alles in de gezichten van dat volk terugkotsen. Uit diepe minachting.

Die Staatsen is niets anders dan een ordinaire poen-pooier en een hele domme manager. Heeft U inmiddels de brief van Wijers over de televisierechten gelezen? De manier waarop Staatsen het wilde doen was verboden. En dat stond in artikel 1 van het besluit op de horizontale prijsbinding. Ik herhaal: artikel 1. Dus niet in artikel 349c, dat je na een dag of wat studeren even over het hoofd hebt gezien omdat je contactlenzen van vermoeid-heid door je ogen zwommen, maar in artikel 1! De jurist die erop studeert vraagt ongeveer 4000 gulden per dag. Het uurloon van Koos Postema. Voor het voorlezen van 'Cambuur-Veendam 0-0' heeft Koos in vier maanden bijna zes ton gekregen. 0-0 stond voor het kijkcijfer.

Zelden heb ik zoveel mensen opgelucht zien ademhalen als afgelopen weekend. Heeft U gezien hoe de zender afsloot? Ze bedankten de kijkers, maar die s achter 'kijker' vond ik overdreven. Als ik Leo Driessen was geweest had ik gewoon gezegd: 'Mama bedankt, we houden ermee op!'

Zou die Staatsen nou weten hoe hij door iedereen wordt uitgelachen? Is hij zich bewust dat hij met de maffia in zee is geweest en dat hij behalve bij Endemol nergens meer aan de bak komt? Of is het inderdaad de domme ijdeltuit die nog even dreigde om te blijven? Als hij dat had gedaan was ik met de harde kern van Ajax en Feyenoord langs zijn huis gegaan.

Ik hou van een gebakje maar dat betekent niet dat je me elke dag een taart door mijn strot kan douwen. Ik wil één keer per week een petitfourtje en daar wil ik drie kwartier over doen. En het moet op het niveau van de eredivisie zijn. Helmond Sport-TOP Oss interesseert me geen seconde. En als je dat als voorzitter van Helmond

Sport niet snapt dan ben je oliekoekendom en wordt het tijd dat Helmond Sport wordt opgeheven. En als je je als voorzitter wilt handhaven omdat al die autistische club-voorzittertjes (inclusief Philips-marionet Van Raay) zeggen dat je moet blijven, dan ben je nog dommer dan ik al dacht.

Majesteit, sorry dat mijn toon deze week zo boosaardig is, maar ik ben als voetballiefhebber tot in het diepst van mijn ziel gekwetst door een setje ordinaire oplichters onder leiding van John de Mol jr.

Veel succes op de kerstkransvlechtcursus en jaag een beetje zachtjes. Probeer eens gepunnikte kogels,

Youp van 't Hek

ps Las een nieuwe naam voor de Arena: Plaggenhut.

245

Majesteit,

Hoorde U wel drie keer op mijn antwoordapparaat, maar steeds als ik terugbelde was U weer even een blokje om met de honden. Moet ook gebeuren.

Is het niet te laat geworden maandag? Sorry dat de wijn een beetje aan de koude kant was, maar U overviel me. Ik moest hem snel uit de kelder plukken. We moeten oppassen. Er scharrelen de laatste tijd roddelbladfotografen rond ons huis en volgens mij hebben ze er lucht van gekregen dat U hier af en toe wat stoom komt afblazen. Ik zou me er niks van aantrekken. Kan ons het schelen. We doen toch niks illegaals? Wat is er nou tegen een warme vriendschap? Vond bij de post Uw kribbige briefje. Neem alles toch niet zo zwaar! Negentien fout in het Nationaal Dictee vind ik niet slecht. Zelf zat ik op zeven. Vannacht surfte ik op het web en kwam op de homepage van een vereniging van hoogbegaafden (hint) terecht. Daar schreef iemand dat hij zo'n last had van zijn hoogbegaafdheid omdat hij met alles veel sneller was dan de rest. De schat had in zijn stukje van zeven regels drie dikke taalfouten gemaakt. Lief hè?

Ik vind U zo somber de laatste tijd. Maandagavond was U ook al zo donker over die bommelding in de Nieuwe Kerk. Dat is gewoon lafbekkenwerk of een studentengrapje. Er is toch niks gebeurd?

Wel leuk dat iedereen in Uw paleis mocht wachten. En wat grappig dat dat grote gebouw werd opengemaakt met zo'n lullig Lipssleuteltje. Dat zijn voor mij de smuldetails die het leven aangenaam maken. Het was nog leuker geweest als het sleutelbosje uit Uw eigen handtasje was gekomen.

Heb inmiddels Uw kersttoespraak gelezen en volgens mij is hij zo goed. Ik zou alleen iets minder star formuleren. Het is af en toe zo stroef. Er mag iets meer Albert Cuyp-taal in. De passage over zinloos geweld zou ik schrappen. Zeker nu bekend is geworden dat Alex en zijn vriendjes een slordige achthonderd suf gevoerde zwijntjes ontzield hebben. Het gerucht gaat dat Alex in deze zaak vrijuit gaat omdat hij op drie meter afstand nog geen olifant raakt. Hij mag mee voor spek en bonen, maar hij organiseert het wel. Zet zijn horloge nou eens op 1996 en vertel hem voor mijn part via de radio dat dat afgelopen moet zijn. Hij weet dat toch zelf ook wel? Je hebt tegenwoordig hele leuke computerspelletjes met zwijntjes die je uitschateren als je misschiet. Ik neem er eerste kerstdag wel eentje mee en leg het voor hem onder de boom. Mag hij het meteen uitproberen.

Verder vind ik de toespraak goed. Die hint richting Staatsen en Diekstra is erg leuk. Ben het trouwens met U eens dat ik nu over Jos op moet houden. De man is al genoeg gestraft en inderdaad: hij is zielig. Ik beloof U dan ook dat mijn pen komend jaar over hem zal zwijgen. Wel onder één voorwaarde: dat ik van hem ook niks meer hoor.

Heeft U gelezen dat Sport7 nu 200 miljoen van de KNVB wil? Dat is het juridische spelletje en het komt uiteindelijk op 0 uit. Het is allemaal zo simpel. Van de aandeelhouders en bestuursleden hoeft na deze mislukking niemand te verhuizen en ze eten er de komende kerst geen fazantje minder om. Alleen een deel van het Sport7-voetvolk komt in de financiële problemen, maar misschien snapt de man van de hypotheekafdeling van de ING heel goed waarom die technicus hopeloos achter is met betalen. Hoe het komt? Omdat hij ooit de top van deze iets te ambitieuze bemoeibank vertrouwde!

Verder heb ik weinig. We zullen eerste kerstdag rond vijven bij U zijn en ik moet U zeggen: we hebben er zin in. Naar aanleiding van Peru een klein adviesje: fouilleer de obers! Ik zal een beetje op mijn woorden letten in verband met Uw moeder, maar volgens mij kan ze wel wat hebben.

In elk geval tot woensdag. Uw piek, engel en herder tegelijk,

Youp van 't Hek

PS Als alle overstreste veertigers hard met hun hoofd schudden hebben we alsnog een witte kerst.

Majesteit,

Een zachtzoemende kater is de grondtoon van deze brief. Wat een heerlijke kerst. Mooie stemmige kerstavond, prachtige nachtmis met een vrolijke pastoor ('Tegen sommigen zeg ik: tot zondag, en tegen de rest: tot volgend jaar!'), een hartverwarmend circus in Carré, een heerlijk diner bij U en een feestelijke tweede dag bij ons thuis.

Vanaf mijn rijkgevulde dis zag ik wat gordelzwervers langstrekken en eerlijk is eerlijk: het is en blijft een prachtig decor voor een mooie kerst. Zo'n dampende dakloze met zijn hele bezit op een winkelwagentje, terwijl jij nog een blokje op het vuur flikkert. Charles Dickens huurde altijd iemand in als hij ging kerstdineren. Die moest onder zijn raam gaan liggen en om de paar minuten 'hungry, hungry' roepen. Dat verhoogde de feestvreugde en deed het voedsel veel beter smaken. Na afloop kreeg de man een aalmoes en het eten dat over was.

Ik vond de avond bij U ook heerlijk. Ouderwets tranen gelachen. Vooral om Uw omschrijving van al die janjurken die zo raar gaan doen als ze in Uw buurt komen. De anekdote over de nerveuze burgemeester van het Zeeuwse stadje zal ik nooit meer vergeten. Sorry dat ik opeens met de lege soepterrine door het paleis sjouwde, maar bij ons thuis geldt de ouderwetse regel: nooit met lege handen naar de keuken. Dat is bij U natuurlijk anders met al die obers om U heen. Dat was trouwens het enige waar ik een beetje zenuwachtig van werd. De hele tijd die jojo's aan je tafel. Wist trouwens niet dat Uw man zo hard kon lachen en zo perfect Ruud Lubbers kon imiteren. Echt weergaloos.

We dwarrelen richting 1997 en voor mij was het afgelopen jaar fantastisch. Ik heb de graszaaier van de Arena, de architect van de Erasmusbrug, Staatsen, de aandeelhouders van Sport7, Pillenbolk, Winnie S. en René Diekstra als dank een magnum Franse bubbels gestuurd. Want ze hebben mij een prachtig jaar bezorgd. Vorige week speelde ik in de schitterende schouwburg van Leiden en het gerucht ging dat Diekstra een avond in de zaal zat. Dus zullen we binnenkort wel een lollig boekje van hem kunnen verwachten. Of zal het zijn dubbelganger zijn geweest? Iemand die doet of hij Diekstra is. Dan wordt het helemaal moeilijk. Zielig dat hij die prijs moet teruggeven. Ik begrijp dat het beeldje terug moet en hij het geld mag houden. Dat laatste snap ik niet. Terugstorten is toch een kwestie van overschrijven en dat is het enige wat hij goed kan. Weet U hoe het kerstdiner bij de familie Diekstra was? Fotocopieus.

Maar om het hele KNVB-spektakel heb ik afgelopen jaar het meest gelachen en reken erop dat de komende tijd alleen maar erger wordt. Ze rollebollen nog steeds over straat en spekken de kassen van de advocatenbureaus, waar hard en hevig wordt geschaterd. Wat een heerlijke ordinaire soap, maar ook jammer. Want voetbal was leuk tot het in handen kwam van de smakelozen, de zogenaamde wegwerpmanagers.

Het was ook het jaar waarin ik mijn laatste sprankje hoop in de politiek heb verloren. Triest maar waar. Het heeft mijn leven wel makkelijker gemaakt. Komend jaar licht ik met een tiental BV'tjes de fiscus aan alle kanten op. Als ik gepakt word en voor de rechter moet verschijnen, kom ik gierend van de pret met het Van der Valk-vonnis de rechtszaal binnen. Wie maakt me nog wat? Ik zal niet meer krijgen dan een week of wat bejaarden om-pamperen en dat heb ik er graag voor over. En als ie-mand vindt dat ik moet aftreden, zal ik citeren uit het IRT-rapport van Maarten van Traa en zeggen dat ik hooguit overgeplaatst kan worden. Meer niet. We worden het pa-radijs van de zakkenvullers. Zijn er nog principiëlen? Een paar. Waar ze zijn? Die lopen op eerste kerstdag dakloos te dampen achter een winkelwagentje, terwijl U en ik nog een blokje op het vuur flikkeren.

Mooie wisseling, veel bollen en nog meer flappen,

Youp van 't Hek

PS Ik bel nieuwjaarsnacht om kwart over twaalf, anders treffen Uw ouders U in gesprek.

Majesteit,

Lijkt me vreemd. U in donker Afrika, terwijl Uw onderdanen staan te shaken van de Elfstedenkoorts. Het is weer zover. Als U deze brief leest, is de opvolger van Evert van Benthem reeds bekend. Zelf voel ik ook dat het bloed iets sneller stroomt dan op andere dagen. Lekkere kriebel. Weet U hoe dat ook komt? Door Henk Kroes en zijn medebestuursleden.

Na maanden voetbalproleten met hun poenige Sport7-problematiek is het een verademing om een aantal aardige, beschaafde Friezen op de televisie te zien. Ik was zelfs zacht ontroerd. Leuke bestuursleden met zo'n nuchter rayonhoofd, die alles relativeren tot dat wat het was, is en blijven moet: een volksfeest. En het lekkerste is: de Elf- stedentocht is niet te koop. Gisteren heeft heel ondernemend Nederland met zijn geldgrage handjes het nummer van Henk Kroes getoetst, maar de vereniging De Friesche Elfsteden houdt voet bij stuk en weigert van deze mooie traditie een product te maken. Schitterend volk die Friezen. Daarom is Heerenveen zo'n leuke voetbalclub met een klein, rendabel en vooral gezellig stadion. Spiksplinternieuw en zonder skyboxen! Hup Friesland.

Uw oudste zoon komt er trouwens ook mooi onderuit. Hij heeft mazzel dat hij samen met opa op bijgevoerde impala's loopt te jagen. Anders had hij weer gemoeten en eerlijk is eerlijk: wij thuis denken dat ons kroonprinsje de tweehonderd kilometer na een riant Leids corpsballenleven niet meer had getrokken. Ikzelf trouwens ook niet. En ik heb niet eens gestudeerd. Ik ben ongeschoold dik.

Eerlijk gezegd ben ik ook een beetje ontdaan. Donderdagavond was het programma Zembla op de televisie en daarin werd duidelijk wat bijvoorbeeld de omroepen en televisieproducenten verdienen aan Foster Parents Plan. Je schaamt je rood als je het hoort. Onthutst heb ik met Hein Kolk, de directeur van Foster Parents, gebeld om te horen dat het niet waar was, maar het is waar. Hij legde mij uit dat het voor hem de meest rendabele manier is om aan geld te komen en dat dat zijn werk is. Ik geloof hem.

Ik durf echter niet naar Aalsmeer te bellen om te vragen hoeveel ze aan die hongernegers overhouden en ik vrees dat ze het mij ook niet zullen vertellen. Ze zullen mij uitleggen dat ze een productiebedrijf hebben en gewoon hun werk doen. En ze zullen vertellen dat ze voor het maken van televisie, ongeacht het onderwerp, gewoon hun prijs berekenen en dat Foster Parents ook met andere televisiemakers in zee kan gaan. Volgens de directeur van Foster Parents wil de publieke omroep niets voor ze doen.

Ik word er zo moedeloos van. Dus als U Uzelf morgen uit het hutje van Uw Foster Parents-kindje kluunt, dan moet U zich realiseren dat er in Nederland door mensen aan dat hutje is verdiend. Er hebben mensen in het Gooi hun badkamer laten verfraaien en een deel van die verbouwing komt uit de winst die gemaakt is bij het maken van een programma om adoptiefouders te werven voor deze crepeerhutu's. Voor de zekerheid herhaal ik de regel nog een keer: er hebben mensen in het Gooi hun badkamer laten verfraaien en een deel van die verbouwing komt uit de winst die gemaakt is bij het maken van een programma om adoptiefouders te werven voor deze crepeertutsi's.

Wilt U terug in het vliegtuig heel lang op deze regel kauwen, Uw tranen de vrije loop laten, het daarvoor bestemde zakje volkotsen en aan de gezagvoerder vragen of hij waar dan ook een noodlanding wil maken. Als U maar niet hoeft terug te keren in het land waar dit soort dingen echt gebeuren. Endemol is naar de beurs en de winstprognose is hoger dan ooit. Ik wil naar een wak in Sneek om mij ritueel te verdrinken, maar helaas: ik heb geen sponsor.

We faxen,

Youp van 't Hek

PS U draagt daar toch wel een hoedje tegen de zon? Doen hoor.

Majesteit,

Weer terug dus. Uw telefoontje uit Kenia mislukte. Ik hoorde alleen maar geruis en soms een flard van een halve lettergreep, vandaar dat ik op een gegeven moment maar heb opgehangen. Was niet onbeleefd bedoeld.

Ik probeerde U uit te leggen dat een spruitjesboer uit Alphen de Elfstedentocht had gewonnen en dat de tocht weer zo'n succes was. De organisatie had een hele goeie truc uitgehaald. Ze lieten Erica regelmatig langs de route los en zij dreigde continu de deelnemers te gaan zoenen. Het werkte. Iedereen begon als een gek te schaatsen. De eerste die ze erotisch aankeek was de postbode Piet Kleine bij de stempelpost in Hindeloopen. Wegwezen, dacht Piet en had de diskwalificatie er graag voor over. Vreemd dat bij die natuurijstypes altijd het beroep erbij genoemd wordt en dat het meestal van die agrarische kinkels zijn. Grasdrogers, wilgenknotters en rietkraagplanters. Wel leuk.

Hebben Uw ouders mijn fax ontvangen? Zestig jaar is lang. Goed idee om dat ver weg te vieren. Hier verschenen veel analyses van het diamanten huwelijk in de serieuze pers. Hordes deskundigen op de opiniepagina's en veel NOVAdocu op de televisie. Toch had ik steeds het gevoel of ik rioolrat Henk van der Meyden las en hoorde. Greet H. werd weer eens uit de kast gehaald, de Lockheed-affaire nog maar eens een keer afgestoft en iedereen kakelde zijn eigen deskundige steentje bij.

255

Een drietal incidenten in zestig jaar. Ik vind dat heel weinig voor zo'n lange tijd. Een normaal doorzonhuwelijk kent veel meer luwtes, botsingen, aanvaringen en loopgravenperiodes. Er werd vooral gerept over een 'verstandshuwelijk'. Nou en? Is niet elk huwelijk een verstandshuwelijk? Een koningshuisdeskundige met zo'n Pro Juventute-hoofd vertelde op de televisie dat Uw vader in de warme vleugel van Soestdijk slaapt en Uw moeder in de koude. Dat is toch informatie op het ranzige niveau van *Story* en *Privé*! En wat is er tegen gescheiden slapen? Uw ouders wonen gewoon zo comfortabel dat zij het zich kunnen permitteren. Half Nederland raakt elkaar na tien jaar huwelijk niet meer echt aan, maar moet nog wel grasdroog naast elkaar liggen omdat ze te klein behuisd zijn. Dat is veel erger. Dus waarom niet gewoon zo ver mogelijk uit elkaar? Heel verstandig.

Uw ouders verdienen duizend lintjes. Iedere stap die ze in hun leven gezet hebben is genoteerd, gefilmd en gefotografeerd. Een heel volk heeft zestig jaar lang gekoekeloerd naar alles wat die lieve mensen deden. Zelfs Uw ouders grootste wanhoop is niet aan het volk voorbijgegaan. Uw moeder was een tijdje terecht in de war door de handicap van Uw jongste zusje, haalde een beetje vage pacifiste in huis en werd door iedereen uitgelachen. Het volk en de regering waren het eens: die Greet was gek en moest weg.

Maar nu krijgt datzelfde volk wekelijks een spiritueel orgasme bij Jomanda in Tiel, volgt een Tibetaanse schalentherapie in Oibibio en doet elkaar de meest vage Celestijnse beloftes. Ondertussen kijkt geen wilgenknotter meer raar op als Uw eigen zus dolfijn met een paar bomen staat te discussiëren over de reïncarnatie van biseksueel plankton. Kortom: Uw moeder was haar tijd ver vooruit. Gisteren las ik een interview met ons nationale toneelgenie Gerardjan Rijnders in de Volkskrant en ik kan U zeggen: met Uw moeder was in de jaren vijftig niks aan de hand. De grenzen van de gekte lagen toen alleen anders. Vandaar.

Doe mij een lol en hou een keer een kersttoespraak waarin U afrekent met al deze ranzige pseudo-intellectuelen die de opiniepagina's van NRC, de Volkskrant en andere politiek correcte kranten volkalken en hang de vuile was van hun huwelijken even buiten. Dan moet je ze eens horen. Neem één ding van mij aan: in een land van louter schijnhuwelijken hebben Uw ouders een wereldrelatie.

Zie U maandag en neem dit keer wel Uw noren mee en niet weer die tuttige Sjoukje Dijkstra-glijers. Ik schaamde me dood,

Youp van 't Hek

PS Zijn de paddo's bij U nu ook zo duur?

Majesteit,

De slaap laat op zich wachten in Groningen. Ik heb mijn vaste kamer in hotel De Doelen en kijk uit over de Grote Markt. Inderdaad: dezelfde Grote Markt als van Monopoly. Kent U het helemaal uit Uw hoofd? Bij ons thuis was dat vroeger een spelletje tijdens het kerstdiner: uit je hoofd het Monopolybord opnoemen. Of alle steden opnoemen waar deze eeuw de Olympische Spelen zijn gehouden of alle atletiek- en zwemuitslagen van Tokio '64 of de opstelling van Brazilië tijdens de WK voetbalfinale in '58, enzovoort. Dat zijn grote-gezinnenspelletjes.

Er lalt een student onder mijn hotelkamerraam. Hij is al een half uur bezig om zijn fiets te bestijgen. Prachtig beeld. Heb onmiddellijk last van verschrikkelijke heimwee. Hij doet me denken aan de student van de vereniging Albertus Magnus, een leuke studentenclub hier in de stad. Ik had daar ooit opgetreden en verliet vroeg in de ochtend samen met een vriendin hun pand aan de Brugstraat. Het was vogelfluit-tijd. Bij de deur werd ik opgewacht door een dronken student die mij toesnauwde dat ik een giga-eikel was. Ik zei dat ik het goed vond en dat vond hij helemaal verschrikkelijk: dat ik me zomaar door de eerste de beste student liet uitschelden. Nu was ik helemaal een watje. Toen ik zei dat ik volledig akkoord ging met zijn mening, vroeg hij of ik van moes was. 'Misschien wel,' sprak ik fris en monter. Dat maakte het alleen maar erger. Ik was de grootste kutcabaretier die hij ooit had gezien en nu liet ik me ook nog willoos

258

naar de slachtbank leiden.

Het was mij om het even. Ik wilde naar mijn hotel en vond letterlijk en figuurlijk alles best. De dronken Albertiaan heeft mij op grandioze wijze begeleid naar mijn hotel. Mijn vriendinnetje en ik op de ene stoep en hij scheldend aan de andere kant van de straat. Het is een kleine tien minuten wandelen en in die tijd heeft hij mij voortdurend uitgescholden zonder ook maar één keer een woord te herhalen. Alle woorden kwamen langs. Van geitenneuker tot kloothommel en van baggerduiker tot kotsviool. Zeker negentig nieuwe scheldwoorden heb ik op die anderhalve kilometer geleerd. Toen ik mijn hotel inging, bleef hij voor de deur staan en heeft nog minstens een half uur onder mijn raam staan roepen. En nog steeds een gloednieuw arsenaal van scheldwoorden, het was een prachtkanonnade. Wij vreeën op een ritmisch hufter, terpentijnpisser en hoerenloper. Na een half uur gaf hij het op. Hij verdween pruttelend in de verte en ik vond het bijna jammer.

Dit verhaal is inmiddels een kleine vijftien jaar oud en ik weet zeker dat de man in kwestie het nog net zo goed weet als ik. Dus ergens in ons land zetelt een keurige advocaat of een chique chirurg en niemand weet dat hij ooit bijna een uur lang vloekend en tierend achter een cabaretiertje aan heeft gelopen. En als hij dit ooit leest weet hij dan pas dat de cabaretier het die avond heerlijk vond en zijn halve repertoire aan hem te danken heeft. Soms is het leven fladdermooi. Ik ga slapen en over oude liefdes dromen. Dat droomt vaak het lekkerst. Zie U morgen bij de postduivenfysio, ondertussen veel liefs en weinig schipbreuk van

Youp van 't Hek

259

Majesteit,

Bengaalse tijgers in mijn hoofd, vliegdekschepen, ik ski op de boezem van Tatjana Bavaria (zwarte piste) en zie hoe ons konijn Flapoor de lievelingsbeer van mijn dochter neemt. Kortom: koorts. Veertig nog wat. Zelfs denken doet pijn. Slapen is de enige remedie. Overal scherven, naalden en prikkeldraad.

Om het uur een zeiknat T-shirt. Bij mijn bed staat een enorme lading medicijnen. Het lijkt het kerstpakket van Frits Bolkestein. Tussen het slapen door stamel ik me door de kranten, radio en televisie.

Ik kijk naar een doorzonwoning in Hoofddorp waar drie kinderen door hun eigen ouders zijn vermoord, klam, tref dolfijnen en flamingo's in Rotterdam, warm, zie op AT5 een vrolijk dansende Amsterdamse GVB-directeur en hij heeft zo te zien net de winstcijfers van zijn fraudevrije bedrijf gehoord, heet, ga via de heerlijke Knesseth en het rumoerige Lagerhuis naar onze lege, saaie en slome Tweede Kamer, bezweet, zie een mevrouw met een winterdepressie met een bureaulamp op haar hoofd bij Paul de Leeuw praten over de Vereniging van Winterdepressiepatiënten en begrijp dat die mensen allemaal met een brandende bureaulamp op hun hoofd zitten, doorweekt, lees over verminkte Indiase kinderen die in Mekka moeten bedelen en hun geld moeten afstaan aan een soort Randstad Koppelbazen van Bedelkinderen, klappertanden, hoor een arts zeggen dat hij tussen de dertig- en de veertigduizend – een redelijke provinciestad – abortussen heeft gepleegd, rillerig, hoor dezelfde arts zeggen dat alles een reden voor abortus is, zelfs als het buiten regent, wimperpijn, ook een handicapje telt, scheef vingertje, gemist klein teentje of een onregelmatig oorlelletje, steenkoud, in elk geval hoeven ze nooit in Mekka te bedelen, scheuten, hoor honderdduizenden Serviërs op een fluitje blazen, steken, vossen met een lintworm, scheermesjes, zie Van Mierlo op één dag landen in Lissabon, Rome en Athene, malariagevoel, mannen gaan voor duizend gulden met hun schoonmoeder douchen in een programma dat *Over de rooie* heet, angst, Jan Vayne gaat inclusief Head & Shoulders naar de inauguratie van Bill, schimmen, Frank Govers complimenteert God met haar 'mooie bloeze', koorts, er worden varkens genetisch gemanipuleerd zodat hun hart later in een mens kan worden geplaatst, klopgeesten, een eenzame ballonvaarder krijgt geen toestemming om over Russisch grondgebied te zweven, schroevenhoofd.

Dit gaat door mijn zieke kop en ik voel me belabberd. Schaam me ook voor deze koortsbrief. De woordspeling 'ijlbode' valt me binnen maar zal mijn voorstelling niet halen. Die heb ik trouwens afgezegd. Had net een heerlijke serie in het Rotterdamse Luxor. Maar ik haal hem in. Hoe doet U dat? Laat U wel eens verstek gaan voor een gietijzeren griep? U verdwijnt toch ook wel eens een dag of wat onder de koninklijke wol? Of penicillient U het altijd van U af, zodat U weer hoentjesfris kan lintenknippen? Nee toch? Ziek is ziek. Koningin of geen koningin. Alles is betrekkelijk en zeker dat. Ik sluip weer snel onder het eendendons, laat de trollen door mijn dromen krijsen en zie een Arena vol juichende embryo's.

De televisie danst langs het plafond, de krant dwarrelt over de gracht en de radio stereoot door mijn hoofd. Ik ijl en merrie mij de dag door. Niks is waar. Oké, één ding: dat van het konijn en de beer. Dat doet het namelijk ook als ik gewoon zevenendertig heb.

Ik ga maandag niet mee tennissen en zeg C. dat ik dinsdag naar zijn nieuwe Märklin-locomotieven kom kijken. Volgende week weer de waarheid zonder koorts.

Youp van 't Hek

PS Ik zag een hoogleraar 'verliesverwerking' op de televisie. Iets voor Ajax?

Majesteit,

Heeft U ook dat verslag van de begrafenis van Frank Govers gelezen? In een van de kranten stond dat het nogal irritant was dat veel mensen hun buzzer en mobiele telefoon aan hadden staan. Het was een gepiep van jewelste in de zo prachtig aangeklede Obrechtkerk. Neemt U ook altijd Uw gsm mee naar een begrafenis? Ik wel. Je moet toch bereikbaar zijn. Misschien zat er tussen de libertelletjes wel een soap-acteur die tijdens het Requiem van Fauré gebeld werd door het reclamebureau van Unilever met de vraag of hij de commercial van Robijn Intensief wou overnemen. Anders had hij die schnabbel mooi gemist. Sterker nog: misschien kende de soap-acteur onze eigen Frank Govers niet eens, maar was hij naar de begrafenis gegaan omdat hij wist dat daar een hoop paparazzi-fotografen waren. Hij was er alleen maar om in de bladen te komen. Dat verstevigt je marktwaarde.

Zal onze beschaving ooit worden opgegraven? En wat denkt men dan? Zal de conclusie zijn dat heel Europa aan het einde van de twintigste eeuw besmet was met BSE zonder dat men het doorhad? En dat dat een van de symptomen van de ziekte was: zelf niet weten hoe ziek je bent.

Tast de ziekte je gevoel aan? Verdooft zij de zenuwen die de traanklieren activeren? Als dat zo is, dan ben ik besmet. Niets raakt me nog. Ik kan een kudde uitgemergelde hongernegers door een Afrikaanse woestijn zien dolen zonder dat er iets in me beweegt. Ik grijp niet naar mijn chequeboek, begin niet te vloeken en mijn ogen blijven kurkdroog. Sterker nog: ik zap door en kom in een discussie over abortus. Ik hoor de stelling dat het afbreken van een zwangerschap omdat de moeder op wintersport wil inderdaad een beetje overdreven is, maar dat een stevige zomervakantie wel degelijk een goede reden is. Mist de vrucht een pink dan mag hij of zij blijven, maar bij het ontbreken van een duim mag de abortusarts gaan afzuigen. Zonder duim kan een kind later niet liften en daardoor kan het in grote psychische problemen komen. Ik blijf volledig droog en zap verder. Ik zie bij NOVA een psycholoog en hij vertelt over een experiment. Hij is de baas van een kliniek vol mensen met seksuele knoopjes en daar gaat een mevrouw met de patiënten naar bed om hen op die manier te genezen. De mevrouw komt ook aan het woord. Zij is een zandgebakje dat het niet slecht zou doen in een reclame voor incontinentieverband, oftewel damespampers. Zij vertelt dat het met de pedofiel niet echt lekker ging en eerlijk gezegd: ik begrijp die pedo wel. Zelfs een hetero als ik zou bij het zien van die mevrouw onmiddellijk een kleuterschool bespringen. Met de man die veroordeeld was voor diverse geweldsdelicten ging het stukken lekkerder. Is gevangenisstraf niet meer genoeg?

Daarna discussieert de psycholoog onder leiding van Maartje met een collega die er iets sceptischer tegenover staat. Ik kijk en merk aan mezelf geen enkele emotie. Geen lach, geen traan, geen zucht. Niks. Vroeger kneep ik in mijn arm om te voelen of het waar was. In ergere gevallen beet ik de binnenkant van mijn wang stuk. Ik wilde dan zeker weten dat ik niet naar Ederveen, Koot, Bie of Jiskefet zat te kijken. Doe ik niet meer. Ik weet: ik kijk naar de werkelijkheid. Het is allemaal waar.

   Donderdagnacht had het radionieuws het over veertig ton gemalen kippenvlees dat naar een of ander land gebracht was en er zat salmonella in. Veertig ton gemalen kippenvlees. Veertigduizend kilo gemalen kippenvlees. Met salmonella. Ik heb de auto een kwartiertje stilgezet en ben daarna op de snelweg in dichte mist gaan spookrijden. Maar iedereen ontweek me. Zelfs botsen lukt niet meer.

   In tranen,

Youp van 't Hek

PS Er was een spijbelbegeleiderssymposium! Zullen we gauw weer eens scrabbelen?

Majesteit,

Gefeliciteerd met Uw 59e verjaardag (je ziet het niet hoor!) en met het nieuwe stukje land. Over tien jaar komt er een eiland voor de kust en daar leggen we een vliegveld op. Leuk cadeautje. Voor dertig miljard hebben we het. Ik vind het allemaal best. Ons land is gewoon te klein voor zoveel welvaart. We moeten bijbouwen. Misschien is het een idee om binnen nu en twee eeuwen een etage op ons land te zetten. Arbeiders, allochtonen en uitkeringen beneden en wij, de upper class, boven.

We barsten echt uit onze voegen. Als het een flard mist knallen er onmiddellijk honderd auto's op elkaar. In het Twentse Haaksbergen kruipen alle inwoners als commando's over de grond en zoeken op die manier dekking tegen de rondvliegende balletjes van golfbaan Het Langeloo. Hele domme beginners staan daar namelijk te oefenen op de driving range en lellen de projectielen bij de buren door het zolderraam. Een heel hoog net helpt niet en een hoger net mag niet, omdat daar de vogels in verstrikt raken. En het is niet alleen een weekendprobleem. Heel Nederland vut en staat zeven dagen per week vanaf 's morgens acht uur op de golfbaan tegen kleine balletjes te hengsten. Een reddeloos, redeloos en radeloos volk.

Uw land wordt echt te klein. Dat bleek afgelopen week op het hondenpoepcongres in de Rotterdamse Doelen. De Nederlandse Vereniging van Reinigings Directeuren deed met deze bijeenkomst een poging om het honden-

266

poepprobleem een prominentere plek op de politieke agenda te geven. Het woord 'congres' klinkt goed. Henk Terborg, milieuambtenaar van de gemeente Veenendaal, telt nu ook mee. Hij had een congres! Het hele woonerf heeft minstens twee keer per jaar een meeting, cursus of seminar en Henk was nog steeds de congresloze sukkel met een broodtrommeltje. Maar nu hoort ook Henk erbij. Henk had een heuse hondenstrontmeeting. Schitterend.

Ben ik tegen zo'n congres? Neen. Waarom niet? Omdat ik vader van een paar kleine kinderen ben en zodoende weet in welke vuiligheid mijn kroost moet rondbanjeren. Volgens mij heeft U zelf ook een paar van die schijtmachines, maar goed: U heeft een leuk tuintje waarin U Uw blaffertjes kunt laten rennen. Uw rashondjes kunnen een paar hectare rondsnuffelen en rustig overwegen waar zij hun behoefte doen. Maar gewone mensen moeten hun viervoeters de verschrikkelijkste vlaaien in de zandbak van de kinderspeeltuin laten neerleggen. Volgens het hondenuitwerpselencongres neemt veertig procent van de hondenbezitters het niet zo nauw, maar volgens mij is dat honderd procent. Natuurlijk is het truttig om met zo'n strontschep over straat te gaan en het is inderdaad een vies gevoel om met een boterhamzakje de nog warme kledder van je Fikkie op te pakken, maar moet mijn zoontje er dan in vallen? Nee toch? Laatst schreef U dat ik een notoire hondenhater ben, maar dat is niet zo. Ik haat de honden niet, maar de bezitters van die krengen. Dat zijn gore viespeuken die hun Wodan de meest walmende substanties op mijn stoep laten leggen of hun Hector in het gezicht van mijn zoontje laten springen. Nog erger zijn die kruisruikers, die met hun natte neus je edele delen aftasten.

267

Weet U wie ik altijd het zieligst vind? De mensen die je op zaterdagochtend op een veldje onder aan een viaduct bezig ziet met een hondengehoorzaamheidscursus. Ze moeten dan luisteren naar de psychologie van een Martin Gaus-achtige griezel. Heeft U ook zoiets gedaan? Samen met Uw man op zo'n volgescheten veldje? Nee toch? U hoort toch niet bij die stumperds?

Achthonderdduizend mensen bezitten in totaal 1,2 miljoen honden. Dat is veel voor zo'n klein landje. Veel te veel. Weet U wat ze moeten doen? Alle honden en hun baasjes verbannen naar een eiland voor de kust en ze dan vanaf het strand laten doodschieten door Haaksbergense begingolfers. Mooi tijdverdrijf voor alle partijen. Wat een land. Je zal er koningin van zijn.

Met diep respect en nog meer medelijden,

Youp van 't Hek

PS Laat U zelf uit of laat U uitlaten?

Majesteit,

Waarom ik woensdagavond zo somber klonk door de telefoon? Omdat ik me bloedeenzaam voelde. Ik belde U vanuit de catacomben van het Chassé Theater in Breda en stond eerlijk gezegd te vechten tegen mijn tranen. Ik leg het U uit.

Als scholier heb ik ooit vakantiewerk gedaan op een brandblusapparatenfabriek en heel goed gekeken naar die slangen-op-haspels-monterende mannen. Wachtend op de bevrijdende zoemer van half vijf deden zij hun werk. Dat nooit, dacht ik toen en dat is een van de redenen waarom ik altijd vlinderend een podium betreed, fluitend mijn wekelijkse brief aan U schrijf en twinkelend aan nieuwe liedjes en programma's zit te werken. Ver weg van de lopende band. Nooit afslag industrieterrein De Zandvliet.

Afgelopen dinsdag mocht ik in Breda op een knop drukken, een speakertje vroeg wie ik was en na het noemen van mijn naam ging het rood-witte balkje omhoog. Bij de artiesteningang is een portiersloge met zo'n nepagent die via zestien monitoren alle hoeken van het gebouw in de gaten houdt. Alleen mocht ik de catacomben niet in en werd door een aardige meneer naar mijn kleedkamer gebracht. Door een portofoon zei hij: 'Hier Jan voor Rini!'

Waarop de porto antwoordde: 'Hier Rini. Zeg het maar Jan!'

En toen vroeg Jan: 'Mag ik licht in de kleedkamer van

Youp van 't Hek? Hij speelt in de vsb-zaal'. Binnen vijf seconden floepte het aan.

De directeur van het Chassé liet mij even later de grote zaal zien. In mijn ogen een onpersoonlijke abonnementenbak van dertienhonderd plaatsen, maar hij zei: 'Intiem hè?'

Ik dacht: hoe kunnen twee mensen op exact hetzelfde moment in precies dezelfde ruimte zo anders tegen iets aankijken? Ben ik nou echt zo dom, gevoelloos en blind? Of valt er over smaak inderdaad niet te twisten?

Ik maakte van mijn hart geen moordkuil en vertelde hem hoe verschrikkelijk ik zijn Venco-zaal vond. Venco-zaal is geen grapje. Zo heet dat ding echt.

Zelf heb ik een jaar geleden gekozen voor de zogenaamde middenzaal met het beschaafde aantal van zevenhonderd stoelen. Een zwarte doos heet dat in mijn vak en met deze zaal is niks mis. De voorstelling ging goed. Veel gelachen, geprobeerd te ontroeren en zoals altijd hoopte ik maar weer dat het publiek tien procent van mijn goede bedoelingen mee naar huis zou nemen. Tot vlak voor tijd ging het volgens plan. Toen gebeurde het: iemand van het theater dacht aan het applaus te horen dat het afgelopen was en gooide alle zaaldeuren open. Een zee van licht stroomde naar binnen. Het deed mij denken aan mijn tante Trudy die vroeger op die manier een leuk verjaardagsfeestje beëindigde onder het motto: mooi geweest, genoeg gelachen, morgen is er weer een dag. Ik vloekte de deuren dicht en dacht aan de zoemer. Ik strafte de deurenman met een drie keer zo lange epiloog, heb het publiek daarin nog een keer uitgelegd waarom we uiteindelijk aan totale smakeloosheid kapotgaan, heb de portier zijn cao getart door nog een toegift te geven en heb toen zelf de deuren maar opengegooid. De airco kon op 'nacht'. Morgen dromt een nieuw publiek in de veel te protserige hal van dit uit de hand gelopen dorpshuis. Breda moet deze erectie van een paar cultuurbarbaren zowel architectonisch als financieel nog minstens vijftig jaar meetorsen. Toen ik een kwartier na afloop wilde douchen, was het licht in mijn kleedkamer uit. Ik denk dat de computer dat doet! Woensdagavond hield ik mijn slotconference over de radeloosheid van de moderne manager en toen ging gelukkig bij iemand in het publiek de telefoon. Ik had geen zin in grappen en heb de man in mijn eigen radeloosheid total loss gescholden.

Daarom was ik zo somber woensdagavond. Ik heb mijn contract netjes uitgediend, maar toen gisteren het Bredase slagboompje achter mij dichtviel, heb ik niet omgekeken. Alleen gedacht: jammer voor Breda, maar hier kom ik nooit en nooit meer terug. Waarom niet? Omdat ik mezelf ooit beloofd heb: nooit in een fabriek.

Was ik maar koningin. Dan had ik deze zorg nooit gehad.

Een tedere omhelzing van een zoetzure

Youp van 't Hek

ps Zie ik U nog op de Auto-RAI of stuurt U Uw chauffeur?

Majesteit,

Bij ons thuis is het nu al zover dat we onze kinderen rechtstreeks dreigen met: 'Als jij je bord niet leegeet, dan ga jij naar een pleeggezin in Hoofddorp!' Ze schrokken hun avondmaaltje dan in drie happen naar binnen.

Hoe kan het nou toch dat een diersoort zover gaat dat het zijn eigen nakomelingen vermoordt? Het schijnt zelfs besmettelijk te zijn. Een soort varkenspest. Gekke-mensenziekte. Ik denk dat ik het weet. Het komt door hetgeen wij eten!

U heeft donderdagavond NOVA niet gezien. U lag in Lech. Ik wel. Daarin zat een reportage over een varkensfokkerij. Echt verschrikkelijk. Een concentratiekamp. Niks meer. Niks minder. Op geen enkele manier te verdedigen. Natuurlijk deed de beul/eigenaar dat wel. De mensen willen nou eenmaal niet meer geld voor het lapje vlees betalen en: als wíj het niet doen dan doen ze het in het buitenland. Enzovoort. U kent de motieven. Alleen vergat de NOVA-meneer de vraag te stellen: 'Waarom wilt U eigenlijk met martelen Uw geld verdienen?'

Elke zeug wil uit naastenliefde haar biggetjes vermoorden. De varkensfokker weet dat en de zeug ligt dan ook in een soort beugel tegen de grond gedrukt zodat ze dat niet kan doen. Haar kinderen kunnen zo ook gemakkelijker bij haar drinken. Om het uur wordt ze waarschijnlijk gedraaid.

Neem één ding van mij aan: de dieren die getroffen worden door de varkenspest zijn mazzelkonten. U zal het als Beschermvrouwe van de Dierenbescherming hartgrondig met me eens zijn. Een verder lijden wordt die arme beesten bespaard.

Het is trouwens niet alleen met varkens zo droef gesteld. Heeft U wel eens incognito (zonder hoedje) een kuikenmesterij bezocht of een legbatterij? Denkt U wel eens na over de behuizing van een kistkalf? De Tweede Kamer discussieert af en toe over centimeters. Hoeveel kuikens mogen er op een vierkante meter? Weet U wat die beesten eten? Weet U dat er allerlei antibiotica door hun voedsel gaan en dat alle farmaceuten weten hoe gevaarlijk dat op den duur voor de volksgezondheid is? Bolkestein zal de vragen niet stellen. MSD levert namelijk heel veel van die rommel en Bolk... Ik leg U de ondergang van onze eigen democratie niet uit. U weet hoe ver we zijn.

Als Uw zoon nou eens een humane daad wil verrichten, dan sluipt hij op een nacht zo'n kamp binnen en geeft hij alle beesten een verlossend nekschot. Jaagt hij eindelijk nuttig.

Soms zie je koeien in de wei staan en dat lijkt nog enigszins romantisch, maar ook dat is gelogen. De beesten krijgen nog maar een beetje gras. Het merendeel is droogvoer. Brokken droogvoer. Als ik boer was, noemde ik mijn koe Corrie. Dan kon ik elke ochtend roepen: 'Corrie! Brokken!'

En U denkt dat het vreten van al die rotzooi geen invloed op ons heeft? Vergeet het. Heel langzaam worden we met z'n allen stapelkrankzinnig. En U vraagt zich af waarom er geen intellectuele elite opstaat en heftig protesteert? Leg ik ook uit: een van de symptomen van de gekte is lamlendigheid. De collectieve suïcide interesseert ons niet. We willen alleen geen pijn lijden. We willen verdoofd ten onder. De intellectuele elite discussieert bij Sonja over papavers in de aderen en coke in de neuzen. Als we de werkelijkheid maar niet hoeven mee te maken.

En daarom zeg ik nooit tegen mijn kinderen: 'Eet je bord leeg.' Integendeel. Bij ons wordt gegeten onder het motto: Wat je niet op kunt laat je maar lekker staan. Dan blijven ze een stuk gezonder. Voor je het weet worden het gekken die later hun kinderen om welke wanhoop of verdriet dan ook afmaken. En dat wil ik niet.

Majesteit: U heeft een moordland,

Youp van 't Hek

PS Kluivert weg. Bogarde mee. Overmars misschien. Zullen wij voor de zekerheid allebei een De Boertje leasen?

Majesteit,

Vannacht dwarrelde ik opeens weer langs de gracht. Kelderfeestje gehad. Housende studentjes op een feest. Van die schreeuwgesprekken boven de speakers uit. Hoofdpijnwijn uit plastic bekertjes. Slechtschuimend bier. Waar ging het allemaal over? Nergens over. En soms is dat zo verschrikkelijk aangenaam. Zacht heimwee masseerde mijn kleine hersenen. Ik zag zoveel terug. Vroeg me af of ik niet stoorde. Vroeger had ik altijd een hekel aan zo'n ouwe toeschouwer. Lazer op, dacht ik dan. Ga naar je leeftijdgenoten. Ga biljarten of kaarten of jenever drinken en over vroeger praten. Het is hier geen bejaardenzorg. Nu stond ik zelf in de weg.

Niet te lang blijven, dacht ik. Straks willen ze los.

Het mooiste meisje van het feest deed mij een breekbare bekentenis. Ik bloosde zacht. Eigenlijk was ik dat verleerd. Het was donker en niemand zag het. Zij ook niet. Heel laat arriveerde een blinkende corpsbal in rokkostuum. Hij was nog jong en zijn witte vestje had iets van een luier. Hij was de wereld nog aan het veroveren en deed dat moeiteloos. De meisjes vonden hem leuk. En terecht.

Ik zag de studenten dansen en keek ze de toekomst in. Worden dit nou allemaal dikke veertigers, mompelden mijn gedachten. Dikke veertigers met vette auto's, een te riant salaris en een veel te groot huis voor zo'n klein gezin. Ik zag ze dansen: de advocaatjes, chirurgjes en bankiertjes van straks. Worden die meisjes allemaal van die

275

dikke moekes met een iets te harde stem? Van die echte vrouwen met zo'n schelle namaaklach en hangende mondhoeken? Wat gaan deze studentjes nog meemaken?

Hoeveel kinderen krijgen ze? Hoeveel scheidingen? Hoeveel liter liefdesverdriettranen zal er uit hun ogen stromen? Wie haalt de veertig niet door ziekte, ongeval of zelfmoord? Wie gaat geloven in de onzin van het te veel verdiende geld? Wie gaat proberen op een van zijn of haar ouders te lijken en wie juist niet? Wie gaat koorddansen op het randje van de goot? Wie raakt in de war van het besef dat leven eenmalig is? In hoeverre worden ze later bedrogen door hun dromen van nu en wie bedriegen dan hun dromen?

En wie van hen staat over vijfentwintig jaar aan de rand van een dansvloer te kijken naar de dansende generatie na hem? Kortom: ik had weer eens last van mijn Drosteblik en dan is het de hoogste tijd om zacht naar huis te gaan. En zo fladderde ik zachtjes langs de gracht. Richting mijn huis. Daar wilde ik heel hard Beatles draaien of Dylan of The Doors, maar mijn gezin sliep en kinderdromen moet je niet verstoren.

Weemoedig trek ik voorzichtig de spijker uit mijn hoofd en ga stevig met mijn vrouw dineren! Tot dinsdag. Zelfde tijd, zelfde plaats en hopelijk zelfde golflengte.

Youp van 't Hek

AMSTERDAM, I MAART 1997.

Majesteit,

Natuurlijk sliep ik. Wat een paniek. En dat allemaal om een jongensclubje van mannen in de herfst van hun bestaan. Het is gewoon hun laatste zaadloze erectie. Hou toch op. En Uw angst dat er nogal wat invloedrijke professoren tussen zitten is ongegrond. Daarbij: wat is een professor? Vroeger was dat inderdaad iemand. Je had er maar weinig, maar tegenwoordig is het een soort onkruid. Als je drie taalfoutloze toneelrecensies in een dagblad hebt geschreven ben je al hoogleraar en mag je tegen theaterwetenschapsstudentjes aan kakelen. Heb je allemaal niks aan. Heeft u gezien hoeveel van hen zich ooit een koninklijke onderscheiding hebben laten opspelden? En ik durf te wedden dat ze op de minste of geringste nieuwjaarsreceptie van de operettevereniging dat lintje op hun revers dragen. Luister liever: U heeft hier te maken met een laatste oprisping. Zo'n klein boertje na het tandenpoetsen. Een droog reukloos windje in de badkamer. Je ruikt het niet op de gang. Bomans was een meester in dit soort nepclubjes, met dit verschil dat Godfried last van humor had. Nou neem van mij aan dat het met Vinken, Knapen, Dunning en Kremers geen dijenkletsen is geweest. Ja, met een hoop drank in hun mik. En stel dan dat we een republiek krijgen! Wat hebben we dan? Bolk for president. Vote Kok. Van die spruitjeskwekers in Uw paleis. Hou toch op. U zit daar goed en u blijft daar zitten. Vergelijk dit rebellenclubje met die twee oudjes uit de Muppets. Niks meer. Niks minder.

Weet U wanneer U nerveus moet worden? Als ík me tegen U keer. Als ík vier stevige conferences aan Uw zwijntjesschietende zoon wijd. En dan zo dat ik die bolle vier onvergetelijke bijnamen geef. Daar moet U voor oppassen. En U moet überhaupt Uw familie een beetje in de hand houden. Las nu weer dat een ladderzat zoontje van Pieter en Margriet voor het Utrechts studentencorps tegen een paar vriendelijke ambulancebroeders tekeer was gegaan. Weg met die corpsbal! Laat Willem-Alexander hem afschieten. Dát zijn de dingen waarvoor U moet uitkijken, maar voor die fossielen onder leiding van Pierre hoeft U geen seconde bang te zijn. Die hebben gewoon te veel tijd. Die Kremers zit er ook bij. Dat is ongeveer de grootste draaikont van na de oorlog en hij heeft alles drie keer uitvergroot in zich, wat ik in Limburgers haat.

Laat U niet gek maken. Het zijn gepensioneerden bij de dorpspomp. In Frankrijk spelen ze jeu de boules.

Eén ding is vervelend en dat is dat ze gelijk hebben. Uw werk slaat namelijk nergens op. U bent het vermaak van de dementen en debielen. Maar als iemand dat weet dan bent U dat. Dat noem ik pas democratie. Maar zolang het gepeupel voor meer dan 80 procent uit demente debielen bestaat, heeft U het volste recht om te blijven. Vierennegentig procent van het Jan Hagel wil U. Dat noem ik pas democratie. Dus me niet meer midden in de nacht van mijn hotelbed lichten en niet meer zo drammerig janken. Er is niks aan de hand. Het zijn oude mannen vlak voor hun crematie en neemt U van mij aan: één keertje niesen en je bent weg. Houd U goed en weet dat ik een beetje van slag ben door Trijntje. Zij wordt geen wereldster. Zij is dat al. Ik droomde over haar toen U belde en daarom was ik boos. Dus hup Uw paleis in, hoed op en doorspelen. En laat de bejaarden maar reutelen. Zolang ik aan Uw kant sta kan er niks gebeuren.

Heel veel liefs en dood aan de vuige republikeinen,

Youp van 't Hek

PS Wat gekookt vlees is? Een steak onder water.

Majesteit,

Modderen. Dat is het woord. Ik sta in een mengsel van sneeuw en klei te ploeteren om beneden te komen. Om mij heen zoeven de kleuters, onze oudste dochter komt adembenemend soepel de zwarte piste af zoeven en mijn mooie vrouw geeft hoog in de bergen aan een aantal ski-leraren een bijscholingscursus. Wie heeft mij zover ge-kregen dat ik drie jaar geleden alsnog ben gaan skiën? Afdalen. Een beter woord bestaat niet. Er hangt een he-likopter boven mijn hoofd, een traumateam praat op me in en de burgemeester spreekt mij toe per megafoon van-uit het dal. De menigte heeft zich verzameld, ik schijn live op TF-1 te zijn en bij de bookmakers wordt op mij in-gezet of ik het haal. Dit alles speelt zich af in Morzine, een sneeuwindustriestadje in de Franse Alpen. De zelf-moordenaar op het dak van het flatgebouw ben ik. Doet-ie het of doet-ie het niet. Een weekje vakantie noemen ze dat. Er even lekker uit. Nergens aan denken. De boel de boel laten. Ik weet dat U goed kunt skiën, maar U doet 't vanaf Uw tiende. Net als Uw kinderen. Maar ik ben op mijn veertigste begonnen en dat is te laat. Op die leeftijd ben je met alles te laat. Behalve Annie M.G. Schmidt. Die begon op haar negenendertigste schitterend te schrijven. Las Uw korte briefje over een eventuele voor-stelling van mij voor Uw personeel. Ik wil er alleen over denken als U een zaaltje vindt waarin uitsluitend Uw be-drijf zit en verder geen gewoon publiek. Ik haat groepen in mijn zaal en mijn gelijk in het weigeren van kuddes werd afgelopen zaterdag weer eens bevestigd. In ons land is het een voorwaarde, die vet in mijn contract gedrukt staat. Houdt het theater zich er niet aan dan boycot ik het na een tijdje. Vraag maar aan de directie van 't Spant in Bussum. Vorige week speelde ik in België en daar ging het mis. De voorstellingen in Brugge en Turnhout waren wat mij betreft heerlijk. Snel, alert, Belgisch publiek. Ik was op mijn hoede voor té Nederlandse grappen en zij waren een en al concentratie om mij te willen volgen. Wij smolten samen tot een heerlijk complot. De laatste drie dagen speelde ik in Antwerpen. Ik rook het al in mijn kleedkamer en hoorde het aan de zaalafluistering. Een groep! Ander lawaai, andere sfeer, meute overheerst het tweetal dat leuk naar een cabaretavond gaat. Het was niemand zijn schuld. Gewoon een misverstand tussen mij en het theater. De voorstelling ging goed, maar toch; ik ben de enige die kan vergelijken. Vrijdag stond ik voor een zaal die voor 80 procent uit landgenoten bestond, maar ook toen ging het goed. Een braaf advocatenkantoor uit Amsterdam doet niet raar. Maar zaterdag is het gebeurd. Laten we het percentage Belgen-Nederlanders op 50-50 houden, zij het dat vierhonderd Nederlanders van één en hetzelfde bedrijf waren. En weet U wat ze deden Majesteit? Voor aanvang gingen ze waven.

Personeelsvereniging in het buitenland, licht beneveld door wat Duveltjes en wat Kriekjes en helemaal in de stemming voor een avond lachen. Tot verbazing van een paar honderd Belgen werd de wave ingezet. Namens U heb ik tijdens de voorstelling mijn excuses aangeboden. Elk woord dat ik die avond nog sprak heb ik niet naar het balkon gekeken. In de zaal zaten namelijk de Belgen en op het balkon Uw onderdanen. Bij elk woord heb ik wel aan ze gedacht en me afgevraagd waar ze nou eigenlijk om lachten. Gekloonde schapen op een schoolreisje, 48 kilometer over de grens loopt het uit de hand. U heeft zelf ook nog wel eens gewaved in de Arena, maar dat was in de schaduw van ordinaire voorkennisproleten van de ABN AMRO en dan ga je vanzelf raar doen, maar heeft U in een theater wel eens gewaved? Nee toch. Nog nooit heb ik zo bevlogen gespeeld en ben ik zo verdrietig gaan slapen. En nu sta ik in diezelfde kudde op de skipiste en zie de menigte beneden waven. Zelden heeft een vakantie me zo moe gemaakt. Ik ben blij als ik weer mag werken, maar nooit meer in Bussum in een zaal. Eén Van den Ende is meer dan genoeg. Ik bel als ik terug ben en zie U zeker op de borrel bij Pierre Vinken.

Liefs en knipoog,

Youp van 't Hek

PS Het schijnt dat Harry Mulisch denkt dat hij het thema van de boekenweek is.

Majesteit,

Ik zit in mijn vaste hotel in Maastricht en zie een bruidspaar met wel honderd vrienden vanuit het theater over
het Vrijthof naar de muziektent dwarrelen. Daar wordt
de bruidstaart aangesneden en champagne gedronken.
Gebroken witte bruid en een ietwat nichterig gekapte
bruidegom gaan in een regen van rijst en serpentines
over het plein. Ondertussen praten op televisie een paar
deskundigen over de liefde, de combinatie van gevoel en
verstand, het biochemische proces in een verliefd lichaam, enzovoort. Kijkers bellen met hun problemen en
die zijn niet mals. Een mevrouw vertelt over de dood van
haar man, een andere dame vraagt waarom ze steeds op
de verkeerde kerels valt en weer een ander vertelt over
het verliefd worden op een ander, terwijl ze dacht dat ze
gelukkig getrouwd was.

In het café waar ik een kwartier geleden de krant las en
koffie dronk, zaten allerlei uitgebluste echtparen elkaar
dood te zwijgen en ik heb de neiging het verse stel mee te
nemen naar dat kroegje.

'Zo zitten jullie er over twintig jaar bij,' wil ik waarschuwen en daarna wil ik ze een aantal gruwelijke details
vertellen over de huwelijken van allerlei vrienden en
kennissen van mij. De laatste tijd knalt in mijn omgeving
de ene na de andere relatie en het meest interessant vind
ik de beerputlucht die je daarna ruikt. Wat wordt er veel
mooi weer gespeeld. Thuis is het een dorre woestijn en
naar buiten spelen ze een altijd bloeiende tuin. Waarom

blijven zoveel mensen nodeloos lang bij elkaar? Waarom slepen mensen elkaar mee in de ondergang onder het motto: Ik ben niet gelukkig, dus zal jij dat ook niet zijn. Dat heet trouw!

Vrienden vertellen mij dat ze het al een jaar niet meer met hun vrouw doen, vriendinnen melden dat ze eigenlijk op hun huwelijksdag al twijfelden, weer een ander vertelt mij over zijn geheime relatie met een collega, enzovoort. Allemaal hebben ze ooit champagne gedronken, allemaal een taart aangesneden en allemaal een feestje gegeven.

Moet ik nu mijn hotelkamerraam opengooien en iets naar het jonge bruidspaar roepen? Over het doven van de vlam, het voorbijgaan van de betovering en de stilte na de storm. Vorige week vertelde een vriendin mij over een Goois kakkershuwelijk. Uiteraard met alles erop en eraan. Bachelorsparty, receptie, zeven gangen-diner, stinkend duur feest en een exotische huwelijksreis. Tijdens dit alles had de bruidegom al een verhouding met een van de getuigen. Daar is hij onlangs mee getrouwd en het tweede huwelijk was een kopie van het eerste, dat anderhalf jaar eerder plaatsvond.

Ik kan er niks aan doen, maar naarmate ik ouder word kijk ik wantrouwender naar alle echtparen. Ik durf de vraag nog amper te stellen. Ik heb een vriend bij zijn vrouw weg zien gaan, naar een ander, toen hun tweede kind net twee maanden was. Een andere kennis vertrok al tijdens de eerste zwangerschap en onlangs werd een vriendin spontaan lesbisch om met een andere getrouwde vrouw samen te gaan wonen.

Ik krijg van alles alleen maar de slappe lach en vraag me steeds vaker af: waarom trouwen mensen nog? En waarom telkens met zoveel bombarie? Waarom schaffen

we het hele ritueel niet af? Je schroeft gewoon je naam-
plaatje bij die ander op de deur en trekt bij diegene in.
Waarom zou je een geldverslindend feest geven? Om aan
de vrienden en kennissen te laten zien dat het goed zit?
Je kan het toch beter zacht in elkaars oor fluisteren in
plaats van iedereen ermee lastig te vallen? Ik heb persoonlijk een stevige hekel aan feestjes, recepties en veel
te lange diners. Daarbij gaan de meesten toch scheiden.
Niet altijd officieel. Sommigen blijven bij elkaar. Ik weet
niet wat erger is voor kinderen: gescheiden ouders of een
bevroren echtpaar als opvoeders.

Vaak is het een kwestie van gebrek aan moed en aan
een nieuwe liefde dat mensen bij elkaar blijven. Pas als
een van de twee verliefd wordt op een ander durft hij of
zij de stap te wagen.

En het is natuurlijk een kwestie van geld. Mijn ouders
hadden vrienden en die sliepen gescheiden. Toen ik daar
als jongetje van zeven achter kwam vond ik mijn ouders
heel zielig. Wij woonden zo klein dat mijn ouders op dezelfde kamer moesten slapen.

Ik wil het verse echtpaar waarschuwen, maar het is al
weg. Vanavond is er ergens een droeve polonaise in
Maastricht en ik verlang ondertussen hevig naar U en
naar mijn vrouw. Naar wie het meest? Niet van die moeilijke vragen stellen. Soms weet ik het ook niet meer.
Zing, vecht, huil, bid, lach, werk en bewonder niet zonder,

Youp van 't Hek

Majesteit,

U leest het goed: dit wordt mijn laatste brief aan U. Niet boos worden, niet gaan janken en ook niet als een verwend kreng gaan drammen. Niet raar gaan faxen, geen hysterische mailtjes en zeker geen nachtelijke telefoontjes. Op een gegeven moment is het gewoon mooi geweest. Koester Uw herinneringen aan mijn epistels, gloei nog even na als U terugdenkt aan onze illegale telefoontjes en fluit ons favoriete wijsje als U aan onze lange herfstwandelingen denkt. Zo doe ik het ook. Er smeult niks meer, zelfs de as is koud. We hadden eerder moeten stoppen. Op het hoogste punt, maar wanneer is dat?

'Dan hadden wij tien jaar geleden al uit elkaar moeten gaan,' grimlacht mijn vrouw altijd als ik het over dit soort zaken heb. Het hart moet tochten! Stoppen dus. De prik is eraf. Rekken doet alleen maar pijn. Veel NRC-lezers zullen opgelucht zijn. Vooral die fossielen uit Aerdenhout, Wassenaar en Blaricum. In die contreien schoten mijn brieven aan U regelmatig in het verkeerde keelgat. Langs de hete aardappel. Juist daar kwamen de verontwaardigde fatsoensbrieven vandaan. Waarom ik stop? U kietelt mij niet meer, ik voel geen aangename wrevel en ik trek daar mijn conclusies uit.

Ik geloof in actieve euthanasie. Een stevige spuit doet even pijn, maar dan is het ook klaar. Het begon een aantal weken geleden. Opeens kreeg ik jeuk. Ik vond U opeens zo gewoontjes. Toen U mij zo overstuur belde na de staatsgreep van Vinken, merkte ik dat U zichzelf inderdaad serieus neemt en begon het grote knagen. Ik heb U al zo vaak gezegd dat ik het eenmalig bestaan op deze aardkloot zie als een bizar en slecht toneelstuk, maar ik merk aan U dat U wel degelijk gelooft in Uw rol. En waar bestaat Uw rol uit? Uit geen letter eigen tekst. U mag niets anders doen dan de souffleur nabrabbelen. Dat is niet erg, maar doe dan niet of het iets inhoudt. Lach erom en geniet ervan. Of denkt U dat als U ermee stopt het hier een soort Albanië wordt? Toen mijn zoontje die schietende jochies zag vroeg hij of we daar niet een keer met vakantie konden. Leek hem gaaf.

Maar de echte druppel kwam afgelopen dinsdag: ik neem U incognito mee naar het Boekenbal, leg uit dat U wat versieringen als herinnering mee naar huis mag nemen en wat vind ik 's nachts achter in Uw auto? De buste van Carmiggelt. En nu vraagt U aan mij of ik de schuld op me wil nemen en het ding terug wil brengen. Dat is geen druppel, maar een emmer die de emmer doet overlopen.

Verder merk ik hoe U als de eerste de beste middenstands-schoonmoeder uit Veenendaal de zaak-Emily loopt te trainen. Geef die schat toch groen licht! Ik heb haar onlangs bij die smoezelige Frequin gezien en ben meteen van haar gaan houden. Ik wil haar als koningin en minnares. En ik neem alle lelijke dingen die ik ooit over haar geschreven heb, onmiddellijk terug. Zeg tegen Alex dat hij haast maakt of gaat hij eerst, net als zijn neef Carlos, oefenen op een vrouw van elf jaar ouder? Want ik begreep dat de familie er weer een bastaardje bij heeft. Het is niet te geloven, maar hoe jullie het met zijn allen toch telkens weer voor elkaar krijgen. Ik begreep dat neef Carlos het kind wettelijk niet erkent, maar tussen de regels door wel laat weten dat hij de vader is. Dat noemen wij thuis een watje. Ik weet dat het niet erkennen van buitenechtelijke schepseltjes in Uw familie traditie is, maar ik hou er niet van. Een beetje vent staat pal voor zijn daden. Het kind groeit op in de Achterhoek. Symbolischer kan het niet.

Ik stel voor om een radiostilte van een dikke maand in te lassen en om na Koninginnedag weer eens met elkaar te bellen. Dan heeft U weer een dagje aan de hand van zo'n Swiebertje-burgemeester naar volksdansende sukkels moeten kijken en dan hebben we weer een hoop te lachen.

Wees niet boos, huil een keer goed uit en weet U wat altijd heel goed helpt? Lege flessen in de glasbak keilen.

En hou vast aan ons motto: remmen in de bocht!

Youp van 't Hek

PS New Age? Zweefliegen

FAX AAN DE BELGEN

Vrienden,

Afgelopen zondagmiddag. Regen. Brussel. Mijn vrouw en ik hebben ontbeten in ons favoriete café en lopen richting hotel om de bagage te halen. We willen naar huis, kinderstemmen horen. In de verte nadert een stevige demonstratie met een hoog negergehalte. Het gaat om een antiracismebetoging. Veel getrommel, onverstaanbaar megafoongeneuzel en tweetalige spandoeken. Een ding vind ik altijd sneu: je ziet een vrachtwagen vol ritmisch dansende kleurlingen in schitterende gewaden, maar daar staat dan zo'n bleekneuzerige Annie tussen. Zo'n wereldwinkeltype met van die karnemelk-armen en een Hans Anders-bril op haar neus. En dat probeert dan ook nog zo naturel mogelijk met die mensen, die van huis uit niet anders kunnen, mee te bewegen. Stuitender is het dat ze ook nog zo'n kleurrijk Afrikaans gewaad aan heeft. Dit soort betogingen is altijd gemoedelijk. Het zijn rustige types die voor een goede zaak als deze strijden. Ik schaam me zachtjes vanwege het feit dat ik tegen de stroom in loop, richting vette auto, op naar een veilig gezin. Waar is mijn strijdlust? Waarom wil ik naar Amsterdam? Gewoon: ik heb mijn kwetterende kroost meer dan een week moeten missen en wil daar heen.

Opeens word ik aangehouden door een journalist van *Het Belang van Limburg* en hij vraagt enigszins verbaasd: 'U hier?'

Ik leg uit dat ik, midden in een slopende tournee, even een avond met mijn vrouw wou bijvrijen en dat we dat al-

289

tijd in een Brussels restaurant doen. Vandaar.

'Dus U bent hier niet voor de demonstratie?'

Ik vertel dat ik het niet eens wist en op zijn vraag of mijn bloed niet kriebelt om mee te gaan lopen, zeg ik hem dat dat inderdaad het geval is, maar dat mijn privéleven soms voorgaat.

'Maar toch niet bij zo'n belangrijke zaak als deze. Iedereen kent U als een man, die juist opkomt voor de minderheden, de verdrukten en de verschopten...'

Ik maak hem duidelijk dat ik ook wel zou willen, maar dat ik deze maand precies vier uur de tijd heb om me bij mijn gezin te vervoegen en dat, hoezeer ik het doel ook steun, mijn familie ook wel eens voorrang krijgt.

'Dat begrijp ik, maar toch: heel België kent U als een man...'

Wanhopig leg ik het nog een keer uit en twijfel onderhand.

Ik trek sinds een jaar of wat ook in België volle zalen, maar heb daar op straat nog nooit last van aangaperij gehad. Het is zelfs een van de redenen dat ik in de zomer de Vlaamse kust verkies boven de Nederlandse. Dus om nou te stellen: 'Heel België kent U als een man die...' vind ik lichtelijk overdreven.

Mijn vrouw geniet van het feit dat ik mij in de politiekcorrecte hoek laat drukken en ze ziet mijn angst dat de journalist mij als een racist zal afschilderen. Ik wil naar mijn auto, hoor mijn bloedjes roepen en vraag nog een keer om begrip voor de man, die meer in een hotel dan thuis slaapt en die nu...

Hij noteert alles driftig in zijn blokje. 'Het valt me toch tegen,' eindigt hij, 'dus ik zal moeten schrijven dat Jos van Broekhoven op het moment suprême afhaakt...?'

'Wie?' onderbreek ik hem.

'U bent toch Jos van Broekhoven?' kijkt hij wanhopig.

'Nee.'

'Sorry, maar dan heb ik helemaal de verkeerde voor me. Neemt U mij niet kwalijk.'

Hij scheurt de blaadjes uit zijn boekje, stopt ze in zijn zak en gaat nerveus op zoek naar zijn volgende slachtoffer. Een zacht bulderen vult mijn hoofd, ik neurie mij richting Amsterdam en er gaat maar één gedachte door mij heen: België, wat hou ik van je!

Tot spoedig.

Youp van 't Hek

Geachte dames en heren volksvertegenwoordigers,

Gisteren las ik in *de Volkskrant* een ontroerend mooi verhaal over twee zussen. Hanna en Meta. Hanna is 57 en Meta 62. Meta zorgt voor Hanna. De laatste heeft namelijk een chromosoompje te veel. Het syndroom van Down noemen ze dat. Mongool zeiden we vroeger.

In mijn jeugd hadden we Els. Els was niet helemaal goed. Als wij bij de vijver van Vlek aan het voetballen waren en agent Willemsen kwam om de bal af te pakken, gaven we die gauw aan Els. De politieman praatte op Els in, maar zij stak onnavolgbaar mooi haar tong uit, deed na een tijdje haar rok omhoog, onderbroek naar beneden en liet dan haar blote billen aan het gezag zien. Als de agent op haar toeliep om de bal af te pakken, draaide zij zich om en schopte de bal met een harde knal naar het midden van de vijver. Els is voor mijn hele familie een jeugdheldin. Ooit heb ik haar betrapt toen ze prachtig stond te vrijen met een boom. Lieve, lieve Els. Als ik met mijn broers en zussen herinneringen ophaal en Els komt ter sprake, dan klinkt er bij iedereen vertedering. Hoe zou het met haar zijn? Niemand weet het. Ze is ooit vertrokken naar een tehuis in een groot bos en we hopen dat ze daar zielsgelukkig is. Veel bomen, denk ik altijd maar.

Hanna maakt 's ochtends haar kamer schoon en schrijft 's middags briefjes aan Sinterklaas. Per jaar een paar schoenendozen vol. De goedheiligman neemt ze elk jaar trouw mee. Een mooie reden voor Hanna om door te schrijven. 's Nachts wordt Hanna een paar keer wakker en dan zingt ze. 'Op haar manier dan,' zegt Meta liefdevol. Als het stil is gaat ze nog even kijken.

Waarom was Els belangrijk? Ze was de eerste mongool in mijn omgeving en mijn moeder beukte het er bij ons in dat daar niks geks aan was. We mochten er zeker niet om lachen. Anders. Dat was het woord.

Wat is een mongool? Er zijn mensen die gaan voor 350 gulden in het bijzijn van Harry Mens in een stadion met vier seconden nagalm met een plastic glas champagne in hun poten naar Pavarotti zitten luisteren. Zijn dat mongolen? Ja. Alleen zijn dit mongolen waar je wél heel hard om mag lachen.

Onze minister-president en onze minister van economische zaken zaten er overigens ook tussen, maar dit terzijde.

Het verhaal van Hanna en Meta is ingewikkeld. Twee uitkeringen mogen niet onder één dak, dus moet Meta haar weduwenpensioentje inleveren en een beroep doen op de bijstand. Je schiet in de lach als je het leest. De meneer van de Sociale Verzekeringsbank vindt het pijnlijk, maar het is onmogelijk om een uitzondering te maken. Nederland 1997. Ik schaam me rood.

Het maandelijkse bedrag waar we over praten is ongeveer twee toegangskaartjes voor de Italiaanse tenor op zijn retour in de Arena. Luciano werd niet alleen gehinderd door de slechte akoestiek en het derderangs dweilorkest, maar ook door het doorlopend piepen en bliepen van de mobiele telefoons van de aanwezige zakenmannen. Het halve stadion rukte de kaartjes weer af van de belasting. Dat drukt de winst van de onderneming, dus betalen ze minder vennootschapsbelasting en over hun avondje 'lol' hoeven ze al sowieso geen inkomstenbelasting te betalen. Kortom: de Nederlandse Staat is op één avond, onder het toeziend oog van de socialist Wim Kok, voor ettelijke miljoenen genaaid. De ook aanwezige Pim Fortuyn noemde de bijeenkomst: 'Kapitalisme op zijn lachwekkendst.' Mijn vraag is: wat deed je daar dan, oen?

's Nachts zingt Hanna. Op haar manier dan. Zonder nagalm, zonder champagne in een plastic flute, zonder fortuin, maar wel met een Mens onder haar gehoor.

Geen Harry, maar haar zus Meta. Ik lees twee verhalen door elkaar en word overvallen door een verschrikkelijke depressie. Syndroom van Down? Syndroom van superdown.

Ik groet u.

Youp van 't Hek

Harde werkers,

De tempotherapeut staat aan de bedrijfspoort. Steeds meer werknemers zijn niet meer stressbestendig en worden bijgestaan door een maatschappelijk begeleidingsbureau en dit bureau functioneert vooral als klankbord en vertrouwenspartner.

De motivatiegoeroe zelf vindt dat het niet genoeg is om alleen de individuele werknemer te begeleiden, eigenlijk moet het hele bedrijf een stressbestendigheidsbeurt hebben. Hij denkt dan vooral aan stressmanagementcursussen, relaxation- en fitnesstrainingen en wat ook helpt is de werkvloer aankleden met therapeutisch groen. Hoewel het laatste het ziekteverzuim niet echt zal terugdringen.

Ik citeer een aantal peuten, onder wie een hoogleraar psychologie aan de Katholieke Universiteit Brabant en medewerker van TNO Technische Menskunde, geen mavoklantje dus.

Ik heb inmiddels begrepen dat het middenkader het het zwaarst heeft. De top heeft het vrolijk. Mobiel telefoontje, leasebakje van de zaak, regelmatig lunchen met een klant en af en toe een paar dagen peptalk in een vervallen hotel in Vierhouten. Maar het middenkader zit in de griepvirusverspreidende airco, luncht een broodje bal in de bedrijfskantine, die uitzicht biedt op een huilend industriepark en slakt 's avonds met pijn in zijn beeldschermnek en muizenarmpje in de file richting Zwenkgras 66 in Alphen aan den Rijn, waar hij zijn Telegraafvrouwtje loerend naar de Vijf Uur Show op het meubel-

boulevardzitje treft. Uit de kinderkamers klinkt vernieti-
gende housemuziek, het avondeten bestaat uit gemagne-
tronde blinde vinken in de Croma en piepers overgoten
met Aardappel Anders, terwijl de televisie rustig doorso-
apt. 's Avonds ligt hij naast zijn eigen vrieskistje in het
lits-jumeaux, dat de titel twijfelaar al jaren geleden van
zich heeft afgeschud. Kortom: ellende. Dor en duf werk
op kantoor en thuis is het strompelen in een seksuele
Sahara. Tijd voor zelfmoord dus.

Maar dat schijnt ook al niet meer te mogen. Een van de
peuten vertelt dat het RIAGG 's middags om vijf uur sluit,
maar hij niet. Als de partner in de dakgoot zijn polsen
staat door te snijden dan kan je hem bellen. Ook dat nog.

Daar komt hij zich ook nog mee bemoeien.

Dus je bent als vrouw al enigszins opgelucht omdat die
wandelende depressie, die zich jouw echtgenoot noemt,
er een eind aan gaat maken en je eindelijk verder kan
met je altijd fluitende minnaar, of daar komt de bedrijfs-
psycho aanracen. Hij gaat je vertellen dat het dat allemaal niet waard is en dat er nog heel veel dingen zijn om
door te leven.

'Wat dan?' roept de zelfmoordenaar.

'Tussen nu en drie jaar word je misschien souschef van
de afdeling interne kostenbewaking en val je in salaris-
schaal 3a, dus kom van dat dak af.'

'Maar wordt die muf uit zijn bek riekende eikel van
Verhoef met zijn domme handbalpraatjes en belgenmop-
pen dan ook overgeplaatst?' huilt het wanhoopje in de
dakdekkerspositie.

'Ik denk dat we het überhaupt eens moeten hebben
over de flexibilisering van jouw hele functioneren binnen
het wegwerpdenken van de directie en dat we een verdere burn-out van jou moeten voorkomen,' orakelt

Hutsefluts routineus.

Terwijl ik dit stukje schrijf belt de eindredactie met de vraag hoeveel tijd ik nog nodig heb omdat ze daar graag naar huis willen. Het is 26 graden en ze willen met de familie lekker gaan pinksteren. Het is de hele week al stress geweest, dus...

Ik voel het: de spanning van de eindredactie wordt nu op mijn bordje geschoven en ik moet onder druk mijn stukje afmaken omdat de eindredacteur na zijn scheiding in een verwrongen gezinssituatie zit en die scheiding is weer een gevolg van de te hoge werkdruk omdat onder anderen ik altijd te laat ben met mijn column, waardoor hij thuis nooit meer de vrolijke Frans van vroeger is, dus heeft zijn vrouw een ander en ook de *NRC* is meer dan ooit toe aan een goede peut. Of zullen we gewoon met de hele westerse wereld vrolijk zelfmoord plegen? Of de volgende verkiezingen ontwrichten omdat we met zijn allen op onze luie reet tulpvakantie liggen te vieren?

Ik wil zelf in het ziekenfondspakket!

Youp van 't Hek

Blinden,

Mijn dochter (8) vroeg laatst aan mij: 'Papa, poedels kunnen er toch niets aan doen dat ze bij tuttige mensen moeten wonen?' Goeie logica. Ik val haar nog maar niet lastig met biggetjes. Voor haar is de wereld voorlopig nog roze genoeg en daar hoeven geen half miljoen biggen bij.

Kan zij eigenlijk het getal vijfhonderdduizend wel bevatten? Een half miljoen doodgespoten biggen. Zoiets bespaar je een meisje dat fulltime haar konijn de hemel in knuffelt toch? Of moet ik haar al uitleggen dat de maatschappelijke discussie zich afgelopen week vooral toespitste op de vraag of de journalisten er wel of niet bij mochten zijn. 'Een principezaak,' hoorde ik het journaille regelmatig op de radio roepen en ik denk dat ze gelijk hadden, maar waar bleef het ultieme maatschappelijke debat over onze verkankerde en vergiftigde voedselketen vol kalverkisten, legbatterijen en martelstallen? Waar bleef het principiële spoeddebat in de Tweede Kamer?

Een Knesset schreeuwt, een Lagerhuis gaat tekeer en ik zag de Turken met elkaar op de vuist gaan. Dat noem ik een debat, zo verschil je van mening en kom je op voor je belangen, maar bij ons is het toch gewoon zielig. Het is een terrarium vol demente hagedissen. Zowel qua geur als geluid. Volgens mij deelt Bolkje voor elke vergadering MSD-slaappillen uit, zodat hij rustig kan doorwerken aan zijn moslimschnabbel in de polder. Ik las dat vriend Weisglas afgelopen donderdag twee vrijende mensen van de publieke tribune heeft laten verwijderen. Waarom? Te veel opwinding. Wie heeft ze verwijderd? Bukman zelf?

Ik hoorde laatst het gerucht dat Bukman een volle neef is van Philip Freriks.

Zelf ga ik bij de komende verkiezingen op het CDA stemmen. Waarom? Omdat ze Berdien Stenberg op de lijst hebben gezet, dus dat wordt zeker goed. Als zij mij belooft dat ze nooit meer de ether zal vervuilen met die wanstaltige dwarsfluit van haar dan krijgt ze mijn stem. Daarbij geloof ik in haar als straatvechter.

Ik heb haar laatst op een foto voor op *De Telegraaf* modder zien gooien naar de buren en dat ging nog maar over een burgerlijke blokhut, die haar uitzicht belemmerde, dus als het over werkelijke dingen gaat zal zij zeker knokken.

Maar toch wil ik terug naar de biggen. Wat is er aan de hand dat alle geitenwollen sokken beginnen te pluizen als ze zien dat een Canadees het schedeltje van een zeehondenbaby klieft en dat je bij het doodspuiten van een half miljoen varkentjes niemand hoort? De boer houdt het beestje vast en de dierenarts heeft oordopjes in omdat hij niet tegen het geschreeuw van het speenvarken kan. Laat ik vooropstellen dat ik het een zegen voor de beestjes vind en dat ik ze deze dood meer dan gun. Alles is beter dan de rest van je leven in een concentratiekamp in de Peel, maar toch...

Waar blijft de demonstratie? Waarom gaan we niet massaal de straat op? Niet zozeer tegen de dood van die beestjes als wel tegen hun leven? Op welke partijen kan je nog rekenen in dit geval? De SP? GroenLinks? Wie doet iets? Het CDA omdat we zo met het door God gegeven leven omspringen? Niemand! Het zal ons allemaal worst wezen. Letterlijk en figuurlijk.

Mocht die Stenberg onverhoopt toch weer gaan fluiten dan gaat mijn voorkeurstem naar mevrouw Leonie Sipkes van GroenLinks. Waarom? Zij heeft zich afgelopen week namelijk opgewonden over de maat van de nieuwe soepkommen in de kantine van de Tweede Kamer. En daar hou ik van. Een wijf van de praktijk. De oude kommen zijn vervangen door bouillonkopjes en daar gaat minder in. En wat ik helemaal geweldig aan haar vind is dat ze het stukje stokbrood, dat ter compensatie bij de soep werd gegeven, afdoet als een druppel op de gloeiende plaat.

Lijkt me leuk als ze binnenkort de begroting van Pronk gaan behandelen en ze babbelen over hoeveel ze op die kudde stervende hongernegers in Afrika kunnen bezuinigen. Dat dan Bukman tegen Sipkes stamelt: 'Leonie, er zit nog een sliertje vermicelli in je mondhoek.'

Varkens zijn het en wat doe je daarmee? Doodspuiten.

Met verbaasde groet,

Youp van 't Hek

Hondstrouwen,

Afgelopen week werd ik in een Nijmeegse hotelkamer gebeld door het damesblad *Opzij* met een aantal vragen over het begrip *trouw*. Ik vertelde dat ik een nogal saaie sukkel was.

Ik zit twintig jaar bij de VARA, meer dan vijftien jaar bij platenmaatschappij CNR, tien jaar schrijf ik wekelijks in *NRC Handelsblad*, zo lang zit ik ook al bij uitgeverij Thomas Rap, de Bussumse tandarts Hoogerheide behandelt mij al zesentwintig jaar en als mijn impresario Joop Koopman nooit met pensioen was gegaan dan had ik nu nog… Maar dat bedoelde de aardige mevrouw niet. Ze bedoelde neuken. Of ik ontrouw was in de liefde? Ik herhaalde de vraag hardop en mijn tourneevriendinnetje, dat net onder de douche vandaan kwam, schoot onbedaarlijk in de lach.

'U bent niet alleen,' constateerde de *Opzij*-mevrouw en ik legde haar uit dat dit het kamermeisje was dat moe van het schoonmaken even een uurtje bij me was gekropen en nu net een frisse douche had genomen, maar dat ze daar verder niets achter moest zoeken. Ze moest dit zien als spijbelen. Handig was het niet. Ik wist: volgende maand leest mijn vrouw in het vakblad voor Drentse theemutsen in de overgang dat ik zo af en toe op tournee aan een blonde groupie knabbel. Zal dat mevrouw Clinton ook zo zijn vergaan? Las zij op een ochtend in het plaatselijke sufferdje dat haar Bill zijn jongeheer op een dronken moment te voorschijn had getoverd en bij een vreemde dame op het nachtkastje had gelegd onder de uitroep 'Kiss it', of had hij het haar zelf al verteld? Ik legde de mevrouw van de *Viva* voor uitgewipte provincietaarten uit dat voor mij ontrouw bestaat uit niet meer samen praten, lachen, denken, vrijen, enzovoort. Als je man of vrouw al een jaar of wat als een humorloos koelkastje naast je in de echtelijke sponde ligt en het meest geile van het afgelopen jaar het samen drinken van een beker warme chocolademelk was, dan lijkt het mij logisch dat je met een ander tussen de lakens gaat liggen juichen. Maar ik weet dat veel mensen pas aan ontrouw denken als er daadwerkelijk met een ander wordt gefeest. Volgens mij is dat het volgende stadium, maar wie ben ik om er een oordeel over te hebben?

Raar eigenlijk dat je met zo'n wildvreemde mevrouw van dat versleten tuinbroekenblad over zo'n intiem onderwerp babbelt, terwijl je vriendin met een kussen in haar mond op je hotelbed ligt te proesten en je vrouw thuis de geraniums water staat te geven. Is dat eigenlijk wel zo? Misschien ligt zij op hetzelfde moment met een vurige minnaar op de hotelkamer naast me of danst ze een heftige tango met onze groentespecialist! Geen idee. Wil ik dat eigenlijk wel weten? En hoe wil ik dat weten? Van mijn vrouw persoonlijk of wil ik haar op heterdaad betrappen door een keer een uurtje eerder thuis te komen? Via een roddelblad?

Ik heb begrepen dat het in de showbizz erg in is om je vrouw een huwelijksaanzoek te doen waar iedereen bij is. Marco Borsato vroeg zijn mokkeltje op een rondvaartboot en het verslag van het aanzoek stond de volgende dag in alle arbeidersbladen. En nu heeft de pianist Wibi Soerjadi, wiens hele oeuvre binnenkort bij Het Kruidvat ligt, in het bijzijn van de camera's van de Vijf Uur Show in

een uitverkocht Concertgebouw aan zijn manager gevraagd of ze met hem wil trouwen. Het is een manier.
Daarom keek mijn vrouw gisteravond heel raar op in de
Utrechtse Stadsschouwburg. Na mijn vierde toegift
vroeg ik het publiek om de stampende ovatie even te onderbreken, het werd doodstil in de prachtig verbouwde
kunsttempel en toen fluisterde ik naar mijn vrouw op het
balkon: 'Liefste, ik ga van je af.' Zelden heb ik haar zo
ontroerd en opgelucht zien applaudisseren. Ik gun u allen veel lente.

Youp van 't Hek

Lieve Klazien,

Las dat het aantal geslachtsziekten in mijn stadje weer is toegenomen. De anale gonorroe is zelfs verdubbeld. De wat? Inderdaad, een woord om wat langer over na te denken. Vroeger kwam papa thuis met een druppel aan zijn knuppel, maar nu moet hij een biseksueel zadelpijntje opbiechten.

Zou U daar iets op geweten hebben? Ik kan het U niet vragen want U bent sinds gisteren dood. Jammer. Ik vond U wel vrolijk met Uw fluitenkruidaftreksels, brandnetelextracten en dennennaaldensoepjes. En vooral het Sallandse accent sprak me aan. Ik had U graag op die manier *anale gonorroe* willen horen zeggen. Kan niet meer. Wim de Bie imiteerde U een aantal jaren geleden prachtig.

Er is een verschil tussen ziektes en kwaaltjes. Is verkoudheid een kwaaltje of ben je dan ziek? Ik vind het een kwaaltje, maar laatst las ik dat AIDS zich vaak voor het eerst manifesteert als een chronische verkoudheid. En helpt een ui onder je kussen tegen AIDS? Ik denk het wel. Een ui ruft namelijk dusdanig dat er niemand bij je in je nest wil en de kans op besmetting nihil is.

Gisteren liep ik door de stad en zag ik dat er over een paar honderd meter Herengracht een vloer van spiksplinternieuw hout is gelegd. Waarom? De Amsterdammers hebben zoveel overlast van de komende Eurotop dat ze ter compensatie een aantal optredens krijgen aangeboden en waarom zou je dat op een braakliggend terrein doen? Dan zoek je toch een beetje hippe locatie als De Gouden Bocht en leg je voor vijfhonderdduizend gulden voor een dag of wat een vloertje over de gracht. En wie dat overdreven vindt is een bekrompen, benepen, kleinburgerlijke, aculturele sukkel. Dat geld hebben we nou eenmaal, dus moeten we niet zeuren. En het wordt hoogstaand cultureel. Wibi & Bosi komen ook, dus dan weet je het wel. Is dit een kwaaltje of zijn we gewoon ziek? In deze tijd van afkalvende natuur leg je toch niet voor drie dagen een half bos over een gracht om een verveeld volk te amuseren of ben ik nou een geitenwollen muesli-denker en moet ik niet zeuren? Wat wordt de volgende stap? Misschien is het leuk om dan de gracht leeg te laten lopen en op de zanderige bodem een mountainbike-ballet op te voeren. Lijkt mij artistiek gezien reuze spannend.

Het meest geroerd was ik deze week door het bericht dat er in Engeland nu een plastisch chirurg is die mongooltjes opereert en hun specifieke kenmerken camoufleert. Een voorstander van dit soort operaties zei dat als Viola uitgehold mag worden, zo'n lieve schat dat ook mag. Misschien is dat wel zo, maar Viola is een mongool die het zelf beslist en in het geval van de echte mongool beslissen wij het. En waarom? Omdat we geen mongolen meer kunnen zien? Wordt het te veel voor ons? Een mongool heeft toch geen last van zichzelf?

'Ze worden gepest,' roepen de voorstanders van de plastische correctie. Dan moet je kinderen die mongooltjes pesten zo opvoeden dat ze dat niet meer doen en als dat niet helpt moet je die kinderen zo opereren dat ze op mongooltjes lijken.

Een oor aannaaien of zo. Ik wil aan een mongool kunnen zien dat het een mongool is. Anders raak ik in de war.

Op een gegeven moment zie je iemand, die er volstrekt normaal uitziet, een vloer over de Herengracht leggen en begin je diegene totaal verrot te schelden. Maar dan blijkt het een Down-patiëntje te zijn en dan vind ik het weer zielig.

Heel stil mijmer ik dat Wibi & Bosi een dusdanig stampende ovatie krijgen dat het hele publiek door de vloer zakt en verzuipt. Met twintigduizend tegelijk. Allemaal dood. Dan weet ik al wat de conclusie van de deskundigen zal zijn: het hout was ziek, doodziek. Mijn vraag is dan: wie is van hout? En is er, lieve Klazien, een kruid tegen gewassen? Het ga U goed.

Youp van 't Hek

Niemand,

Ik scharrel in mijn uppie door Azië en ben beland op een bijna onbewoond Maleisisch eilandje. Geen radio, geen televisie, geen krant, geen telefoon, geen fax, geen Internet.

Niks. Hutje, zee & stilte. Ik houd opruiming. Er moeten een paar geesten uit mijn hoofd en die wil ik helemaal alleen, zonder een druppel alcohol, verdrijven. Honderd meter strand links en veertig meter rechts. Meer is er niet.

De rest van het eiland is volstrekt onbegaanbaar. Als je wilt kan je eromheen zwemmen. Als je wilt. Maar ik wil niet. Je kan er ook snorkelen. Wil ik ook niet. En duiken zeker niet. Helemaal toen ik op de Hollandse Club in Singapore de ene ex-pat tegen de andere kakker hoorde zeggen: 'Je moet bij ons voor de kust komen duiken. Werkelijk schitterend. Daar zijn de Bahama's modder bij.' U moet de regel wel op een Gooise hockeytoon uitspreken. Dus ook geen duiken.

Laat ik met de deur in huis vallen: ik heb een zelfmoordpoging gedaan. Hoe? Is dat belangrijk? Zelfmoord is toch zelfmoord? Dood is toch gewoon dood, maar ik geef toe: de manier waarop is altijd lekker om te weten. Ik zal vertellen hoe ik het gedaan heb: ik ben in een Maleisische taxi gaan zitten. Die chauffeurs doen het het snelst. Ze nemen een zeer heuvelachtige weg en vlak voor een totaal onoverzichtelijke bocht halen ze een oplegger met hele lange bomen in. De eerste paar keer mislukt de poging, maar ze blijven het proberen. Op een gegeven moment ben ik maar gaan slapen. Dat is alvast ook een beetje dood, dacht ik. Het Bounty-eilandje is de hemel. Dus ben ik dood. Dood is toch zonder fax, telefoon, e-mail of welke andere verbinding dan ook. Alleen een straalverbinding met Oibibio heb ik begrepen. Hoe ik in de hemel ben gekomen? Met een bootje. Dat wist U nog niet, maar zo ga je namelijk naar de hemel. Dat is het normale vervoer. Jezus was een visser en heeft voor zijn beroepsbroeders een leuke bijverdienste gecreëerd. Het bootje keert leeg terug. Het laat mij denkend achter. Ik lees een leuk bedoeld boek en moet niet lachen. Omdat ik op de eerste dag in de hemel toch een keer wil lachen denk ik aan het meisje uit Stadskanaal dat mij ooit vertelde dat haar schoonmoeder nooit eens iets rechtstreeks tegen haar zei. Ik vroeg haar om een voorbeeld. Ze vertelde dat ze via haar man moest horen dat ze op zijn verjaardag de zure bommen te breed gesneden had. Ongeveer een jaar geleden heb ik haar die regel vier keer laten herhalen. In het plat-Gronings.

De tweede en derde dag kijk ik naar alle bootjes of Bes erbij is. Zij is mijn Groningse moeder en was erg aan hemelen toe. Ziek en op en zeer verlangend naar een mooi eilandje. Af en toe komt er een bootje langs. Geen Bes. Gelukkig zijn er meer eilandjes. Ik blijf piekeren, kom mezelf in diverse vicieuze cirkels tegen, heb zware kip- of eidiscussies met een van mijn andere ikken en slaap bijna niet. Maar dat hoeft niet, in de hemel. De tweede en derde dag schiet mij niets leuks te binnen. Behalve een ongehoord leuke mop, die de helft van de abonnees kost als ik hem opschrijf. De krant heeft dit seizoen al genoeg aan mij verloren. Ik denk aan de uitspraak van Eric Cantona, die ooit zei dat alle meeuwen die rond een vis-

sersschip krijsen, denken dat het schip de vis komt brengen. Mooie glimlachgedachte.

Ik wil de vierde dag nog een keer lachen voordat ik in
slaap val en denk aan het meisje dat mij vertelde waarom
ze het met haar vriend had uitgemaakt. Ze mocht van
hem niet op het dekbed zitten. Waarom niet? Dan plet-
ten de veertjes.

De vijfde dag kwam de visser mij halen. Mijn verlof was
voorbij. Ik vroeg of hij Bes gezien had. Het antwoord was
ja. Ik vroeg hem haar mijn groeten te doen en te bedanken voor heel veel hele leuke uren. Dat zou hij doen.

Youp van 't Hek

Rukkers,

De meeste psychiaters staan in principe niet afwijzend tegenover hulp bij zelfmoord van patiënten met uitzichtloos geestelijk lijden.

Kamerlid Hillen heeft schriftelijke vragen aan Kok en Zalm gesteld over het huren van peperdure skyboxen door gemeenteambtenaren bij de diverse voetbalclubs. Hillen noemt het 'zelfverwennerij'. Mooi woord.

Ik lees deze berichten in de tropische hitte van Singapore en een zachte glimlach kietelt mijn hart. Naarmate ik ouder word ontgaat de zin van het bestaan mij steeds vaker en bij het lezen van zo'n berichtje ben ik weer dagen de weg kwijt. Ik zal niet zeggen dat ik geestelijk lijd, maar ik heb wel jeuk.

Wie wil zijn eenmalige leven nou slijten als ambtenaar in Nijmegen? Oké, ik geef toe: iemand moet het doen. Maar wie wil dan ook nog op zijn vrije zondag met zijn collega's naar NEC? Dat gun je toch niemand. In mijn eentje naar de Goffert lijkt me al erg, maar met andere ambtenaren is absoluut ondoenlijk. Dat kan je toch geen zelfverwennerij noemen? Ik zie druilregen, tegenstander Willem II en een modderig potje dat eindigt in een bloedeloze brilstand. Daarna moet je met de plaatselijke Harry Mensjes dronken worden in de frituurlucht van het skyboxenrestaurant en dan heb je het weekend er weer lekker doorheen gejast. Maandagochtend rinkelt de wekker en mag je weer een week het stadhuis in.

Wat ik in Singapore doe? Hard werken. Twee avonden

giet ik mijn woorden over de Nederlanders hier en eerlijk is eerlijk: met plezier. Ik werd van het vliegveld opgehaald door twee beeldschone dames in een turkooizen cabrio, lag een half uur later in het zwembad van mijn hotel, mocht met dezelfde dames tennissen, maar als ik meer van golfen hield dan gingen we golfen. Kortom: druk, druk, druk. Hoorde nog een paar ontluisterende anekdotes over de eisen van collega's van mij, die hier ook ooit hebben opgetreden. Smullen.

Een van de dames had het advies gekregen om mij niet te veel over hun leven te vertellen. Ik zou namelijk eerst ruim profiteren van alle geneugten van het ex-patbestaan en er daarna in de krant een lullig stukje over schrijven. En ze hadden toch al zo'n negatief imago in Nederland. Daar denkt iedereen maar dat de meisjes de hele dag in hun cabriootje rondscheuren, of longdrinkend aan het zwembad met hun mobiele telefoon golfseminars, hockeytournooitjes en bridgedrives liggen te organiseren, terwijl de Filippijnse amah voor een gulden per uur de rotzooi opruimt. Ik hield heel wijselijk mijn mond en gelukkig schoten de schatten toen zelf ook in de lach. We namen nog een duik, lurkten met een rietje aan ons cocktailtje en bespraken de hoogte van het salaris van een gemiddelde tuinman. Dit zakgeld wordt meestal door de zaak betaald.

Ondertussen kauw ik nog steeds op het bericht over de psych en de hulp bij zelfmoord in geval van uitzichtloos geestelijk lijden. Wat is dat precies? Kan je gek worden van de wetenschap dat er mensen zijn die aan de rand van een zwembad in de tropen over tuinmansdubbeltjes babbelen en kan die gekte omslaan in uitzichtloos geestelijk lijden? Kan je een verstandsverbijstering krijgen als je je realiseert dat een thuiszorg-organisatie, die moet bezuinigen op de hulp aan incontinente bejaarden, business-seats in het stadion van Heerenveen heeft en kan deze verbijstering leiden tot een verschrikkelijke psychose?

Laatst was ik God en draaide alle rollen om: alles wat aan het zwembad lag liet ik in de snikhitte de tuin maaien en alle skyboxen puilden uit van de juichende bejaarden, terwijl de tuinnegers aan het zwembad lagen en de thuis-zorgdirecteuren zeiknat in hun rolstoelen om hulp zaten te schreeuwen. Ik zag het echt en was dus gek geworden! En toen? Toen kwam er een psych dat uit mijn kop pra-ten. En als dat niet helpt? Dan kan ik maar het beste zelf-moord plegen. En hoe heet dat dan? Zelfverwennerij.

Youp van 't Hek

Collega's,

Gebeurd in Alkmaar. Mevrouw bakt patat, vlam slaat in de pan en in paniek gooit ze het brandende goedje naar buiten. Het kokende vet treft haar twee kinderen en verwondt de jongste levensgevaarlijk. Een compleet drama dus.

Buren slaan alarm. Politie, brandweer en ambulances schieten te hulp, maar dan gebeurt het: daar komt de cameraploeg van sbs6 de nauwe trap op. Uiteraard van die ranzige scannertypes die de hele dag met hun geile oortjes aan de politieradio hangen. Ze vragen de familie toestemming om te filmen.

Lijkt me een goede vraag, echt iets waar je op zo'n moment als familie op zit te wachten. 'Wij zijn van *Het Hart van Nederland* en maken even wat opnamen.' In eerste instantie gaf de familie toestemming, maar dacht later zeer terecht: sodemieter op met je vuige nieuwsgierigheid.

De cameraman had de gefrituurde kleuter er echter nog niet goed genoeg op en filmde lekker door. Volgens de politie sloegen ze de richtlijnen van de familie in de wind en waren ze brutaal bezig. Dus, terwijl je dochter van anderhalf onder je ogen ligt te sterven, moet je je nog bezig houden met de cameraploeg van een of ander onderbuikprogramma met hoge kijkcijfers. Ik hoop ook dat U zich een beetje kunt voorstellen hoe breed die galerij is: bedenk er even de politie, brandweer en het ambulancepersoneel bij en dan die man met die camera en de geluidsman met zo'n hengelmicrofoon. Gelukkig kwam ook de fotograaf van het ochtendblad voor randdebielen even een plaatje schieten. Zo'n geblakerde peuter op de voorpagina scoort goed bij *De Telegraaf*. Toen de SBS-ploeg klaar was verscheen de volgende club hyena's. Het RTL-Nieuws. Toen sloegen bij de hopeloze broer van de moeder de stoppen door en begon de goede man te meppen. Hij dacht dat het nog steeds om dezelfde SBS-ploeg ging. Dus de verkeerden kregen de klappen. De fotograaf kreeg ook nog een paar dreunen. De cameraman en de geluidstechnicus hebben aangifte van mishandeling gedaan. Dus als die broer niet uitkijkt moet-ie over een tijdje ook nog achter de stangen omdat hij gedaan heeft wat ieder normaal mens doet, namelijk ongedierte vermorzelen, ratten bestrijden.

Donderdag heeft het totale journaille, inclusief het beschaafde NOS-Journaal en de baas van deze kwaliteitskrant, een door Dijkstal opgestelde conceptgedragscode voor de media verworpen. Een paar dagen eerder las ik dat die code niet nodig is, omdat het bijna altijd perfect verloopt. Volgens de pers.

Sodemieter toch op. Afgelopen winter is een kennis van mij door het ijs gezakt en ondanks een ingewikkelde reddingsoperatie verdronken. De familie heeft later in een of ander stinkend Veronica-programma het hele drama nog een keer mogen zien. Het enige discrete wat men had gedaan was het gezicht van de drenkeling onherkenbaar maken. Aasgieren filmen door de kiertjes van de gezandstraalde ambulanceruiten hoe iemand ligt te kermen. Volgens de gezamenlijke pers is dat niet erg.

Volgens mij is er nog maar één manier om je tegen de vlooien te wapenen. Ieder Nederlands gezin moet standaard een pan frituurvet op het vuur hebben en zo gauw er een ongeluk gebeurt de pan met het allesverzengende goedje pakken en over de aanstormende cameraploegen en andere plaatjesschieters flikkeren. Ik kom dat graag filmen. Met collegiale groet,

Youp van 't Hek

Schaamlaplozen,

Belgische vrouwen hebben veel mooiere borsten. De hele maand juli heb ik bij onze zuiderburen aan het strand gelegen en afgelopen week mocht ik mij vermaken in een snikheet Bergen aan Zee, dus ik kan goed vergelijken.

Het moet gezegd: België wint. En niet een beetje. België wint op alle fronten. Hoe dat komt? België is niet topless. De Belgische vrouwen tonen veel meer hun vrouwelijkheid, zijn er trots op, genieten van het verschil der seksen en laten zien dat God een goede bui had toen hij hen schiep. De Belgische dames versieren hun pronte of bescheiden voorgevels met een mooie bikini, hullen hun lijf in een spannend badpak en geven mij, als laatste ongetatoeëerde hetero, een hoop te raden. Bij ons wordt het allemaal zo plat en fantasieloos uitgestald. In België zat ik achter mijn zonnebril mijn zinnen te prikkelen, liet ik mijn fantasie regelmatig even buiten spelen, maar in Nederland heb ik niets anders gedaan dan lezen, lezen en nog eens lezen. Slapen helpt ook en een goede droom kan je aardig uit de realiteit helpen. Dat is hard nodig.

Ik heb kinderen in de giebelleeftijd en op hun aanraden ben ik meegeweest naar het naaktstrand tussen Schoorl en Bergen. Of het erg was? Ja! Het was heel erg. Buiken, borsten en billen hangen en liggen in alle maten en soorten in de verschrikkelijke etalage van de jaren negentig. Allemaal spiegelloze types zonder een gram eigenwaarde. Wie heeft ze ooit verteld dat dit mooi is, of gaat het daar niet om? Gaat het om het broekloze gevoel van vrijheid of is het meer de ijdelheid dat alles gebronsd moet zijn? Aan het begin van deze vakantie ben ik lelijk verbrand, maar hoe doen naaktlopers dat? Kan je je snikkeltje zo verbranden dat je het een paar dagen niet kan doen? Vervelt hij ook? Wanneer is de ontpreutsing van ons land begonnen? Op welk moment ging men massaal over naar een totale schaamteloosheid?

Mijn vader ontroerde mij ooit door iets heel eenvoudigs. Samen met moeder bezocht hij ons gezin op een prachtige dag aan het strand. Op een gegeven moment zei ik tegen hem: 'Man, doe je bloes uit.' En toen legde hij heel simpel uit dat er een dag in je leven komt en dan doe je dat niet meer. En hij had die leeftijd bereikt.

'Wie trekt die grens?' vroeg ik.

'Die trek je zelf,' zei mijn moeder en glimlachte wijs.

Het is goed dat ze zijn overleden, want mijn wandelingetje van afgelopen woensdag hadden ze niet gered. Fysiek niet, maar psychisch zeker niet. Van Schoorl naar Bergen is ongeveer vijf kilometer. Dus ik heb heen en terug tien kilometer bloot gezien. En dat is veel. Het leukste is dat iedereen zijn best doet om zo ontspannen mogelijk over te komen, maar dat maakt het nog veel treuriger. Alles paradeert langs de vloedlijn met een neutrale meubelboulevardblik. Ik zag een echtpaar op het harde strand badmintonnen. Bloot badmintonnen. Hij met zijn wapperende jodocus, terwijl bij haar de perkamenten envelopjes bij elke slag meezwabberden. Bijna was ik naar ze toe gegaan om te zeggen dat het van niemand hoeft.

'Trek nou wat aan, doe er wat omheen, het is voor alle partijen beter. Voor jullie onderling, voor de argeloze wandelaar zoals ik, en zeker voor mijn kinderen. Een leuke jeugd is prima, maar zoveel lachen is ook niet goed.'

Mijn kinderen hebben überhaupt seksueel een zware week.

Tussen België en Bergen waren we een uurtje thuis om het konijn Flapoor op te halen en juist op dat moment begon de carnavalsoptocht van bootjes vol juichende homo's door de Amsterdamse grachten. Ik kan U zeggen dat dat veel is als je zes bent. En als daar vier dagen later nog eens een aantal kilometers goed doorvoed, welvaartsvast bloot bij komt, dan voel je je al gauw zeven. En in België gebeurt dat allemaal niet. Maar daar gebeuren weer veel gruwelijker zaken. Ik hoorde een Vlaamse vader op het strand tegen zijn vrouw zeggen: 'Ik ga een kuil voor de kinderen graven.' En dat klinkt zeker in dat land heel erg luguber.

Niets dan goeds,

Youp van 't Hek

Papen,

Eerlijk gezegd vond ik alle ophef bij ons op de Keizersgracht nogal overdreven. Onze buurtactie was absoluut
niet racistisch bedoeld en met het spandoek WIJ WILLEN
GEEN BRABO'S, VOL IS VOL wilden wij de politiek alleen
maar wakker schudden. Wij zijn niet tegen papen van onder de Moerdijk, maar de hele Keizersgracht wordt gewoon te rooms. U moet onze actie zien als een nood-
kreet. Als er een of twee katholieke gezinnetjes met een
zachte g in de gordel wonen heeft niemand daar moeite
mee, maar nu er meer dan tien Brabantse gezinnen op
dezelfde gracht zijn neergestreken wordt het te gek.
Jullie zijn nou eenmaal anders, hebben een ander geloof,
praten anders, drinken veel meer dan wij, gaan op de
raarste momenten zingen, krijgen na een paar glaasjes
last van polonaisedrang, enzovoort. Als jullie dat in Den
Bosch, Helmond of Oss doen dan valt dat niemand op,
maar hier kan het gewoon niet en dat is het enige wat we
wilden zeggen.

Amsterdam is een tolerante stad, maar er zijn ook bij
ons grenzen. Voorbeeld: jullie geloven in een God, die
zich op aarde laat vertegenwoordigen door een Pool in
Vaticaanstad. Daar loopt die man, samen met zijn volge-
lingen, in een soort jurk en samen houden zij zich bezig
met allerlei duistere rituelen. Ze drinken wijn en zeggen
dat dat bloed is, vreten ouwel, noemen dat het lichaam
van Christus en stoken daar wierook bij. De jurken mogen zelf geen seks hebben, maar bepalen ondertussen

wel dat de allerarmste gelovigen condoomloos moeten doorfokken. Verder mogen terminale patiënten niet waardig sterven, abortus is in hun ogen moord en een beetje gezonde, opluchtende echtscheiding is helemaal uit den boze. Kortom: een bizar clubje.

Zolang dat allemaal onder de Moerdijk gebeurt heeft niemand er last van, maar als jullie echt massaal deze kant op komen en jullie gewoontes onbewust aan ons gaan opdringen dan geven wij een signaal af en zo moeten jullie onze actie op de Keizersgracht zien. We hebben niets tegen de familie Van Vught uit Boxtel, maar tien Van Vughtjes wordt ons gewoon te veel.

In de gordel is een redelijk grote homopopulatie en het is bekend dat de katho's tegen deze vorm van seksualiteit zijn. De opperpool in Vaticaanstad heeft het onlangs nog openlijk veroordeeld en dan kunt U zich toch voorstellen dat de Amsterdamse nichten zich op zijn zachtst gezegd ongemakkelijk voelen als er allerlei roomse gezinnetjes van beneden de rivieren om hen heen komen wonen.

Daarbij hebben we ook last van jullie. Brabo's moeten elke zondag naar de kerk en dat doen ze het liefst 's morgens. Een beetje nicht, maar ook de gemiddelde grachtenhetero, slaapt graag uit. Dus als je als uitslaper elke zondag om een uur of half tien gestommel op de trap hoort, plus het bijbehorende klokgelui, dan geeft dat irritatie. En wat begint als irritatie kan al snel uitgroeien tot een etnisch conflict. Wie wind zaait, zal storm oogsten. Verder gebeurt het regelmatig dat je bij de viskraam mensen met een Berry van Aerle-tongval over Cocu en Zenden hoort babbelen en daar wordt je haring niet malser van.

Verder zijn jullie een volk van dierenbeulen. Het is algemeen bekend dat jullie in De Peel miljoenen varkens in hele benauwde hokken martelen. Jullie leggen een zeug met een metalen klem op de grond zodat de bigge-tjes er beter bij kunnen en dat arme dier kan dan geen kant op. Jullie vinden dat allemaal heel normaal, maar wij mogen tegen dat soort praktijken best vreemd aankij-ken. En dat is het enige dat wij wilden zeggen.

We zijn blij dat het tussen ons en burgemeester Patijn weer is goed gekomen, zij het dat we hem niet persoon-lijk te pakken kregen omdat hij zich moest inschrijven voor het homogolfen op de Gay Games. Daarover had-den wij met de hele buurt nog een vraagje: begin je als he-tero bij het homogolfen met een handicap of juist niet? Veel kracht en wijsheid,

Youp van 't Hek

John,

Even een faxje naar aanleiding van ons telefoongesprek van gister, betreffende mijn nieuwe programmavoorstellen voor sbs6. Ik vond het trouwens heel lullig van Van Westerloo dat hij zich pas na de perspresentatie distantieerde van het komende winterprogramma. Alsof hij het toen pas onder ogen kreeg. Weet je nog hoe hard Fons moest lachen toen ik het idee voorlas dat een jongen live aan zijn ouders zou vertellen dat hij homoseksueel was? En nu terugtrekken. Beetje flauw. Geschrokken van de reacties, denk ik. Ben wel blij dat hij het programma *Exen* heeft laten staan. Was gister bij de eerste opname en neem van mij aan: wordt een toppertje. Een man deed zulke gênante uitspraken over zijn ex en zij sprak dat zo furieus en ordinair tegen. Gingen bijna op de vuist. Wordt smullen.

Over oude liefdes gesproken: ik kwam vorige week bij Ajax jouw ex tegen. Willeke dus. Ik vertelde haar over het programma en toen zei zij dat ze over jou ook nog wel een boekje open kon doen. Volgens haar ben je erg op de penning, stinkend jaloers en in bed een heel dun zesje. Maar ze was bang dat jij dat niet op de televisie zou willen horen. Blijft dus tussen ons.

Hierbij wat nieuwe voorstellen voor sbs. Als Fons echt de Pietje Bell onder de commerciëlen wil blijven dan moet hij wel een beetje durven. Alles wat hij niet wil moet je maar bij Veronica aankaarten. rtl niet, die willen de fatsoenszender blijven.

De volgende voorstellen zijn waterverfschetsen en kunnen hier en daar nog worden opgeleukt, maar daar lees jij wel doorheen.

1. *Zelfmoord*. Met de camera volg je een dag of tien iemand die, ten einde raad, op het punt staat om zelfmoord te gaan plegen. Je ziet gesprekken met hem of haar, je kan het slachtoffer een locatie zien kiezen, de afscheidsbrief zien schrijven en het blijft tot het einde redelijk spannend. Een beetje 'Doet ie het of doet ie het niet?' Wel voor variatie zorgen. Dus niet elke week een verhanging, maar ook een met een kogel door zijn harses, een sneltreintype, pillengevalletje, föhn in het bad, et cetera. Bij de aftiteling stel ik mooie slowmotion-beelden van de begrafenis of crematie voor. Op ontroostbare familieleden kan je schitterend inzoomen.

2. *Waken*. Je ziet een familie waken bij een opgebaarde overledene. Ik denk dan aan een vader, moeder of kind. Mooi sfeertje. Kaarsen, stilte, rouwkamer dus. De familie vertelt dan over de (on)hebbelijkheden van de dode en wat men in hem of haar zal missen. Je kan het programma larderen met leuke filmpjes van de familie zelf.

3. *Vreemdgaan*. Man of vrouw stelt live aan de desbetreffende partner de minnaar of minnares voor en vertelt hoe lang ze al iets hebben. Hoe ze elkaar kennen, waar ze het voor het eerst deden, welke smoezen ze hebben verzonnen om samen weg te kunnen en wat je verder maar aan smeuïge details kunt bedenken. Leuke variatie is de vrouw die aan haar man vertelt dat ze al jaren een lesbische relatie met de buurvrouw heeft of de beetje hondstrouw ogende echtgenoot, die al zeven jaar lang één keer

323

per week wordt afgeranseld door een strenge meesteres. Verder denk ik nog aan het programma Alzheimer, waarin je per aflevering een familielid ziet dementeren (mooi menselijk zacht focus filmen) met als slot begeleid uitdrogen (blauwborgen) of een goed gefilmde actieve euthanasie.

Denk verder nog even na over de voorstellen die ik je vorige week stuurde. Volgens mij blijft Psychose een prachtidee. Hoor graag van je, groet Fons en zeg tegen hem dat hij zich niet gek moet laten maken door media-redacties van intellectuele blaadjes als NRC en zo. Daar zitten de kijkers namelijk niet. Tot maandag.

Youp van 't Hek

Diana,

Heerlijk, zo'n fax die je niet per machine hoeft te versturen en hij kan ook gewoon in het Nederlands. Als je dood bent valt taal namelijk weg. Je kan in één klap iedereen verstaan. Vanmiddag word je dus begraven. Twee miljoen mensen langs de route, drie miljard voor de buis, onderhand heb je de bloemenveiling van Aalsmeer ontwricht, de Engelse monarchie laten wankelen en je hele land in diepe rouw gedompeld. Ik ben daar echt stil van. Je hele leven niks anders doen dan mooi zijn en een beetje dwarsliggen tegen een wel zeer gevestigde orde en dit is het resultaat.

Wie is nou gek? Al die roddelbladenlezers die in je condoleanceregister hele epistels van vier kantjes aan je zitten te pennen of ik, die er helemaal niks van begrijpt? Hoe werkt zoiets? Hoe doe je dat?

Wees nou eens eerlijk: wist jij dit? Wist jij dat je zo populair was? Of moet je daar eerst dood voor gaan om je dat te realiseren? Het is werkelijk onvoorstelbaar. Hoe is het met je? Verdrietig dat het voorbij is? Voor je kinderen natuurlijk, maar verder toch niet? Die saaie Charles met zijn Camilla, je zure schoonouders en die twee impotent ogende zwagers van je zullen je toch verder jeuken? Daarvoor hoef je toch niet terug? Heb je Charles en zijn vader afgelopen donderdag in hun aseksuele Schotse rokjes gezien? Jij hebt toch ook een keer zo met hem moeten wandelen? Heb je toen besloten om hem in te ruilen voor een jonger ding?

Eigenlijk was het toch mooi klaar hier op aarde. Je was een opgejaagd dier in de jungle en iedereen wist: die loopt zich een keer totaal te pletter. En dat is dus ook gebeurd. Ik mag je wel feliciteren met je schitterende einde. Wat een fantastisch slot! Echt van harte. Wie heeft deze finale voor je verzonnen? Met een louche minnaar, opgejaagd door schimmig schuim, in een hele foute Mercedes, bestuurd door een Kluivert met bloed in zijn whisky, in Parijs, na een dineetje in de Ritz... Je krijgt het als kasteelromanschrijver niet verzonnen. Als ik met zo'n script bij mijn uitgever zou komen zou hij waarschijnlijk zeggen: 'Dat einde is een beetje te vet. Je moet er een paar ingrediënten uithalen. Anders geloven de mensen het niet.' Waarschijnlijk had hij die scène van een paar weken daarvoor, dat je met die Do op dat ordinaire schip van zijn vader voor de kust van St.-Tropez ligt te vozen, ook geschrapt. Onder het motto: zo dom is dat blondje nou ook weer niet.

Maar goed, over dat soort zaken hoef jij je geen zorgen meer te maken. Voor jou zit het erop. Je laat een heel volk totaal verpletterd en verdoofd achter en zelf ben je een hele nieuwe wereld ingegaan. Weet je dat een aantal mensen om jou al zelfmoord heeft gepleegd? Om jou schat! Je leest het goed! En dat er ook alweer simpele zielen zijn aan wie je bent verschenen. Je aanhang heeft een hoog Tineke- en Jomanda-gehalte. Je kunt wachten op het eerste Diana-beeldje dat gaat huilen. Daar hebben die kneuzen ook altijd behoefte aan. En nu? Gaat je broer van jullie landgoed een soort Graceland maken? Komt er een McDonald's naast je graf? En een Pizza Hut? Wat is er mis met mij dat ik er niks van snap? Was het je warme knuffel aan de mensen in plaats van een koel handje? Of je mislukte affaires met je buitenechte-

326

lijke minnaars? Je strijd tegen je Amstelveense schoonmoeder Elizabeth? Wat is het Di? Leg het me ooit uit,
maar ik moet je eerlijk bekennen: voor mij ben je een
groot raadsel!

Sinds wanneer? Sinds je dood bent. Daarvoor had ik
niet over je nagedacht, maar ik geef toe: ik ben een late
leerling. Geniet van je droombegrafenis en hou je haaks.
We'll meet again, don't know where, laat staan when.

Youp van 't Hek

Vrinden en vrindinnen,

Twee vervelende incidenten deze week. Eén dood en de ander bijna. Kan gebeuren. Dat van die bijna-dode zou ik me niet te veel aanrekenen. Het is natuurlijk dom van zo'n jongen om zo lam als een duivel naast zijn tentje te gaan liggen tukken. Dan vraag je om moeilijkheden. Daarbij begreep ik dat hij de hele week niet meer dan vier uur geslapen had. Een tennisvrindje van mij werkt op de intensive care van het Academisch en vertelde dat ze hem er waarschijnlijk wel doorheen sleuren. Hij zal wel wat blijven hinkepinken en trekkebenen, maar ik heb begrepen dat het geen tophockeyer was. Er zijn erger dingen. De dronken kampbeul, die over hem heen reed, hoeft zich geen zorgen te maken. Heb even een golfvrindje van mij gebeld. Hij zit bij Stibbe en vertelde dat ze in Leiden ook een keer zo'n soort zaak bij de hand hebben gehad. Ten eerste wordt het voor het OM heel moeilijk om te bewijzen dat die chauffeur compleet afgetankt was en daarbij vond het incident niet op de openbare weg plaats. Kortom: peanuts!

De dode is lastiger. Jullie hadden hem een liter jenever in zijn mik gepompt. Is op zich niks mis mee, zij het dat hij het wel even had moeten uitkotsen. Slordig dat daar niet iets beter op gelet is. Maar ik begrijp dat wel! De rest was natuurlijk ook zo kachel als een mand natte washandjes en dan gebeuren die dingen. Juridisch is het heel interessant dat hij gestikt is na een epileptische aanval en dat houdt in dat hij in principe een 'natuurlijke' dood gestorven is. Ik heb nog een oud hockeyvrindje, een maat bij Loeff, gebeld en die zei dat de epilepsie zo goed als zeker jullie redding is. Toeval dus. Mocht de officier een dwarse knor zijn die problemen gaat maken dan bel ik mijn bridgemaatje J.W. wel even. Die serveert zo'n man wel af. Daarover geen angst. Complimenteer zijn huisgenoten nog even met de ontroerende advertentie. Vooral de tekst: *Het was kort, veel te kort* sneed dwars door mijn ziel.

Vorige week liep ik toevallig langs De Blauwe Engel op de Grote Markt en hoorde het hele café deinen op het hitje 'Leven na de dood' van mijn collega Freek de Jonge. Heb er een leuk coupletje voor jullie bij verzonnen:

> *En wat dacht de oude corpsbal*
> *toen-ie een liter in hem goot?*
> *Er is leven, er is leven na de dood!*

Raad jullie niet aan om dat komende week al te zingen. Zie het als een ranzig grapje.

Vervelender vind ik het dat ik jullie weer zo moet verdedigen in het openbaar. Mensen begrijpen het gewoon niet. Een zoontje van vrinden is zojuist ontgroend in Rotterdam en moest meer dan tien uur op een en dezelfde stoeptegel staan en onderhand werd hij verrot gescholden. Een beetje softe kennis van ons had het gisteren over nazi-methoden en dat die ouderejaars in hun hart ss'ers zijn. Die begrijpt het gewoon niet. Ik heb maar niet verteld dat hij ook nog een uur of zeven achter elkaar kniebuigingen en push-ups heeft moeten maken, tien nachten tot huilens toe is wakker gehouden en toen hij een iets te grote muil had een paar stevige knauwen (uiteraard met de vlakke hand!) heeft gehad. Daar wordt dat p&k halvamel een vent van, zoals wij allen op de club kerels zijn geworden. En vrinden voor het leven! Mensen snappen het niet.

Wel nog even een paar tips voor de begrafenis. We gaan toch niet geblazerd?

Let even op: jacquet met zwart vest, zwarte das, geen sieraden (dus ook het horloge en de tegelring af!), zwarte sokken en zwarte schoenen. Dat vind ik namelijk altijd zo'n blamage! Dat je een corpsbal op een begrafenis ziet en dat hij er bij loopt als de eerste de beste knorremans. Vreselijk. Jongens, sterkte en wat mij betreft: de rozen.

Youp van 't Hek

Zeer geachte heer Bierens,

Afgelopen dinsdag heb ik samen met mijn twee dolenthousiaste kinderen Uw toeristische attractie bezocht. En het moet gezegd: het was een feest.

Veel dank daarvoor. Het deed mij vooral deugd dat de extra's in Uw park (het laten bewegen van een aantal details) nog steeds een dubbeltje kosten. Van dat sympathieke prijsje werd ik zeer weemoedig. Toch wil ik U vragen of U tijdens de winterse opknapbeurt een paar puntjes op de i zou willen zetten en het geheel een beetje zou willen aanpassen aan de jaren negentig. Het gaat mij vooral om de volgende zaken:

1. De Spoorwegen lopen nu perfect. De treinen rijden volgens een strak schema van station naar station en ik heb geen enkel treinstel kunnen betrappen op een hapering. De treinen zijn echter geschilderd in de kleuren van de NS en daar maak ik bezwaar tegen. Of U moet de treinen in een andere kleur schilderen of U moet ze veel onregelmatiger laten stilstaan en met enorme vertragingen de stations binnen laten lopen. Misschien is een dubbeltjesautomaat, die een vloekend perron in werking zet, een aardige suggestie. Een floppy om het computerprogramma van de treinenloop te ontregelen kunt U aanvragen bij de NS.

2. Het voetbalstadion is te braaf. Geen reclameborden, een keurig Wilhelmus en na het volkslied klinkt een be-

331

schaafd, ingetogen gejuich. Fout. Graag zou ik rond het stadion een dozijn ME-bussen willen zien. De binnenkant moet ontploffen van de reclame en een aantal ordinaire skyboxen is tegenwoordig echt niet meer weg te denken. Ook hier lijkt een dubbeltjesautomaat mij op zijn plaats. Mijn voorstel is dat er na betaling rook opstijgt uit het vak van de harde kern en dat je een beetje eigentijdse spreekkoren te horen krijgt. Het 'kutkankerjoden' en 'stop die vlag maar in je reet' kunt U wekelijks in welk stadion dan ook opnemen.

3. De snelweg kabbelt mij te veel. Ik zag allemaal braaf rijdende autootjes en de linkerbaan ging heel ouderwets iets harder dan de rechter. Mijn voorstel is: maak er gewoon een chronische file van. Misschien is er een systeem te bedenken dat U hem schoksgewijs laat bewegen. Een paar centimeter per minuut. Mocht U toch voor rijdende auto's kiezen doe er dan een paar bumperklevende, met groot licht knipperende BMW's tussen en laat die op de meest gevaarlijke wijze rechts inhalen, desnoods via de vluchtstrook. In plaats van een BMW mag ook een Mercedes uit de Diana-klasse. Als U de bestuurder van die auto ook nog een telefoon in zijn hand kan geven is het beeld compleet.

4. Het Binnenhof zou ik ook anders doen. Ik zou op een bandje een zacht tevreden gesnurk van ongeveer 150 leden laten horen en misschien is het leuk dat je na het ingooien van een duppie de tekst 'even dimmen' hoort, waarna de hele Tweede Kamer wakker schrikt. Misschien kunt U dit project laten sponsoren door de afdeling slaappillen van MSD.

5. De boerderijen die U toont zijn me te klassiek. Leuk om zo'n historische stolpboerderij te laten zien, maar een cleane varkensfokkerij of kuikenmesterij lijkt me meer op z'n plaats. Is het leuk dat je na het ingooien van het dubbeltje een hartverscheurend gekerm van een kleine 4.000 zeugen en biggen hoort en dat het langzaam overgaat in het paniekpiepen van een half miljoen donskuikentjes? Of schrikt dat de kinderen te veel af?

6. Het Nationale Monument op de Dam zou ik uitrusten met wat drugsdealers die, wederom na een dubbeltje, 'hasj', 'coke' en 'xtc' fluisteren.

7. Schiphol zou ik niks aan doen. Zag inderdaad geen vliegtuig de lucht in gaan en dat lijkt me het meest juiste toekomstbeeld.

Volgend jaar in de herfstvakantie komen wij zeker weer en ik hoop dat u dan een aantal suggesties van mij heeft overgenomen. Verder niets dan lof en nogmaals, mede namens mijn kinderen; heel hartelijk bedankt voor een heerlijke dag.

Youp van 't Hek

Lieve Bert,

Ik was een mannetje van amper twaalf jaar en ging elke veertien dagen naar Ajax. Van mijn moeder kreeg ik geld voor de bus en het jongenskaartje (50 cent!!). Ze stopte me altijd iets extra's toe om wat lekkers te kopen. Cola heette toen nog een flesje. Jongenskaartjes werden vanaf twaalf uur uitsluitend aan het loket verkocht. Wilde je een plaatsje bemachtigen dan moest je er, zeker bij top-wedstrijden, al om half tien staan. Toen had je aan het bezoeken van een voetbalwedstrijd nog een dagtaak. Boterhammen mee. Al snel had ik door dat ik, als ik ging liften, het geld voor de bus kon versnoepen.

Op een dag stond ik na een wedstrijd op de hoek Gooiseweg/Middenweg naast een auto met daarin de op dat moment wereldberoemde Bert Haanstra. Je was samen met Pim Jacobs en in mijn herinnering zaten jullie in een donkerrode Jaguar. Dat laatste weet ik niet zeker. Je keek me aan en gebaarde dat ik in kon stappen. Ik was sprakeloos. Twaalf en dan meeliften met Bert Haanstra. Vijftien kilometer lang bij Bert Haanstra in de auto. Je stelde me ook nog een vraag, maar ik kwam niet verder dan een hortend en stotend stamelen. Bij ons thuis was je een god.

Hoe vaak hadden ze het niet over *Fanfare* gehad. Ik had die film toen nog niet gezien. *Alleman* was mijn eerste en die herinner ik me nog als de dag van gisteren.

Samen met wat broers en zusjes in de verpauperde bioscoop Novum aan de Bussumse Vlietlaan. Eerste bios-

334

coopbezoek, de geur van warm celluloid, het stof in de lichtbundel van de projector, de tekenfilms in het voorprogramma, de Biobus in de pauze... Je film verpletterde mij. En nu zat ik achter in de auto van de maker van dit meesterwerk zelf. Je bood me aan om mij thuis af te zetten, maar ik zei dat dat niet hoefde. Alleen al de angst dat mijn ouders erachter zouden komen dat ik gelift had. Totaal in de war kwam ik thuis en het ergste was: ik kon het niet vertellen. Ik kon aan niemand kwijt dat ik bij de grote Bert Haanstra himself in de auto had gezeten. Ik wou het schreeuwen, op de muren krijten, met stroop op mijn pannenkoek schrijven, maar het kon niet. Ik dacht dat ik gek werd. Een broer nam ik in vertrouwen en die geloofde mij niet. Dat was nog erger.

De tweede keer dat ik je zag zat je bij mij in de zaal. In het Larense Singer. Ik was pikkie noga, zette mijn eerste stappen op het podium en was bijna onthutst dat je zo hard zat te lachen. Rij vier in het midden, ik weet het nog precies. Ik heb de hele avond op je gelet. We zijn nog wat gaan drinken in café Het Bonte Paard en daar gaf je me nog twee handige tips. Iets over tempo en timing. Ik zweefde die avond naar huis. Bert Haanstra, een van mijn absolute helden, had het mooi gevonden. Jij wist niet dat ik op dat moment een vat was dat bijna explodeerde van de twijfel. Ik wist niet of ik wel door moest gaan met het spelen voor die halfvolle zaaltjes. Onbewust trok en duwde jij mij over de streep. Natuurlijk heb je dat nooit geweten, maar vergis je niet wat voor impact jouw bezoek op mijn voorstelling had. Mijn held in de zaal. Later heb je bijna al mijn programma's gezien en elke keer had je na afloop iets dat ik kon gebruiken, waar ik iets aan had. Dank je wel daarvoor. En elke keer als ik je had gesproken dacht ik: wat ben je toch een schat van een man. Maar dat wist ik eigenlijk al. Iemand die een voetbalsupportertje van amper twaalf een lift naar huis geeft deugt van binnen en van buiten. Zondag bij Ajax-Feyenoord zal ik even zachtjes mijn hoed voor je afnemen. Dank je voor veel.

Youp van 't Hek

Youp,

Toen iemand mij vertelde wat Marco Bakker in de Arena is overkomen, wist ik zeker dat jij daar wel een aantal smakeloze grappen over zou maken en eerlijk gezegd snap ik dat ook wel. Als je weet hoe het gegaan is, mag je maar één ding hopen en dat is dat onze operetteprins op dat moment een alcoholpromillage van minimaal 1,9 had. Want als dit een nuchtere actie was, dan is er echt iets fundamenteel mis met hem. Uit de krant begreep ik dat het op het vipdek is gebeurd. Dat is het parkeerterrein van de skyboxhouders. Normaal zitten daar al die vorige week gearresteerde hoerenlopers van de Amsterdamse Effectenbeurs en misschien dacht Marco: nu dat gajes op water en brood zit, staan al die ordinaire leaselimo's er toch niet en heb ik even lekker de ruimte om te racen! Of denk je dat hij last had van schnabbelschaamte? Wat dat is? Schnabbelschaamte betekent dat je je geneert vanwege het feit dat je ooit begon op het serieuze operapodium en nu niets anders bent dan een tussendooract op een feestje van de Volkswagenimporteur. En op zo'n moment denk je: wegwezen!

Schnabbelhaast zou ook nog kunnen. Dus dat hij nog een riedeltje moest jodelen voor een jubilerende korfbalvereniging in Waddinxveen en dat hij al een beetje aan de late kant was. Het kan natuurlijk ook gewoon postpuberale pochpraat zijn geweest. Wat dat nou weer is? Laten zien dat de jouwe harder kan. Dus dat hij in dit geval aan al die Volkswagensukkels wilde laten zien dat zijn Opeltje tien keer beter trekt dan al die domme Golfjes. En zeker als je optrekt met je cruisecontrol.

Toch is het hele ongeluk te droef voor woorden en als iemand zich dat zal realiseren is het Marco Bakker zelf. In een vlaag van domme, blinde woede een vrouw doodgereden. Dat blijft levenslang knagen aan je dood-door-schuldgevoel. Misschien vindt hij vanaf nu de Kluivert-mopjes stukken minder leuk en begrijpt hij niet dat hij een jaar geleden nog eens heeft geglimlacht om zo'n bittertafelgrapje. Ook nu zal hij zich realiseren dat een ongeluk secondenwerk is. Voor hetzelfde geld was hij met piepende banden de bocht omgegaan en had hij zijn publiek in een circuitgeur van verbrand rubber achtergelaten. Dan had iedereen 'randdebiel' of 'operettelul' geroepen en was het leven vrolijk doorgegaan. Hier op de gracht rijdt er om het kwartier een blinde namaak-Verstappen van een of andere koeriersdienst vlak langs mijn kroost en elke avond dank ik God dat zij mijn kinderen weer behoed heeft voor een rolstoeltje of zelfs kistje.

Bij de school van mijn kinderen is een stoplicht en 999 van de 1000 automobilisten stoppen voor rood, maar het gaat niet om die 999. Het gaat om die ene. Of om dat ene kind dat dromend door rood loopt. Ik was zo'n kind en ben er nog. Secondenwerk en toeval. Niets anders dan dat. Was Kluivert vorig jaar drie seconden eerder over het bruggetje gevlogen dan... In zijn geval geloof ik dat zelfs een halve seconde eerder al genoeg was.

Waarom ik deze fax aan jou stuur is nogal simpel: als iemand moet zwijgen over te hard rijden dan ben jij het. Bij jou zou het toch ook beter zijn dat je publiek net zo lang in de schouwburg blijft zitten tot het zeker weet dat jij de desbetreffende stad uit bent? Ben jij zelf niet na een verkeerde inhaalmanoeuvre twee centimeter langs een

338

fietsende scholiere geschoten en heb jij niet twintig jaar geleden met een auto vol kleine kinderen na een slip met één wiel boven een sloot gestaan? En al die andere verhalen van al je vrienden en kennissen. Dat zijn toch ook allemaal van die ging-net-goed-anekdotes? Dus zullen al die mensen die je niet kent ook wel ergens een stapeltje bijna-fatale herinneringen hebben liggen. Net als alle lezers van deze fax. En dan heb je nog de mensen die wel iemand hebben doodgereden, maar van wie niemand dat weet omdat ze niet op Kluivert of Bakker lijken. Kortom: laten we de file koesteren. Hoewel? Daar is Van Traa weer op geknald.

Youp van 't Hek

B(r)oertjes,

Volgende week verschijnt bij de Rotterdamse uitgever Lachman het eerste nummer van een miljonairsblad. Dertigduizend exemplaren worden rechtstreeks naar de doelgroep gestuurd. Wedden dat jullie ook zo'n glossy blaadje op de kokosmat vinden? Jullie zijn namelijk multi, aan alle kanten gevuld en moeten honderdtwintig worden om het op te kunnen krijgen.

Ik denk terecht. Jullie verschaffen een hoop mensen een boel lol en daar mag best voor betaald worden. Maar wat las ik nou voor treurige berichten? Hebben jullie skyboxjeuk? Gaan jullie mekkeren over te veel belasting? Gaan we de taal van de gemiddelde beursfraudeur spreken? Willen we een ander fiscaal tarief? Lieve, lieve jochies toch. Jullie zijn allebei prima voetballers, maar laat het daarbij.

'Niet lullen, maar poetsen,' zei mijn oude tante Trudy altijd.

Jullie moeten even wakker worden. Elke veertien dagen spelen jullie in een stampvolle Arena en het merendeel van die mensen die daar zitten moet behoorlijk hard bikkelen voor die seizoenkaart van gemiddeld zeshonderd piek. Behalve in de wereld van de business-seats en de skyboxen kan namelijk niemand zijn pleziertje aftrekken.

Ik maak me oprecht zorgen om jullie. Vooral sinds jullie spreken via de mond van die voormalige krokettenkoning Cohen, zover ik heb begrepen van jullie allebei de schoonvader. Elke familie gun ik zijn eigen muffe geur van doorgekookte spruitjes, maar bij die Rob Cohen gaat het veel verder. Hij komt bijna klaar op al die publiciteit die hij via jullie krijgt en ik heb hem al krantenpagina's lang horen verkondigen dat het niet om het geld, maar om het spelletje gaat. Vervolgens praat hij over niets anders dan geld, geld en nog eens geld. Ik heb begrepen dat wij, als wij jullie commentaar na een WK-wedstrijd willen horen, ons moeten abonneren op dat ranzige kanaaltje van Kees Jansma. Tegen betaling van een fikse bom duiten staan jullie kale Kees exclusief te woord. Lieve B(r)oertjes: jullie maken een denkfout. Niemand wil namelijk jullie commentaar horen. We hebben jullie ingehuurd om te voetballen en niet om te praten. Dat laatste kunnen jullie namelijk niet. Op die ene huilbui na is er nog nooit iets zinnigs uit jullie lijzige mondjes gekomen. Vind ik persoonlijk helemaal niet erg, maar laat je er dan niet voor betalen. Besef dat dat gewoon bij je werk hoort. Het zou hetzelfde zijn als ik geld kreeg als ik ging voetballen.

In mijn ogen hebben Ajacieden een bepaalde klasse. Zo zei Michael van Praag ooit over Winston Bogarde, die na een wedstrijd tegen Sparta met supporters op de vuist was gegaan: 'Een Ajacied houdt zijn jasje aan.' En daarmee vatte hij de club in zes woorden samen. Zo vind ik dat een Ajaxmiljonair niet moet zeuren over belastingen. Het zou toch fantastisch zijn als jullie op de vraag over jullie belastingtarief een voetbalvreemd antwoord gaven en zouden zeggen: 'Maar met ons geld gebeuren geweldige dingen. Relatief gezien neemt Nederland de meeste asielzoekers op, het onderwijs staat op een redelijk hoog niveau, de werklozen hebben geen honger, we weten dat een deel van ons geld naar ontwikkelingshulp gaat en zelf houden we nog een Porsche of tien over. Nee, we hebben niks te klagen.'

Ik weet dat dat onmogelijk is in de wereld van de kortzichtige poengraaiers die het voetbal besturen. Maar denk er eens over na. Het zou jullie sieren. Jullie zouden als chique helden de geschiedenis ingaan.

Mochten jullie toch met het ministerie van financiën gaan onderhandelen, denk dan aan de woorden van mijn moeder: niet praten met volle mond.

Youp van 't Hek
(ook niet onbemiddeld)

Lieve vader en moeder,

Jullie zijn alweer een jaar of wat dood en begraven, maar ik moet nog heel vaak aan jullie denken. Positief? Ja, hoewel ook af en toe de bonte knaagkever stevig huishoudt in de eikenhouten draagbalken van mijn herinneringen. Ik twijfel soms over iets essentieels en wel het volgende: hielden jullie eigenlijk wel van me? Ik heb alleen maar warme herinneringen aan vroeger, maar toch ben ik een beetje uit balans geweest. Gisteren sprak ik in een café een paar Gooise kakkertjes met veel rijke kennissen uit de kringen van de banken en de beurs. Voorkennissen dus.

Een van de hockeyschatjes in het café vertelde mij het volgende, echt gebeurde verhaal. Een paar weken geleden werd een vriendinnetje van haar achttien. Inderdaad: een respectabele leeftijd. En wat deden de papa en mama van het vriendinnetje? Die organiseerden een surpriseparty. Thuis? Tuurlijk niet. Er kwamen voor de honderdtwintig gasten twee VIP-bussen voorrijden, deze brachten de tieners naar een warenhuis (papa is daar een beetje baas) in het centrum van Amsterdam en daar was een etage voor een avondje volledig ontruimd voor de jarige bakvis. De ruimte was versierd met honderden ballonnen met daarop de speciale opdruk D 18. De D staat in dit geval voor de voornaam van het meisje.

Sinds de beursfraude werkt men in die kringen graag met initialen. Ook het bedienend personeel droeg speciale truien met deze opdruk. Er stond een tafel voor een exquis diner, er waren diverse optredens met als hoogte-punt het strippen van twee Chippendales. Dat laatste was bedacht door de liefhebbende ouders van de jarige pop. Als dat geen liefde is. Tot diep in de nacht werd er ge-danst en gedronken, waarna er voor het feestvarken een roze Cadillac klaarstond. De gasten gingen weer met de VIP-bussen op huis aan. Hierop vertelde een andere kak-ker dat hij vorig jaar een feestje in Blaricum had gehad. Ook zijn vriendje werd achttien. In dit geval hadden de trotse ouders twee gigantische circustenten aan het Dynasty-huis laten zetten en daarin was een megaparty met een paar honderd gasten georganiseerd. Aan het eind van die avond kregen de jongelui een gouden pen met inscriptie mee. Pietje 18 was er in dit geval ingegra-veerd. Tevens kreeg men nog een gesigneerde cd van Jan Rietman mee.

Inderdaad: over smaak valt niet te twisten.

Zacht hapte ik naar lucht toen de derde kakker, een ze-kere Willem, mij toevertrouwde dat hij onlangs in een skybox zat en een vriendje hem vroeg of hij even naar zijn ouders wilde in de skybox ernaast. Willem zei dat hij even stond te praten. Het vriendje liep de Arena uit, maar even later kwam de moeder aanzetten om Willem te groeten.

'Hoe weet U dat ik hier ben?' vroeg hij verbaasd.

'Jan-Jaap belde vanuit de auto.'

U leest het goed: de student Jan-Jaap, onderweg naar zijn studentenstadje, belde vanuit zijn cabrio naar de sky-box van paps om te zeggen dat in de skybox van de bu-ren…

'Ik ga slapen en nog slecht ook,' vertrouwde ik mijn ge-zelschap toe, dwarrelde zachtdronken het café uit en sta-melde mijzelf naar huis. Soms zit er iets te veel zinloos le-

344

ven in mijn oren.

Thuis heb ik een tijdje voor jullie foto gestaan en jullie maar één ding gevraagd: 'Wat heb ik misdaan?'

Ik bedoel: wij woonden toch ook in het Gooi? Papa had toch een redelijke tot goede baan? Wij hockeyden toch ook? Waarom ben ik zo karig achttien geworden? Ik kan me het lampionnenfeestje in de achterkamer met het eerste legale biertje nog maar amper herinneren. Alleen het slijpen met Linda Visser zweeft nog door mijn hoofd. Even dacht ik dat ik sneu was en een droeve kerst tegemoet zou gaan, maar toen heb ik jullie foto van het spijkertje gehaald, mijn lippen op het koude, ontspiegelde glas gedrukt en gefluisterd: 'Jullie hielden van me!'

Youp van 't Hek

Nieuw jaar,

Wat ga je met ons doen? Word ik nou eindelijk gelukkig of blijft het modderen? Je begon goed. Een halfuur voor je echt startte vond mijn zoon het nodig om met zijn oor op een verwarming te vallen en het lelletje hing er nogal Van Gogherig bij. Ik moest kiezen: of de huisarts storen of naar de Eerste Hulp van een van de ziekenhuizen. Dat laatste leek me niet handig. Een vriendin van mij, die het nobele beroep van verpleegster uitoefent, heeft me ooit verteld dat deze nacht voor de medische sector de ergste van het jaar is. Heel dronken en randdebiel Nederland strompelt dan namelijk met drievingerige handjes en ontlichte oogjes het ziekenhuis binnen. En volgens haar wordt het elk jaar erger. Het begint al ver voor twaalven want je hebt niet te maken met het deel van de natie dat scherp kan klokkijken. Inmiddels had ik gelezen dat men in sommige delen van het land de oudejaarsavond een dag eerder al gevierd had en dat zeventienjarige jongens met kettingzagen probleemloos bomen omlegden, terwijl hun vrienden op dat moment het huis van de buren leeghaalden om de huisraad voor een barricade tegen de niet aanwezige politie te gebruiken. Op die leeftijd zette ik met mijn vrienden juist een boom op en die ging vaak over het redden van het bos. Nou moet ik ook toegeven dat mijn ouders geen kettingzaag hadden, misschien is dat het probleem... Dus ik had niet zo'n trek om me te melden bij een ziekenhuisportier en plaats te nemen in een wachtkamer vol types die zichzelf geamputeerd hadden.

Elitair? Ja! Ik zag de man al voor me die mij zou vragen of ik even op zijn hand wilde letten omdat hij moest pissen. Dus heb ik mijn huisarts maar thuis (thuisarts) gestoord en hij heeft het op bevriende wijze gelijmd en gezwaluwstaart en daarmee voorkomen dat mijn oogappel als een Paul Getty jr. door het leven moet. Daarbij is de kleine ook nog een brildragertje, dus hij heeft zijn oren hard nodig. Dit hield in dat ik precies om twaalf uur met hem in de auto zat toen het vuurwerk losbarstte en ik kan niet anders zeggen: een fantastische ervaring.

Ik was geloof ik de enige die op dat moment in de auto zat en ik heb het geweten. Door een haag van aardige mensen reed ik stapvoets van mijn huisarts naar huis en bezorgde mijn zoon het absolute uur van zijn leven. Volgens mij had heel Amsterdam-Zuid uitsluitend negenhonderdduizendklappers ingekocht en werden die allemaal precies tegelijk afgestoken. Er zal een enkele randgroepweduwe met een natte vuurpijl tussen hebben gestaan, maar zij is geheel overstemd door het knettergeweld van de mitrailleurbanden vol rotjes. De auto schudde op zijn winterbanden en zelden heb ik een jongen van zeven zo verbaasd gelukkig gezien.

Tweehonderd slokken champagne later, gekust door de heerlijkste vrouwen en nog natrillend van het strijkersgeweld wenste ik om half één de rest van mijn familie alles wat goed is en mijn vrouw vroeg zich af of het überhaupt wel verstandig was dat ik had gereden. Ze had gelijk. Ik had al een halve glasbak prachtige bourgogne in mijn mik. Maar om nou om principiële redenen je zoon dood te laten bloeden op het enige taxiloze uur van het hele jaar is ook weer zo wat.

Ik ben wel een ervaring rijker en weet nu al wat ik volgend jaar ga doen: oudejaarsavond om half twaalf stap ik samen met mijn zoon in de auto en rijden we een uurtje kriskras door de stad. Klein claxonnetje als antwoord aan iemand die je het beste wenst, kusje hier, slokje daar, klein dansje in de Van Baerlestraat en het nieuwe jaar kan niet meer stuk.

De volgende dag eerst dat tuttige nieuwjaarsconcert met het heerlijke commentaar van Joop van Zijl en daarna dat fantastisch zinloze skispringen vanuit Garmisch Partenkirchen. Je kijkt ernaar en ze mogen allemaal doodvallen.

Je wordt een wereldjaar, bedankt alvast. Mede namens mijn zoon.

Youp van 't Hek

Lieve Monique,

Totaal verbijsterd graaide ik afgelopen dinsdag *de Volkskrant* van de mat. Het ochtendblad lag op zijn buik en jij lachte mij via de paginagrote advertentie achterop adembenemend mooi toe. Het bleek een goedmakertje van FBTO. Ze hadden je iets laten zeggen dat niet waar was en dat moest worden rechtgezet.

Je verhuurt je al een aantal jaren aan deze Friese verzekeringsboeren en in een of ander televisieprogramma heb je verteld dat je het niet alleen voor het geld doet, maar dat je het ook nog meent. En dat laatste is natuurlijk oliebollendom. Want dan heb je altijd een slimme journalist die het een en ander even controleert. Eén blik in het kadaster was voldoende om erachter te komen dat jij helemaal geen hypotheek bij die Friezen hebt afgesloten, maar gewoon bij Aegon.

Op zich is daar natuurlijk niks mis mee. Maar in een of ander foldertje vertelde je iets anders. Jokkebrokken dus. En na het jokkebrokken kwam het draaikonten en nu heeft het reclamebureau een rechtzettekstje gecomponeerd om aan alle 'heibel' een einde te maken. Gelukt? Ik denk het wel.

Maar daar gaat het niet om. Het is veel erger dat jij je überhaupt moet verlagen tot dit soort praktijken. Daar ben jij toch veel en veel te goed voor? Heel Nederland kent je al 25 jaar. Elke dag wordt ergens op de wereld de film *Turks Fruit* op een obscure waxinezender vertoond. Iedereen, van Goirle tot Vladiwostock, kent jouw blote

prachtbillen en daar heb je je toch goed voor laten betalen? Je gaat me toch niet vertellen dat al dat geld van die
film al die jaren naar ene Rob Houwer gaat? Ook al had
je een klein contract, dan heeft die man dat toch later uit
fatsoensoverwegingen wel bijgesteld? Jij en Rutger zíjn
Turks Fruit. Na zo'n kassucces wordt het leven toch niets
anders dan één grote hobby? Of zit ik er nou naast?

Oké, ik ga ervan uit dat je voor *Turks Fruit* nooit meer
dan een ordinair beginners-schijntje hebt ontvangen en
dat je het reclamegeld nu echt nodig hebt. Maar dan heb
je nu toch wel je slag geslagen? Al twee jaar lang zie ik de
leukste vrouw van Nederland elke ochtend, middag en
avond in een of ander Sterblok mekkeren over die Friese
verzekeringsmaatschappij. Minstens driehonderdzestig
keer per jaar kom je mijn huis- of hotelkamer binnen.
Verder staar je me de hele dag via kranten, weekbladen,
billboards, magazines en foldertjes aan. Jij bent de FBTO.
En weet je wat de FBTO is, lieverd? Een maatschappij die
heel veel winst wil maken en dat ook doet. Dus als jij daar
zo intensief reclame voor maakt dan moet jij daar een bedrag voor krijgen dat bij het uitschrijven daarvan minimaal één patroon aan inkt van je vulpen kost. Dus in de
advertentie van afgelopen dinsdag had moeten staan dat
het van die hypotheek inderdaad een foutje is omdat mevrouw Van de Ven helemaal geen hypotheek meer nodig
heeft. 'Wij van FBTO misbruiken haar namelijk zo schan-
delijk veel en vaak dat het voor haar heel moeilijk wordt
om überhaupt haar gewone carrière als topactrice nog
door te zetten en daarom betalen wij haar een bedrag van
40 miljoen per jaar.' Vind je dat veel Monique? Dat is
niet veel. Zeker niet voor FBTO. En helemaal niet voor
jou.

Maar nu ik hoor dat jij een dusdanig luizig bedragje

krijgt dat je je hypotheek moet aanhouden, wil ik je in elk geval aanraden om je agent eruit te lazeren en je zaken voortaan door mij te laten behartigen. Diegene die het nu doet snapt er niks van. En een ding weet ik helemaal zeker: ik verzeker me nooit bij FBTO. Als ze jou al zo slecht uitkeren, wat doen ze dan met hun klanten? Wat een kruideniers!

Ik wens je sterkte, wijsheid en laat je in godsnaam nooit klonen. Ik kan één Monique al amper aan. Het ga je meer dan goed.

Youp van 't Hek

PS Deze fax wordt je aangeboden door Nationale Nederlanden.

Majesteit,

Zestig! Van harte. En wat ziet u er nog stralend uit. Vond het heerlijk om voor U en Uw gasten te mogen optreden. Was U tevreden? U zei dat U het prachtig vond, maar is dat niet iets dat U altijd moet zeggen? In elk geval heb ik U wel zien lachen. Uw moeder trouwens ook.

Weet U wat voor mij zo'n komisch gezicht was? Al die gasten met die koptelefoons op. Door de glazen achterwand zag ik de met mijn taal worstelende tolken. Bij mijn grappen over Lady Di zweeg de mevrouw die het Engels vertaalde en ging Charles aan zijn koptelefoon rommelen. Hij dacht dat het ding stuk was.

De grap over Monica Lewinsky ('Het was wel even slikken.') vertaalde zij ook niet. Flauw. Volgens de RVD-meneer had ik drie keer onze afspraak geschonden.

Sorry daarvoor, maar er schiet wel eens een vloekje tussendoor. Dat andere mopje over Clinton dat U niet verstaan had, ging als volgt: Waarom Clinton een onderbroek draagt? Om zijn enkels te verwarmen! Had die Griekse Constantijn wel een tolk of hadden jullie hem gewoon een walkman met Theodorakis gegeven? Wat een saaie sukkel. En zijn vrouw is ook niet echt een lachebekje. Snap nu dat die Grieken hem niet terug willen.

Nog bedankt dat ik even op het partijtje mocht blijven, maar ik ben toch maar weggegaan. Ik had mijn werk gedaan en dan krijg je dat nadruppelen. Hou ik niet van.

Jammer dat ik helemaal niks over Ons Dorp kon doen. Want het was wel een heerlijk weekje. Afgelopen zater-

dag was ik in Rotterdam naar *Ten Oorlog*, alle konings-
drama's van Shakespeare op één dag, schitterend gespeeld door De Blauwe Maandag Compagnie in een werkelijk sublieme hertaling van Tom Lanoye. Dan zie je dat
er in al die eeuwen niks veranderd is. Het hele Openbaar
Ministerie, inclusief Steenhuis en Docters van Leeuwen.
plus Sorgdrager en Ouwerkerk kwamen in de Rotterdamse Schouwburg langs. Tot Clinton aan toe. Zelfde
smoesjes, zelfde machtswellust en dezelfde gluipmetho-
des. Alleen toen heetten ze Bolingbroke, Mowbray,
Westmoreland, York, Buckingham en Warwick. Als U
nog de kans krijgt moet U dat echt gaan zien. Ze spelen
het volgend seizoen door.

Op het moment dat ik U deze brief schrijf zit Steenhuis
nog steeds in zijn zadeltje. De merrie kan hem er elk moment afflikkeren. De merrie mag ook de manege niet
meer uit. Nog drie maanden zachtjes rondjes draven en
dan voorgoed oprotten. Wat een schitterende soap.

Weet U waar ik afgelopen week zo door geraakt was?
Maar dan echt geraakt? De brand in Harderwijk. De tra-
gische dood van de twee vrijwillige brandweerlieden. Zij
stierven in de schaduw van al het Haagse en Groningse
gekrakeel. Toch viel mij iets op. Die vrijwillige brandweermannen en -vrouwen zijn altijd mensen uit het volk.
Ik bedoel: er zit geen kakker tussen. Je ziet op de hockeyclub nooit een gozer met een pieper omdat hij kan worden opgeroepen voor de brandweer. Op de voetbalclub
wel. Je hoort nooit dat het type Steenhuis of Bolkestein
dit soort werk ernaast doet. Dat ze brandjes blussen om
feeling met de maatschappij te houden. Nee, het zijn altijd adviseurschapjes en commissariaatjes à tigduizend
per jaar.

Misschien moet U dat eens overwegen: dat als U weer

een keer het Concertgebouw afhuurt voor een verjaars-
feestje dat U dan het echte volk vraagt. Brandweermannen, ambulancebroeders, bejaardenverzorgsters en zo.
En al die hotemetoten mogen lekker thuisblijven. Dan
zou U in één klap een echte moderne vorst zijn en niet
eentje van een eeuw of wat terug, die zo uit een stuk van
William S. gestapt is. Denk er eens over en denk ook aan
mij.

Ik droomde vannacht dat Erica Terpstra een kind had
van Docters van Leeuwen. Een puber van een jaar of
dertien, maar laat ik Uw eetlust niet verder bederven.

Wens U nog een mooi feestje en morgen niet vloeken
in de Westerkerk. Dat doen ze daar onderling al meer
dan genoeg. Heel veel geluk en nog meer gezondheid.

Youp van 't Hek

Beste Dato,

Sorry dat ik gisteren opeens op moest hangen, maar er was bij ons thuis een klein intern conflictje, een opvoedingsprobleempje bij onze jongste zoon. Bij hem op school wordt op het ogenblik heel veel geknikkerd, onze dochter wil daar ook aan meedoen en die heeft vorige week op het schoolplein nogal wat knikkers gekocht. Achteraf hebben mijn vrouw en ik begrepen dat zij veel voor die knikkers betaald heeft. Meer dan de schoolpleinwaarde. Daarbij komt dat ze de knikkers, op aanraden van mijn zoon, heeft betrokken van zijn beste vriendje. Waarom ze per se bij het vriendje van onze jongste moest kopen is ons niet geheel duidelijk. Zij zegt dat haar broertje haar een beetje onder druk gezet heeft, hij ontkent dat ten stelligste, maar na wat navraag bij wederzijdse klasgenootjes zijn wij erachter gekomen dat hij misschien juridisch wel goed zit, maar moreel niet helemaal vrijuit gaat. Mijn zoon voelde aan zijn water dat hij fout zat en kwam al iets te overmoedig uit school. Samen met een wat grotere jongen. Hij riep dat zijn zusje al heel lang wist dat hij met dat vriendje ging en dat hij met die jongen alleen een deal over flippo's had en niet over knikkers.

Mijn vrouw bleef heel kalm, probeerde de zaak voorzichtig uit te praten, maar onze zoon kwam steeds met allerlei niet ter zake doende argumenten. Het ging ons om het principe en toen hadden we een ander probleem. Hoe leg je aan een kind van zeven uit wat een principe is?

Hij riep om de haverklap: 'Maar de hele school doet het!' En breng daar als ouders maar eens iets tegenin.

Dat vriendje begon ook een grote bek tegen mijn vrouw op te zetten, maar zij heeft het jochie uitgelegd dat hij er niks mee te maken had. Voor ze hem naar zijn eigen moeder kon sturen zei hij dat hij zich niet lekker voelde en verliet mokkend ons pand. We moesten daar erg om lachen.

Omdat we toch vonden dat onze zoon een lichte straf verdiend had stuurde mijn vrouw hem voor een tijdje naar zijn kamer om zijn zonden nog maar eens te overdenken en dat was de scène waar jij via de telefoon getuige van was. Meneer voelde aan alle kanten dat hij fout zat, maar ging zo fantastisch mooi naar zijn kamer. Eerst niet willen, daarna moest hij nog even naar de wc, bleef daar zeker een halfuur zitten, kwam toen terug en hoopte dat wij zijn straf vergeten waren. Toen hij merkte dat dat niet het geval was ging hij stampend naar boven, maar wel zo hard dat er een schilderijtje van de muur viel.

Dus ik riep hem terug en zei dat hij dat schilderijtje op moest hangen. Toen was meneer helemaal boos. Dat had hij niet gedaan. Wie hangt daar dan ook een schilderijtje op? En op het laatst probeerde hij ons wijs te maken dat zijn zusje het schilderijtje expres wat losser aan zijn spijker had gehangen, zodat het als hij langs zou lopen... enzovoort.

Ondertussen was hij nog steeds niet naar zijn kamer. Ik ben tegen geweld, maar heb hem toch wel even gedreigd met een pak voor zijn billen. Toen is hij uiteindelijk gegaan, zij het dat hij nog een halfuur boven aan de trap wanhopig heeft staan foeteren.

Natuurlijk weten wij dat het allemaal wel goed komt

(misschien doen we hem op een andere school), maar wat ik zo zielig voor hem vind, is dat hij niet weet dat wij beneden helemaal niet zo boos zijn en eigenlijk alleen maar om hem gelachen hebben. Echt gegierd. Lief hè?

Hoop gauw van je te horen en wens je uiteraard meer dan oprecht beterschap. Is het urologisch? Ik las iets over lekken.

Hou je ondertussen haaks.

Youp van 't Hek

Liefste,

We hebben het zo vaak over de dood gehad. Hoe wil je? Ziek of ongeluk? Kortstondig ziek of terminaal? Euthanaspuitje of toch maar de wrede natuur? En over het opruimen van de resten hebben we het ook gehad. Geen as. Gewoon een kuil. En iedereen mag komen. Niks begrafenis in stilte. Om Ivo de Wijs te citeren: ik zorg zelf wel voor de stilte op die dag. Maar niemand mag iets zeggen. Dan krijg je ook geen huichelpraatjes en troostende mooipraterij. Jij mag wat zeggen. En de kinderen. Verder allemaal bek dicht. Hoop ook dat mij allerlei advertenties bespaard blijven. Van die derderangs potsenmakers die via de krant willen laten merken dat ze intiem waren met het beroemde lijk. Wegwezen. Niemand mag meesurfen op het kortstondige succes van mijn laatste tournee. Ik wil zelfs geen laatste groet van mijn impresario, platenmaatschappij of uitgeverij in de krant. Of er moet gewoon onder staan: *Wij zullen zijn omzet missen!* Dat is mijn humor en dan mag het.

Maar dit alles weet je al en daarvoor schrijf ik je dan ook niet. Het gaat om iets anders, iets waar wij het nooit over gehad hebben, maar dat sinds twee weken mijn geweten verzengt: wil je geen boek over onze verhouding schrijven?

Geen letter.

Niemand hoeft te weten dat ik de eerste keer bij jou in bed last van een erectie had en het gaat ze zeker niets aan dat ik je al twintig jaar lang om de drie kwartier opbel om te controleren of je niet met een ander zit te vozen. Mijn verstikkende en ziekelijke jaloersheid wil ik graag tussen ons houden. Ook mijn rare driftbuien tegen de kinderen, mijn vreemde gewoonte om altijd in mijn blote reet eieren te bakken en mijn onsmakelijke gewoonte om met de wcdeur wagenwijd open te schijten, het zogenaamde claustropoepen, gaan niemand wat aan. Hou het tussen ons.

En wil je ook mijn familie heellaten? Een zus die elke dag een extra gesneden wit voor de eendjes koopt is een beetje vreemd en een broer die elke zaterdag de uitslagen van de Australische squashcompetitie aan de pinguïns van Artis voorleest mag je ook raar noemen, maar dat soort dingen hebben we toch altijd binnen de muren van ons huis gehouden? Zullen we dat maar zo laten? Elke familie heeft toch een paar van die halvezolen. En die verschrikkelijke dingen die ik over mijn ouders heb gezegd moet je ook maar niet opschrijven. Daarbij zijn ze natuurlijk subjectief. Het is hoor zonder wederhoor. Jij hebt mijn vader amper gekend. Ik weet zeker dat je het mooi op zal schrijven, uiteindelijk zijn je liefdesbrieven aan mij zielverscheurend, maar toch. Doe het maar niet. Ik gun je je weduwenpensioen van harte, geloof dat je het boek eerlijk en oprecht zal schrijven, weet dat het een bijna therapeutische werking op je zal hebben en denk dat de uitgever zonder problemen honderdduizend exemplaren in een week wegzet, maar het lijkt me zo verschrikkelijk als al die vreselijke Prozac-mutsen uit de betere kringen aan onze liefde knagen. Je weet wel wat ik bedoel. Haarlem-Zuid. Het leest wel deze krant, haalt zijn neus op voor de roddelbladen, maar wil iets te gretig weten hoe het zat tussen meneer en mevrouw Van 't Hek. Ging hij vreemd? Hoe reageerde zij daarop? Enzovoort.

En er is nog een reden waarom je het niet moet doen: jij weet als geen ander dat de columnist en cabaretier in mij zich bij zijn leven zou hebben vastgebeten in dit soort gluurboeken. Ik zou er grap op grap over hebben gemaakt en moet je me hiermee dan, als ik me niet meer kan verweren, om de oren slaan? Nee toch?

Mocht je je echter niet kunnen bedwingen en heb je het gevoel dat je het op moet schrijven, leg het resultaat dan in een laatje. Mooi voor de kinderen en kleinkinderen, maar hou al die quasi-intellectuele geilneuzen erbuiten. Heel veel liefs en nog meer knipoog,

Youp van 't Hek

Beste Els,

Weggevaagd dus. Hoe komt het, denkt U? Winnie? Of vindt U het, net als Hans, een onzuivere campagne geweest, daar Frits en Wim de premierkwestie hebben gesteld? Persoonlijk denk ik dat het aan jullie zelf ligt. Alle affaires met Winnie, die nou eenmaal op het meest ondankbare departement zit, zijn de druppels die het oceaantje naast de emmer hebben gevormd.

Waarom ik U schrijf? Heel simpel: ik wil vragen of U de handdoek niet in de ring wilt gooien. Blijf alstublieft. Geef niet op. Laat het niet over aan ene Thom of wie dan ook. U moet het doen. U bent namelijk een wijze, oude dame. Een Juventus. Ik bedoel dit allemaal verre van ironisch of cynisch. Ik meen dit vanuit de grond van mijn hart.

Weet u dat D66 bij de komende Kamerverkiezingen de grootste partij kan worden? Hoe? Volg mijn advies. Hou U ver buiten het verkiezingscircus. Bemoei U niet met het ordinaire gekrakeel van Frits en Wim, maar blijf Els Borst! Blijf de waardige, lieve, boven iedereen verheven Els!

Natuurlijk heeft Uw partijbureau allerlei plannen tot de zesde mei. U moet misschien weer op een raar pontje bij Dordrecht springen, rozen uitdelen in de Bijlmer, mongolen knuffelen in Geleen, debiele pony's voeren in Haamstede of vrolijk winkelen in dat gruwelijke winkelcentrum van Delfzijl, maar doe mij een plezier en zeg het af. U bent in mijn ogen namelijk echt iemand en ik vind het altijd zo zielig om iemand, die ik zo hoog acht, mensonterende dingen te zien doen. Daarbij geloof ik dat de kiezer, zeker in Uw geval, juist afhaakt. U straalt namelijk te veel uit. U bent een wereldwijf, sterker dan de grootste tanker op koers en U staat ver boven alle partijen. Wat U moet doen? Afwijken! Anders doen! Zachtjes schreeuwen. Zonder krachttermen, vloeken of ander zinloos verbaal geweld. Spreek. Spreek heldere taal. En babbel niet over procentjes, financieringstekortjes, werkloosheidscorrectiecijfertjes of economische groei, maar spreek over de verloedering. De verschrikkelijke verloedering.

Praat onveilig. Zeg de voorzitter van PSV recht in zijn gezicht dat hij heel goed weet dat hij niet deugt als hij honderdduizend gulden geeft aan iemand die namens de VVCS komt praten over een transfer van een speler. En als hij dit soort corruptie wegwuift als normaal, juist dan is hij bezig met het verleggen van normen en waarden. Scheld vervolgens de hele voetbalwereld verrot omdat ze niet massaal protesteren tegen deze vervuiling van hun branche. Vraag ze op de man af waarom ze zo lafhartig zwijgen! Zij moeten toch het voorbeeld geven aan tribunes vol met jeugd of zit ik er nou naast? Keer het skyboxenproletariaat.

Vertel hardop dat het niet deugt om te zwichten voor de luchtvaartlobby en de oorspronkelijke Schipholplannen terug te draaien. En leg uit dat het met ons land sneu en zielig gesteld is als er twintigduizend vluchten bij moeten omdat iedereen rond kerst zo nodig naar Bali, Bonaire of Buenos Aires moet. Ga staan.

Als een moeder. Zeg tegen de broertjes De Boer dat ze niet langer over poen moeten zeuren. Genoeg is genoeg! Word de schrik van de lachgassende discojeugd, de mattende hooligans, de therapeutende huismoeders, de gestresste vaders en de ontheemde kinderen. Schreeuw vanuit uw bezorgde hart. U heeft nu gezien hoe kleine, lokale prietpraatpartijtjes het hebben gedaan. Ze spraken vaak uit een klein benauwd hart, maar wel uit een hart. En volgens mij is uw hart zoveel groter, wijzer en geduldiger. We wachten niet op een sterke man, maar op een gietijzeren vrouw en die vrouw bent U. Zachtmoedig, meer dan aardig en recht door zee. Dus zeg alles af en hou een buitengewoon maffe campagne, gebaseerd op de waarheid en zeg ons dat we op een zeephelling zitten en pijlsnel naar beneden donderen. Keer alstublieft het tij. De baantjesjagers Frits en Wim zullen dat niet doen. Waarom niet? Omdat het mannen zijn. Wens U meer dan alleen wijsheid.

Youp van 't Hek

Heren,

Was zacht geschokt door het bericht dat jullie in dubio stonden, vernam via het gonscircuit dat het menens was en inmiddels heb ik begrepen dat, terwijl alle deuren op een kier blijven, jullie geen concrete nieuwe televisieplannen hebben. Of ik het snap? Volkomen. Maar ik mag er toch wel verdrietig over zijn?

Er dwarrelt zoveel glimlach door mijn hoofd als ik denk aan de honderden door jullie bedachte en gespeelde types.

Van de alpinopetten van het Simplisties Verbond tot Jacobse en Van Es tot Cor en Ab van der Laak tot de vieze man tot de leraar Duits tot de gebroeders Temmes tot de zusjes tot de moeder en zoon tot... Moet ik doorgaan? Doe ik niet. Ik zou dit hele boekje kunnen vullen met stuk voor stuk juweeltjes uit jullie prachtcarrière. Jullie hoorden bij de zondag. Als ik geen tijd had dan keek mijn video en ik ging niet slapen voordat ik nog even Koot & Bie had gezien. Jullie zijn in de loop der jaren een één-ademduo geworden, een begrip, en hoewel ik jullie beslissing volledig begrijp zal ik toch moeten wennen aan een Koot & Bie-loze zondag. Het onderuithalen van trends, het meedogenloos neerzetten van types, het parodiëren van al die ijdele bekende Nederlanders en politici, de fabelachtige taallessen, de toevoeging van nieuwe woorden en begrippen aan onze taal en de foutloze dialogen, zonder een enkele hapering, met jullie zelf op video zijn dus vanaf morgen allemaal verleden tijd.

Ik vind het jammer, heel jammer, maar ik snap het heel goed. Er komt een dag en die dag is morgen...

Het aardige van jullie werk vond ik altijd dat ik jullie niet alleen op zondagavond zag, maar eigenlijk de hele week. Als ik een nieuwe auto ging kopen werd ik altijd door óf Van Kooten óf De Bie geholpen en dat gold ook voor de man van het keukenpaleis, de chef van de meubelafdeling van De Bijenkorf, de vertegenwoordiger die nederig klanten laat voorgaan in de sigarenwinkel en de man van de computerwinkel die me een stukje Appleknowhow probeerde aan te smeren. Hoe vaak ik niet dacht: als ik die snor eraf trek blijkt het Koot te zijn en als ik die pruik een knal geef dan roept Bie 'au'. Een groter compliment dan dit kan ik niet maken.

Laatst liet ik een buitenlandse vriend jullie fotoboek *Ons kent Ons* zien en hij was totaal verbaasd dat het op elke bladzijde om dezelfde twee mensen ging. 'Onmogelijk' was zijn reactie, maar ik heb hem toen verteld wat voor een duivelskunstenaar grimeur Arjen van der Grijn is en dat wij Nederlanders niet beter weten. Dat zijn Koot & Bie en wij zijn zo verwend door al die types dat wij al jaren niet meer verbaasd zijn.

Jullie zijn geen lintjestypes, maar gisteren heb ik wel een brief aan Beatrix (die correspondentie gaat nog steeds door!) gestuurd met het verzoek of zij haar ouders wil vragen om naar Drakensteyn te verhuizen en paleis Soestdijk aan jullie af te staan. Dan nemen jullie allebei een vleugel. Wij rijden er in file met onze kinderen en kleinkinderen regelmatig langs en zeggen dan: 'Daar wonen twee heren, die ons meer dan vijfendertig jaar lang een spiegel hebben voorgehouden. Zowel een lach- als een huilspiegel.' En als ik jullie dan als die twee lakeien voor het hek zie staan, dan vind ik dat helemaal niet erg.

Mag allemaal.

Wat ik met deze fax alleen maar wou zeggen: dank!
Heel veel dank voor heel erg veel!

Youp van 't Hek

PS De dertien bescheurkalenders en de fabeltastische langspeelplaten was ik bijna vergeten. Ook daarvoor dank!

Goede lijsttrekkers,

Willen jullie nooit meer, zoals afgelopen zondag, met zijn vieren tegelijk op de radio kakelen? Waarom niet? Omdat jullie een regelrecht gevaar zijn voor de volksgezondheid. Ik maakte met mijn gezin een ritje naar Staphorst, alwaar wij de kinderen komende zomer een week of zes tussen een zooitje pony's dumpen, zodat we zelf eindelijk die lang beloofde wereldreis kunnen maken. Op zondag gezinsgewijs in een stationcar richting Overijssel is sowieso al geen pretje, daar je je voortbeweegt tussen duizenden, gemiddeld veertig kilometer per uur kachelende middenklassers, gevuld met in windjack en sportschoenen gehulde families, die het verplichte oma/moederbezoek in een Zwolse nieuwbouwwijk gaan afleggen. En als je dan ook nog vier innig tevreden lijstrukkers hoort, die twee uur lang lekker tegen elkaar aan liggen te schurken en te schuren, word je niet vrolijker.

Nou was ik toch al in de war daar ik een paar dagen ervoor in het Van der Valk-motel Witte Bergen was. Voor het eerst van mijn leven was ik te vroeg op de parkeerplaats van het befaamde motel, waar ik een vriend zou oppikken en dacht er slim aan te doen om de tijd te doden door een kopje Toekan-koffie te nuttigen. Zijn jullie ooit in het Van der Valk-motel Witte Bergen geweest? Ga kijken en pleeg daarna suïcide. Je ziet honderden tafeltjes, die bevolkt worden door twee mannelijke vertegenwoordigers in een gebroken geel overhemd met lawaaierige HIJ-das en beide heren spreken met elkaar, terwijl ze allebei een GSM aan hun oor houden (contact met de zaak?). Voor hun neus staat een laptopje, waarop ze af en toe wat intikken. Ik heb niet de indruk dat er de meest chique zaken worden gedaan. Veevoederbranche, groeihormonenkeizers en andere rattengifverkopers. Hardwerkend Nederland spreekt daar af. Lekker centraal en niet duur. Maar dat beeld is zo spruitjes, zo CDA, zo verschrikkelijk jeukerig dat het de rest van de week op mijn netvlies was blijven hangen. Dus ik was die zondagochtend al een beetje wee in de onderbuik. Kortom: het was geen lente in het hoofd van deze jonge vader. Maar toen hoorde ik jullie tegen elkaar snurken. Procentje meer voor dit, half promieltje eraf bij dat, inflatiecorrectietje zus, rentebijstellinkje zo. En als ik even twee van de vier niet hoorde had ik de indruk dat die bezig waren elkaar loom te vlooien. Wat hielden jullie van elkaar. Jaap mocht niet meevrijen, maar jullie vonden het alledrie heerlijk als hij erbij bleef om naar jullie triootje te kijken. En Jaap vond het ook gezellig.

Op het nieuws ging het ondertussen over de verschrikkelijke veiligheidsmaatregelen bij het voetballen omdat men elkaar anders doodslaat, de eerste XTC-dode was gevallen, bij negentien disco's was het vechten, steken, zuipen, snuiven, prikken en jatten geweest, maar jullie zaten alle vier met twee vingers in je neus te geeuwen hoe goed het ging.

Waarom bellen jullie elkaar niet even dit weekend en gelasten jullie de hele verkiezingscampagne verder af? Het gaat toch goed allemaal? Huur een fijne Center Parcs blokhut en ga lekker met je gezin ontstressen. Die debielen stemmen toch wel. Noem jezelf Amnesty of AVRO of Angela en al die blinden tekenen. Zwijg over echte zaken als varkensmishandeling, milieuvervuiling,

Schiphol-lawaai, het uitsterven van 39.000 plantensoorten en de godslasterlijk lage salarissen in de zorgsector. Kakel over aardgasopbrengst, economische groei, vierentwintiguurseconomie en andere uitverkoopsuccesjes en je kan er weer vier jaar tegenaan. Maar waarom jullie van mij niet meer tegelijk op de radio mogen? Daar komen ongelukken van. Mensen die in slaap vallen. Slaapfile is misschien het juiste woord. Kortom, wakker worden en aan je werk in plaats van al die luie, impotente, zelfgenoegzame en tevreden welvaartspraatjes. Voor je het weet stemt alles op die enge Marijnissen en aan die populist moet ik helemaal niet denken. Begreep dat Rosenmöller er niet bij was omdat hij met zijn kinderen een ontspannen pleziervluchtje boven Texel maakte. Dat is weer eens wat anders dan een ponykamp. Vrolijk Pasen en wakker worden!

Youp van 't Hek

Dokter,

Dus er is nu een geheugenpil op de markt. Helpt hij echt? En tot hoever gaat hij? Versterkt hij uitsluitend het korte geheugen of activeert hij ook onze harde schijf als we het over wat langer terug hebben? Wat dat aangaat zou het niet dom zijn om dit medicijn aan de jongeren in de Duitse deelstaat Saksen-Anhalt, die massaal op de neo-nazi-partij Deutsche Volksunion hebben gestemd, voor te schrijven. Volgens mij kan het überhaupt niet echt kwaad om af en toe even het geheugen van onze ooster-buren op te frissen.

Ik begrijp dat de pil vooral voor patiënten met een beginnende Alzheimer is, maar loopt zo iemand niet de hele dag naar het potje met pillen te zoeken? Of dat hij of zij wel zes keer de voorgeschreven dosis inneemt?

Waarom moet je Alzheimer-patiënten eigenlijk proberen te genezen? Je hebt – zeker in het begin – een heerlijk leven. Je maakt elke dag nieuwe vrienden, je kunt met Pasen je eigen eieren verstoppen en je maakt elke dag nieuwe vrienden.

En waarom zou je dat gelukzalige proces missen? Hoe werkt dat bij U eigenlijk? Komen de patiënten om het medicijn vragen of weten ze niet meer waarvoor ze precies komen? Lijkt me ook ingewikkeld. Je gaat naar de dokter voor je vergeetachtigheid en op het moment dat je de spreekkamer binnenkomt weet je het niet meer. Sterker nog: je weet het wel, maar je kan niet op het woord komen. Je noemt het vergietachtigheid. In dit geval een prachtig woord. Helpt het ook tegen Korsakov? Dat krijg je toch van te veel zuipen! Ik ben bang dat de fabrikant van de geheugenpil dan vlug aan het werk moet want ik voorspel tussen nu en tien jaar een explosieve stijging van het aantal Korsakov-lijders.

Afgelopen donderdag liep ik na mijn voorstelling nog even door de Amsterdamse binnenstad en ik heb nog nooit zo'n liederlijk zooitje in het oranje gehulde zatlappen bij elkaar gezien. Niemand wist nog hoe hij heette, de flessen vlogen door de lucht en een op de drie feestvierders had op zijn minst een blauw oog van het knokken. Ik vrees echt voor een epidemie. Het grote vergeten slaat toe. Zelfs de criminelen weten niet meer waar ze hun handgranaten hebben gelaten.

Misschien eindigt onze beschaving wel op deze manier. Dat we lallend van de drank en stoned van de pillen, poeiers en paddo's naar voetballers van zeventig miljoen gulden per stuk op de televisie zitten te loeren en dat we de volgende dag naar de herhaling van de wedstrijd kijken. Die weer net zo spannend is omdat we de uitslag vergeten zijn.

Heb begrepen dat alle drank en drugs ook niet goed zijn voor de potentie, maar daar is tegenwoordig ook een pil voor. Heel mannelijk Amerika staat in de rij voor de potentiepastille omdat het gerucht door alle staten gonst dat je na het slikken weer wipt als een zojuist geoliede speeltuin. Volgens de Amerikaanse cabaretiers is de pil uitgeprobeerd op de president en die is er razend enthousiast over. Miljoenen Amerikanen krijgen de pil voorgeschreven en hun vrouwen lopen 's morgens weer te smilen door de supermarkt. Na jaren wordt de tuin weer aangeharkt. Ook veel vrouwen slikken de mannelijke potentiepil en hun woestijn wordt volgens de berichten

371

onmiddellijk een bloeiende oase. Maar is de potentiepil voor veel oudere mannen ook niet een beetje een geheugenpil? Dat ze opeens weer voelen hoe het voelde! Mijn vraag is: wil je voor mij voor beide pillen een receptje klaarleggen? Ik ga met mijn vrouw een weekend Centerparken en ik wil het in onze bungalow erotisch laten stormen en dat heel goed in mijn geheugen opslaan. En doe er ook maar een doosje Prozac bij want na deze fax word ik namelijk overvallen door een peilloze depressie. Zie je snel.

Youp van 't Hek

PS Kan je faxnummer niet vinden.

Goede Frank,

Je bent dood. Hartaanval. Volgens ingewijden was dat het laatste aan je dat nog klopte. En als je rikketik stopt dan stopt het leven. Punt.

Dus nu weet je niks van de rellen in Jakarta, laat staan dat je weet wie er wereldkampioen bij de hockeyers wordt en Rintje Ritsma heel hard uitlachen omdat hij in zijn hebzucht een half miljoen bij de Duitse maffia heeft ingeleverd, is er ook niet meer bij. Je maakt Paars II niet meer mee, hebt geen idee hoe Hans van Baalen door de VVD naar buiten wordt geflikkerd en of Guus de juiste spelers geselecteerd heeft kom je ook niet te weten. Saskia en Serge hebben een nieuwe Nederlandse countryplaat gemaakt, maar die zal jouw cd-speler niet halen. De mijne ook niet trouwens, maar dit terzijde.

Nou ging er de laatste jaren toch al heel veel langs je heen. Je was al jaren in een waxinestadium en ik hoop voor je dat je je al je successen nog een beetje kon herinneren. Want laten we eerlijk zijn: je hebt een jaloersmakend lekker leven gehad. Prachtige stem, bakken met geld, vier echtelijke en honderden buitenechtelijke vrouwen, een Oscar, tientallen hits, miljoenen fans en wat volgens mij het allerbelangrijkste was: schijt aan de hele wereld.

Je schurkte een beetje tegen de maffia aan en prikte een vorkje met de zogenaamde groten der aarde. Heerlijk. *You did it your way*. En dat hield ook in dat je aan het eind van je leven naar adem happend en naar je tekst

373

zoekend voor een teleurgesteld publiek stond te murme-
len. Sommigen vinden dat jammer. Ik vind het wel wat
hebben. Het geeft zo mooi aan hoe een leven in elkaar
steekt. Zo eindigt het dus. Voor tante Jo van driehoog-
achter en voor Ol' Blue Eyes. Hoe wil je sterven? De een
verlaat de kudde om op een stille aanleunplek te wachten
op wat komen gaat en de ander trompettert nog zachtjes
mee in de roedel. Voor allebei valt iets te zeggen. In het
harnas. Op de middenstip. Heerlijk.

Wat ik ook mooi aan je vond: dat je de eerste Louis van
Gaal was. Ik bedoel daarmee je verhouding met de pers.
Je haatte journalisten, schold ze uit, sloeg ze neer of
stuurde je lijfwacht erop af. Dat wil iedereen toch? Dat
opdringerige, bemoeizuchtige rapaille moet je af en toe
hardhandig van je afschudden. Jij deed het in elk geval
slimmer dan Lady Di.

Mooi vond ik ook dat je vanaf je achttiende, nadat je
een optreden van Bing Crosby had bijgewoond, riep: 'Ik
word de allergrootste.' En dat werd je ook. Op elk gebied, maar vooral qua leven. Iedere doorzonsukkel ging
toch knarsend watertanden als hij wist hoe jij je over de
planeet bewoog en met wie je sliep en wat je at en dronk
en waar je werkte. Sigaretje in je rechter- en glaasje whisky in je linkerhand. Of andersom.

En nu ben je dood. Jammer? Nee! Mooi geweest. Niks
te klagen, maar nogmaals: ik hoop zo voor je dat je in je
hoofd nog regelmatig naar de film van je leven kon kijken en nog een beetje kon genieten van je vele glorieuze
momenten. En dat er af en toe nog een paar flarden van
je fantastische concerten uit je Capitol-periode door je
hoofd zweefden. Voor de kenners is dat je absolute top-
tijd geweest en ik ben te weinig kenner om dat te kunnen
beoordelen. Het zal wel.

374

Niemand is geschokt door je dood. Iedereen wist het en ik merk aan al mijn vrienden dat ze een kleine glimlach niet kunnen onderdrukken. Je was de ultieme jongensdroom. Arme ouders, gigantisch succes, banken vol geld en zwembaden vol prachtige vrouwen. Is het niet heerlijk om voor duizenden ketterende dominees het grote voorbeeld te zijn hoe het leven niet geleefd moet worden? Dan heb je toch een fantastisch leven gehad? Als ik vanavond thuiskom van de voorstelling zet ik een ordinair cd'tje met al je hits op, ga op het terras zitten en met een glas whisky in mijn hand laat ik je nog een keer lekker over me heen komen. En als je niet uitkijkt ga ik ook weer roken. Veel knipoog en mazzel van

Youp van 't Hek

FAX AAN PIETER VAN VOLLENHOVEN

Beste Pieter,

Allereerst gefeliciteerd met het huwelijk van je zoon
Maurits met Marilène. Ze lijkt me een schat. Alleen al
het feit dat ze een beetje aan de lange kant is en dat ze
daarom, om niet boven je uit te torenen, op van die tuttige flatjes loopt, vind ik aandoenlijk. Wat een lieverd.
Verder heb ik haar met een bosje bloemen voorbeeldig
naar het klootjesvolk in Doesburg en Zutphen zien wuiven en toen zag ik het meteen: niets op aan te merken.
Keurig meisje.
 Voor jou moeten het zware dagen zijn. Waarom? Omdat die Marilène na haar jawoord meteen prinses is en ik
begrijp uit allerlei, tot nu toe geheim gebleven aanteke-
ningen van de kleine Cals, dat jij heel graag in de adel-
stand verheven had willen worden. Sterker nog: dat jij de
titel 'Prins der Nederlanden' serieus hebt geambieerd. Ik
las het woensdagavond in een vliegtuig, maar het was
meteen 'fasten your seatbelts.' Wat hebben corpsballen
toch een bijzonder gevoel voor humor. Prins der Nederlanden! Dat zijn dingen die je roept aan het eind van een
goed besprenkeld kerstdiner of een uit de hand gelopen
jongensavond, maar jij bent dus met je plannen echt de
boer op gegaan. Je hebt bloedserieus tegen de toenmalige vice-voorzitter van de Raad van State gezegd: 'Ik wil
prins worden.'
 Ik denk dat die Beel in zijn broek gezeken heeft van het
lachen. Staat daar opeens zo'n blaag voor je, flaporen,
een geen-gezicht-1967-bril op zijn kijk-eens-wat-vaker-

376

in-de-spiegel-van-de-kapper-hoofd en die zegt op bekakte toon: 'Ik wil prins worden.' Ik denk dat Wim T.
Schippers die scène graag geschreven had. Ik ook trouwens. Je schoonmoeder, absoluut de domste niet, heeft in
dit geval een koel veto uitgesproken en daarmee was de
zaak klaar.

Ik ken veel mensen zonder zelfspot, zie een boel sneue
zielen op deze aardkloot ronddarren, maar de zoon van
een dekzeilenboer uit Schiedam die, omdat hij het met
de derde dochter van de koningin doet, Prins der
Nederlanden wil worden, slaat werkelijk alles.

Volgens een Limburgse hoogleraar mag je sinds de
laatste wetswijziging de titel probleemloos voeren. Jammer dat je een aantal jaren geleden in het openbaar hebt
verklaard dat het je zal jeuken. Maar wat een mooi verhaal dat je hebt lopen bedelen. Ik kreeg altijd al de slappe
lach als je in beeld kwam, maar vanaf nu heb ik last van
een chronische gniffel.

Echte last van realiteitszin heb je natuurlijk nooit gehad. Al nemen we maar je pianospel. Zullen we het
hardop zeggen: abominabel. Wat een geluk dat je in een
vrijstaand huis woont. Buren waren op de vlucht geslagen. Wat zeg ik? Waren geëmigreerd. Maar jij ging probleemloos zitten pingelen met Daniel Wayenberg, Louis
van Dijk en Pim Jacobs. Ook niet als grapje op een bonte
avond voor het personeel van Het Loo of op het jaarlijks
Rode-Kruisbal van de gemeente Apeldoorn, maar in
echte schouwburgen. Je vroeg zelfs toegang. Er werd altijd wel bij vermeld dat jouw gage naar een goed doel
ging omdat je rijk getrouwd was, maar dat lijkt me ook
wel het minste. Laatst sprak ik Louis van Dijk tijdens een
schnabbel in Den Haag en vergat hem te vragen wat dat
toch voor blinde vlek in zijn carrière is geweest om met

jou op een toneel te gaan zitten. Zal ik volgende keer zeker doen. Maar nu moet je dus toezien hoe de vrouw van je zoon door het simpele woordje 'ja' en een paar handtekeningen prinses wordt. Het lijkt me voor jou uiterst frustrerend. Heb nog wel een schrale troost voor je. Ik las dat prinses Juliana toch wat in de war is geraakt na de zware heupoperatie van enkele weken geleden en dat ze zo nu en dan even totaal haar decorum kwijt is. Dat mag als je 89 bent. Duizenden bejaarden hebben hetzelfde. Wat ik je aanraad: blijf vandaag tijdens het huwelijk van M&M een beetje bij haar in de buurt. Niet alleen om haar af en toe een handje te helpen, maar wie weet zegt ze na haar derde witte wijn wel per ongeluk: 'Hé prins Pieter! Jij ook hier?'

Nou wees eerlijk: dan heb je toch alsnog een werelddag!

Veel succes en nog meer plezier.

Youp van 't Hek

PS Al eens afgevraagd waarom Margriet geen Van Vollenhoven wil heten?

Lieve mevrouw Blankers-Koen,

Er gebeurde iets bijzonders op eerste pinksterdag. Ik was onderweg naar de prachtfinale van het wereldkampioenschap hockey voor dames in Utrecht en had zoals gewoonlijk Radio 1 op staan. Ik hoorde een interview met U omdat het dit jaar vijftig jaar geleden is dat U als vliegende huisvrouw vier gouden medailles tijdens de Olympische Spelen in Londen won. Het was een portret dat mij in hoge mate ontroerde. Waarom? Door Uw onthutsende nuchterheid, Uw heerlijke manier van vertellen en de prachtanekdote over de wijze waarop Uw man U ompraatte om niet naar huis af te reizen. U wilde weg omdat U zo verschrikkelijk naar Uw kinderen verlangde. Tot tranen toe.

Drie uur later slenterde ik eenzaam door het promodorp van de Koninklijke Nederlandse Hockey Bond en zelden zag je het moderne topsportleven beter geïllustreerd dan daar. Wat een poespas. Door mijn hoofd zweefden Arenabeelden: business seats, skyboxen, VIP-ruimtes en andere afwerkplaatsen voor de rijk geworden Nederlanders. Ondertussen hoorde ik Uw stem. De manier waarop U vertelde dat er geen olympisch dorp was, maar dat U met alle atletes was ondergebracht in een college – op een slaapzaal uiteraard –, deed mij zacht glimlachen. Ik werd ondertussen verblind door transfersommen van rond de 35 miljoen, salarissen van vijf à zes miljoen netto en sponsorcontracten van honderden miljoenen. U vertelde over de fiets die U kreeg en waarom u er zo blij mee was. Omdat U altijd op de fiets van Uw man naar de training moest. Met een kind voor- en een kind achterop.

Waarom ik U schrijf? Omdat ik onderweg ben naar de wkwedstrijd Nederland-België in Saint-Denis, en daar zal ik midden in de oorlog Nike-Adidas verzeild raken. Ik ben bang dat ik vier weken aan niemand anders dan aan U zal denken. Ik moest dat bij de hockeysters al. Omdat zij ook nog steeds voor twee keer niks een aantal jaren trainen en beulen. Op de een of andere manier maakt dat sport veel leuker. Strijden om de eer! Is toch anders dan kijken naar jongens die in eerste instantie een probleem maakten van een kampioenspremie van 140.000 gulden. Ik ga een week of wat dwalen door het circus dat wk heet en ik moet toegeven dat ik er zin in heb. Ik ben nou eenmaal een bobosmuller, verkeer graag in de schaduw van de stadions en weet nu al dat ik fluitend richting het zuiden zal toeren. Ik hou van het spelletje, de competitie, de schandaaltjes, de pingels, de kaarten, de blunders, de gouden doelpunten, de gejatte strafschoppen, de mazzelgoals en de weggestuurde spelers. Vier weken dompel ik me onder, maar weet toch dat ik heel vaak aan U zal moeten denken.

En nou heb ik een vraag aan U: als Nederland ver komt en er is weer een of andere kukel die vindt dat er een ratelend motivatiebandje moet worden afgedraaid, ofwel dat er een of andere Ted Troost of weet ik veel welke goeroe moet komen praten, wilt U dan voor een keer komen? En wilt U dan hetzelfde verhaal afsteken dat U op eerste pinksterdag op de radio hield? Dat heerlijke nuchtere, lieve, leuke en prachtige relaas over eer en trots. Volgens mij bent U de enige die de miljonairs aan de bak krijgt. En volgens mij doet U het voor de reiskosten en een entreebewijs. Dat zal wel even schrikken zijn in die Mastercardwereld, maar laten ze zich maar even lekker generen. Schamen is gezond. Wilt U dat echt doen? Dan durf ik namelijk met een goed gevoel de péage op en zal ik het vast tegen Guus zeggen.

En verder wil ik U vragen of U al Uw verhalen en anekdotes nog een keer wilt opschrijven en er een prachtig boek van wilt maken. Ik zal het lezen, verslinden, aan al mijn vrienden en kinderen cadeau doen en er elke dag uit voorlezen. Dank voor het prachtportret en ik hoop dat U geniet van een fantastisch wk en ik hoop dat we U nodig hebben. Dan worden we namelijk zeker kampioen! Met diep respect en nog meer hoogachting,

Youp van 't Hek

ps Ik pas wel op de poezen.

Wat & hoe

Columnisten moeten geen vakantie houden. Dan gebeurt het namelijk.

Neem de afgelopen maanden: Pamperseks in Zandvoort, Clinton en Lewinsky, de Ajax-directeur die een Feyenoordkind verwekt, Viagra, EPO, De Broertjes en ga zo maar door.

Ik had de redactie beloofd om twee maanden mijn pen dicht te houden, maar een paar keer heb ik op het punt gestaan om te bellen met de vraag of ik alsjeblieft weer mocht. De vakantie was toch een ramp. Wat een herfst! Lekker weg in eigen land, noemen ze dat. Daarom hebben mijn vrouw en ik onszelf getrakteerd op een weekje Andalusië en dwarrelen we op dit moment door de snikhitte van het prachtige Sevilla. Wat een verpletterend mooie stad. En kenners hebben ons gewaarschuwd dat Granada nog mooier is.

Het grootste probleem is ons Spaans, dat werkelijk allerbelabberdst is. We behelpen ons met zo'n *Wat & Hoe zeg ik het in het Spaans*-boekje. Zo bladeren we een maaltijd bij elkaar en eten vervolgens dingen die we misschien wel besteld, maar niet bedoeld hebben.

Die *Wat & Hoe*-boekjes zijn overigens wel een leuk tijdverdrijf, zeker als je bij 40 graden Celsius leest: 'Leuk skipak'! Dit valt onder het hoofdstuk Contacten leggen, maar volgens mij is de beginregel 'Leuk skipak!' te oubollig en te achterhaald voor woorden. 'Heb je paddo's bij je?' lijkt me actueler en 'Geile tattoo!' zit ook iets dichter bij de werkelijkheid.

Toch gaat het boekje ook al weer verder dan in mijn jeugd. Toen kwam men niet verder dan: 'Weet u hier een postkantoor?' of 'Kunt u mij de dichtstbijzijnde supermarkt wijzen?' Nu kom ik regels tegen als: 'Ik wil met je naar bed' en: 'Laten we een condoom gebruiken in verband met AIDS'. Vooral dat laatste 'in verband met AIDS' lijkt me onmisbaar. Want hoe zeg je in het Spaans: 'Laten we een condoom gebruiken in verband met mijn nog niet geheel herstelde druiper, die ik bij die vorige discosnol heb opgelopen'? Dan gaat AIDS toch wel veel sneller.

Toch lijkt het contacthoofdstukje mij enigszins overbodig. De taal der liefde is toch woordeloos. Oogopslag, zwoele blik, knipoog en/of glimlach zijn toch de bindmiddelen en hartstochtaanjagers. Ik zie me al met een boekje in bed liggen modderen. Ik zou me door de opwinding onmiddellijk een paar pagina's verslikken en op het moment suprème tegen het dienstdoende meisje roepen: 'Wat heb je een leuk skipak', of mijn van genot kronkelende bedgenote toevoegen: 'Wat heb je een heerlijke vruchtensorbet.'

Jammer alleen dat het boekje de dingen uitsluitend positief benadert. Ik denk dat heel veel meisjes iets hebben aan de regel: 'Hé ouwe geilneus, hitsige kamelendrijver, lazer toch eens op met je zouteloze lulkoek en je opdringerige handjes. Ik heb je al zeven keer gezegd dat je moet opzooien omdat je anders dit glas bier over je slijmerige kop krijgt.'

Zelf zou ik graag de volgende regel uit mijn hoofd leren: 'Meneer, beseft u dat u dit eeuwenoude bouwwerk, dit architectonische, laatgotische hoogstandje enigszins beledigt door rond te sjokken in korte broek, witte sokken, het verpletterende heuptasje en alles te bekijken door de lens van uw video, waardoor u thuis ontdekt wat u hier gemist heeft?'

Voor de druk van het volgend jaar wil ik de uitgever vragen de volgende regels toe te voegen:

1. Dokter, ik heb tijdens de Gay Games mijn navelpiercing uitgescheurd.
2. Kan ik hier mijn embryo invriezen?
3. Kan ik hier de president bevredigen?
4. Als ik mijn Viagra niet snel genoeg doorslik, krijg ik dan een stijve nek?
5. Heb ik mijn EPO misschien hier laten liggen?

Seks, seks en nog eens seks

Laten we het nog even kort samenvatten: Arafat stond op het gazon van het Witte Huis te wachten en op dat moment genoot Bill van Monica, die zich bevredigde met een grote sigaar. Daar komt de uitdrukking 'sigaar uit eigen doos' vandaan. Hoop voor Bill dat het geen Cubaanse sigaar was, anders krijgt hij er nog gelazer mee. Hoewel 'de wilde Havanna' ook opeens heel anders klinkt. En wat denkt u van het woord 'viespeuk'?

Soms kwamen er vlekken op haar jurk, maar er gaan ook al geruchten dat Bill hem af en toe afveegde aan de Amerikaanse vlag.

Verder zal bekend worden dat Monica de president oraal bevredigde terwijl hij met een Congreslid over landbouwsubsidies telefoneerde en ik ben bang dat we binnenkort ook horen dat er eigenlijk altijd een meisje onder de katheder van het Witte Huis met de genotsknots van de president zat te spelen. Zij vroeg keurig van tevoren hoe lang de speech zou duren, zodat zij wist of het een heftig vluggertje moest zijn of dat ze het wat meer op de vanilletour mocht gooien.

Iedereen weet binnenkort alles. Hoe laat, hoe vaak en vooral op welke manier hij het graag wilde. Zesendertig dozen details. Een soort Voskuil op Internet. Zijn grootste kick was het om klaar te komen terwijl de hotline met Jeltsin openstond. Boris was toch altijd chronisch kachel van de wodka en dacht dat hij gewoon een ordinair 06-nummertje gedraaid had.

Achteraf mogen we nog blij zijn dat die Monica niet per ongeluk met haar blote reet op de knop is gaan zitten en dat de wereld nog steeds bestaat. Of misschien hebben ze het ook wèl op die manier gedaan. Op een gegeven moment ben je toch wel een beetje uitgekeken op die eeuwige sigarenseks en dan wordt risicoseks heel interessant. Dus dat je op je hoogste punt het gevoel hebt dat je explosies hoort en tegen je geliefde 'Hiroshima, mon amour' schreeuwt. Dat moet toch heerlijk zijn. Mij verbaast niks meer.

Waar ik alleen helemaal niet tegen kan zijn die laffe excuses van Bill. Dat gezemel dat hij zijn gezin en zijn vrouw en zijn dochter en zijn labrador en het Amerikaanse volk zo'n verdriet heeft gedaan door zich regelmatig op zijn werkkamer eens even stevig te laten nemen door een stagiaire en dat het hem zo spijt. Het spijt hem helemaal niet. Hij vindt het gewoon jammer dat het voorbij is. Dát moet hij zeggen en het zou leuk zijn als hij erbij vertelt dat hij nog steeds zo geil als roomboter is. 'Zelfs nu ik deze speech hou. En zo gauw ik thuis kom moet Hillary eraan geloven en gaan we een ongegeneerde wip maken en het op alle plekken doen waar ik het met Monica ook gedaan heb. We beginnen op de rechter bureaula.'

En Hillary moet ook niet zeuren met haar gezever dat ze achter hem blijft staan. Of ze moet gewoon zeggen dat ze hem een smerig, obscuur, achterbaks en vunzig mannetje vindt, of aan het volk vertellen dat ze er zelf ook wel pap van lust en dat ze helaas niet helemaal aan de consumptiedrift van haar Bill kon voldoen. Vandaar al die Monica's en Paula's.

Seks, seks en nog eens seks en de komende maanden zullen we elke kreun en steun te weten komen. En we zullen smullen met zijn allen. Verontwaardigd smullen. Schande sprekend genieten.

Een paar tips voor uw omgeving. Hoe verontwaardigder iemand reageert, hoe meer je hem/haar mag wantrouwen. En als iemand het gedrag van Bill echt op hoge toon en met veel lawaai afkeurt, dan weet je helemaal zeker dat hij zich een keer of wat per week laat nemen door een caravanhoer op een parkeerplaats.

Bill is niks anders dan het slot van een tijdperk. We zijn op het ogenblik gewoon doorsekst en Bill doet daar vrolijk aan mee. Voor de Buch, na de Buch, achter de Buch en in de Buch. De moraal? Geen moraal. Het leven is simpel en Hans Hillen heeft gelijk.

IC351

De beurs stort onder leiding van de ING dramatisch in en heel veel yuppen in iets te dure huizen hebben een raar en nerveus weekend.

Medelijden? Nee hoor. De meeste effectenbezitters zijn de afgelopen jaren geeuwend rijk geworden en hebben, zonder moe te worden, tonnen op hun rekening kunnen bijschrijven. Daar gaat nu wat vanaf. Nou en?

Alleen de koers van de farmaceut Eli Lilly stijgt. Het bedrijf gaat IC351 op de markt brengen en men verwacht daar nogal veel van. Wat IC351 is? IC351 wordt de opvolger van de Viagra-pil. De makers van deze nieuwe potentiepastille verwachten dat dertig miljoen (!) mannen over de hele wereld er baat bij kunnen hebben. De fabrikant van deze nieuwe pil handelt trouwens ook in het populaire Prozac. Zal de verkoop hiervan nu teruglopen? Als er weer gevreeën wordt, wordt de depressie toch vanzelf minder? Of zit ik echt te simpel in elkaar?

De erectie en de goede bui zitten voor miljoenen mensen in een pilletje. Leven op recept. Zag gisteren op de televisie een uroloog, een seksuoloog en een Viagra-patiënt. Samen met good old Ria Bremer bespraken zij dit lacherige kroegonderwerp. Zowel de seksuoloog als de plasbuisspecialist legde uit dat het potentieprobleem zich vooral tussen de oren afspeelt. Zelden is de oorzaak fysiek. Ik denk dat ze gelijk hebben. Seks is gewoon consumptie geworden. Zelfs de president van Amerika wordt alleen nog opgewonden als de jonge trekharmonica Lewinsky voor zijn ogen met een wilde Havanna te-keergaat en de hele wereld krijgt na afloop de details, tot en met het dekblad en het bandje, te horen.

Vroeger speelde de porno zich af in een stiekem steegje en verdiende een Porsche-pooier er een paar slordige rotcenten aan, maar tegenwoordig spelen keurige types als Joop van der Reijden en Fons van Westerloo openlijk voor souteneur en vullen hun overvolle zakken met dit hoerengeld. Nederland kijkt massaal naar de meest ran-zige seksprogramma's, met als dieptepunt het pro-gramma *Sex voor de Buch*, waarin de tosti Menno Buch geestelijk gehandicapten voor het oog van heel Neder-land laat klaarkomen. En niemand die zo'n zielige, over-verhitte randdebiel beschermt. Probeer na zo'n uitzen-ding nog maar eens een gewone doorzonwip met je eigen vrouw te maken.

Vorige week las ik iets over een actiegroep die seks met dieren wil verbieden, en niet alleen met honden, katten en parkieten, maar ook het gefrunnik met goudvissen moet afgelopen zijn. Ik wou dat ik het had verzonnen. 'Papa, haal je snikkel uit de kom!' Het hele Internet ont-ploft van de kinderporno en schuimend van genot toont aartsvunzerik Willibrord Frequin de plaatjes op SBS, on-der het motto: kijk eens wat een viezigheid, mensen. Prozac en Viagra houden ons nog even op de been en verder is alles opper dan op. Onze huidige gemoedstoe-stand werd afgelopen donderdagavond het beste samen-gevat in het programma Zembla. Dit ging over *Zwevende Zaken* en liet zien hoe allerlei managers zich tegenwoor-dig ten einde raad laten motiveren door een stelletje tweedehands *new age-types*. De regel 'Chocolade helpt tegen een lekkend aura' zal ik mijn leven lang proestend koesteren en het bedrijf *Oibibio* dat de bacteriën het pand uitgemediteerd heeft kan ik ook nooit meer met droge ogen bekijken. Maar dat kon ik toch al niet. Bij het zien van al deze krampachtige onzin dacht ik wel: waarom heffen we onszelf niet gewoon op?

Een stevige suïcide zou volgens mij voor veel opluchting zorgen. We kunnen ook een lekkende Boeing van El Al over ons land laten vliegen.

Volgens mij is er maar één manier om weer enig motief in ons van verveling doordesemde bestaan te brengen: laat de koersen maar kelderen, de economie ontploffen, de boel compleet failliet gaan. Dan gaan de handen weer uit de mouwen onder het motto 'To be or not to be', en als je een beetje leuk pensioen wilt, dan moet je voor nakomelingen zorgen. Wedden dat het vrijen dan weer zonder pil lukt? Leven zit tussen je oren.

Telefoongesprek

Hallo lief, met mij…

Ben je druk? Heb je heel even? Nee, het duurt maar
heel kort. Ik moet ook zo naar een vergadering, maar pak
even je agenda. Het is morgen zaterdag en de kinderen
logeren toch bij jouw ouders? Hoe laat moet ik ze daar
heenbrengen? Dat haal ik niet, omdat Jaap eerst moet
voetballen. Tot halfelf denk ik. Dan naar huis, douchen,
verkleden en dan kan ik om één uur weg. Bel jij ze op en
zeg dat ik tussen halftwee en twee bij ze ben. Maar dat
kan niet, want Loes heeft nog een partijtje bij Ina. Dat
begint om twee uur en ze maken een rondvlucht boven
Amsterdam. Dat heeft die vader geregeld. Dat is die pat-
ser van de Optiebeurs, die op deze manier zijn schei-
dingsschuld aflost. En daarna lunchen ze met veertien
meisjes bij Kras. Dan breng ik haar wel later, of anders
doe jij dat. Omdat ik met Paul ga tennissen. Oefenen
voor de bedrijfscompetitie. Van vijf tot zeven. Nee, ik
blijf niet hangen. En dan? Heb jij kaarten voor De la
Mar? Is goed. Eten we daarna een hapje in de stad. Ik
moet voetballen. Hoe vroeg? Halftwaalf of zo. Dan kun
jij ze toch halen? Hoe laat moet Jaap daar dan zijn? Wat
voor ballonvaart? Boven de stad. Is dat dat jochie van die
vader met die Porsche, die makelaar? Met drie ballonnen
boven de stad? Hoe oud wordt dat jochie? Acht? Leuk
idee. En daarna met zijn allen een videoclip maken. Ook
leuk. Dan haal ik hem wel om acht uur bij je ouders. Dat
is zielig voor Marloes, maar dan haal jij die in het begin

van de middag. Wat voor Open Dag? Van paardrijden. Vanaf twee uur. Dat moet jij dan doen. Ik kan wel koken, maar heb geen tijd voor boodschappen morgen. Dan bellen we toch de pizzataxi? Wat moet jij maandag? De hele dag? Maar Jaap heeft judo. Halfvier. Ik moet naar Enschede. Die moeder heeft al drie weken gereden, dus die wil ik niet weer vragen. Daarbij is mijn auto voor een grote beurt weg. Dan breng ik hem wel met een taxi naar judo en dan moet Loes alleen thuisblijven. Omdat die naar celloles moet. Dat heeft ze toch vorige week ook al afgezegd. Hoe laat kan jij Jaap ophalen? Maar ga dan niet te laat weg. Omdat ik anders hopeloos in de file kom. Nee, ik ga hem niet een uur eerder in die sporthal zetten omdat de schoorsteenveger komt. Als ik die man afbel dan kan hij pas weer over zes weken. En dan komt het ook niet uit. Eigenlijk komt het nooit uit. Wat wil je dinsdag? Met mij tennissen. Hoe laat? Geen twee uur achter elkaar. Omdat dat ruzie wordt. Een uurtje is genoeg. Ik kan wel om kwart voor drie bij school staan, maar hoe laat is die pianoles dan? Wie moet ik meenemen? Dat kind heeft toch ook een moeder? Jij werkt toch ook? Maar wanneer studeren ze dan piano? Dat moet jij dan doen. Daar kon ik niks aan doen, maar ze had haar boeken in de manege laten liggen. Dus ze moet in haar paardrijkleren naar pianoles. Dat staat zo zielig. Kan ze geen boek lenen? Dus als ik Loes van pianoles naar de manege rijd moet ik Jaap bij AFC afzetten. Maar die training is toch woensdag? Welke Rogier? Waarom moet ik die oppikken? Ik moet toch ook werken. Omdat ik thuis schrijf lijkt het net of ik alle tijd heb…

Maar Flapoor moet die avond zijn jaarlijkse prik hebben. Dat staat hier. Winterprik Flapoor. Kan wel een week wachten, maar dat is dan de zesde keer. En heb je al winterjassen met ze gekocht? En je zei gisteravond dat je dat woensdag aan het begin van de middag zou doen! Al gedaan? Dat heb je me niet verteld. Wanneer dan? Met wie spreek ik dan? Met Anja. O sorry, ik dacht dat jij mijn vrouw was. Pardon... Nee, geef haar maar even... Jij dacht dat ik jouw man was... Jullie kinderen heten ook Jaap en... Sorry... Geeft niks... Is mijn vrouw daar? Vraag dan of ze even terugbelt en dat ze haar agenda openlegt... Ze moet wel vlug bellen want ik moet Jaap naar schermen brengen en Loesje naar vioolbouwen.

Dankjewel. Ja, jij ook, en de groeten aan Wim. Geeft niks, was van mij ook dom.

Promodorp

Allemaal het promodorp van Justitie in Ermelo gezien? Vooral de catering van het Veghelse Maison Van den Boer was een groot succes. Heerlijke palingmousse, schitterende zalmtartaartjes en ook de gegratineerde oesters smaakten beter dan ooit. Zelf zat ik het meest in de champagnetent van Pieper Heidseck, daar waar ook de kaviaarstand was. Die was naast BMW-village. Veel dank aan alle sponsors en wat jammer dat Justitie het opbreekt en naar Nijmegen verplaatst. Soms word je als doorsnee Nederlander zo schaamroodstil.

Afgelopen week mocht ik in Enschede spelen en las in het plaatselijke sufferdje een verhaal over een Ratelbandachtige goeroe, die in de schouwburg van Almelo vijfhonderd Twentse managers had toegesproken. Ik las een dozijn platitudes ('Het gaat niet om hebben, het gaat om zijn!') en begreep uit het vrolijke verslagje dat je op een gegeven moment de schouders van de man (m/v) in de rij voor je beet moest pakken en die moest masseren.

Dat was in mijn geval vechten geworden. Ik ben best meegaand, maar ik zou toch niet willen dat er een rayonmanager van een kogellagerfabriek met zijn Borculose handjes mijn tere schouderbladen begon te kneden. Afblijven, oprotten en wegwezen. Het verbaasde mij niet toen ik las dat alle schapen het trouw gedaan hadden. Mensen doen die dingen. Geef 50.000 volwassenen bij een Europacupwedstrijd een vlaggetje met het logo van de sponsor, vraag of ze naar de camera willen zwaaien en ze doen het. Mensen doen alles. Op hetzelfde moment dat de goeroe de managers stond op te peppen was het asielzoekersgala in Ermelo in volle gang en dacht minister Zalm aan de manier waarop hij zijn aankoop van dat onaffe testbeeld van Mondriaan in de Tweede Kamer zou verdedigen.

De Duitsers baalden op dat moment van het akkoord over de luchtaanvallen op Joegoslavië. Mochten ze na drieënvijftig jaar eindelijk weer een keer meegooien, ging het niet door. Ondertussen nam ik in Enschede het dopingschandaal rond FC Twente even door en kwam in mijn verbazing niet verder dan de zure woordspeling *Epo Drost*. Mooie provinciedroefheid: een Twentse manager die aan zijn vrouw uitlegt dat hij vanavond weg moet omdat hij gaat luisteren naar een luchtbakker, die op initiatief van de Almelose Rotary praatjes komt maken. Anderhalf uur later moet hij een therapeutische schreeuw geven en frunnikt hij aan de schouders van zijn ongedeodorante voorbuurman.

De opbrengst van de avond ging gelukkig naar geestelijk gehandicapten. Is dat debiele gedoe dus toch nog ergens goed voor geweest.

De bedoeling van dit soort avonden is dat de managers zich lekkerder gaan voelen op hun werkplek, efficiënter met zichzelf omgaan en zodoende meer omzetten. Meer rendement. 'Profiteer van de file. Neem werk mee of rust juist uit. Daarna ben je er weer klaar voor om heel veel auto's te verkopen.' Maar wordt het niet hoog tijd dat er een goeroe opstaat die vertelt dat er verder geen auto's meer verkocht moeten worden omdat het hele land verstopt zit, dat we niet meer naar Tenerife en Kreta kunnen omdat ze in Zwanenburg krankzinnig worden van de herrie en dat een vliegveld in zee ook gekkenwerk is? De

395

zee is voor boten! Of gaan we het woord luchthaven letterlijk nemen? Ik begrijp dat heel veel managers moedeloos zijn en de fut niet meer op kunnen brengen om hun overbodige productjes aan de man te brengen. Vandaar al die motivatiegoeroes. Maar omdat we allemaal willen rijden, staan we stil. Er moeten geen auto's worden verkocht, maar juist weg. Er moet geen motivatiegoeroe komen, maar een demotivatiegoeroe. We slibben aan alle kanten dicht. Te veel genot, te veel onzin. We hebben meer dan genoeg. En als je het niet gelooft, ga dan eens met alle Twentse bobo's onder leiding van de Almelose Rotary naar het promodorp in Ermelo en verblijf eens een weekend met je gezin in een lekkende tent. Gaan we daarna verder praten.

Avondgebed

God belde mij met de vraag wat ik van haar laatste gein-tje, Mitch, in Midden-Amerika vond en ik legde haar uit dat het niet lekker ontbijt, als je ochtendblad op de voor-pagina een foto toont van een vader uit El Salvador met in zijn armen zijn verdronken zoontje, terwijl je daarach-ter de ontroostbare familie wanhopig ziet schreeuwen en kermen. Zeker niet als je in een vijfsterrenhotel zit en de keus hebt uit zes soorten brood, vier soorten yoghurt, di-verse soorten fruit, jams, worsten, kazen en ander beleg.

'Zoiets verwart,' vertelde ik haar, en zij vroeg in welk hotel ik zat.

Ik noemde de naam en zij bleek het te kennen. Ze roemde de aangename temperatuur van het zwembad, de heerlijke sauna, de fantastische fitnessruimte en de weldadige massagesalons. Of ik het restaurant kende? Moest ik eens proberen. Vooral de carpaccio van getruf-feerde eendenlever en de dubbelgetrokken kwartel-bouillon, terwijl ook het mozaïek van dagverse zalm en zeewolf een aanrader was.

Ik schoot vol en vroeg aan God wat ze bedoelde met onze luxe in contrast met de vijfentwintigduizend doden. Ze vroeg of ik het ook zo erg vond voor Louis van Gaal en de hele stad Barcelona dat de voetbalclub zo goed als zeker is uitgeschakeld in de Champions League en of ik veel verloren had met de verkoop van mijn aandelenpak-ket Baan en of ik al wist dat er in België het afgelopen jaar vierhonderdduizend auto's (een record!) waren ver-

397

kocht en wat was het leuk voor Volendam dat ze mogen doorvoetballen en jammer voor Vitesse, Willem II en Heerenveen dat het Europese avontuur geëindigd is.

'Maar wat is uw bedoeling met Honduras?' stamelde ik en ze vroeg of ik nog steeds in therapie was en of de therapie een beetje hielp tegen mijn faalangst, mijn hyperventilatie en mijn carrière-stress en of ik met mijn gezin met kerst nog naar Parijs ging en hoe de verbouwing was geworden en of al mijn personeelsleden nu een GSM hadden en of het waar was dat mijn therapeut zelf ook in therapie was bij een therapeut die zelf ook weer in therapie was bij een therapeut die...

'Vijfentwintigduizend doden,' fluisterde ik. 'Vijfentwintig-duizend!'

Ze zei me dat ik me over Shell geen zorgen hoefde te maken en ik moest rekenen op een fors winstherstel, maar Philips moest ik verkopen omdat die verliefde Boon stra er gewoon met zijn kop niet bij is en of ik beledigd was dat ik niet op de Quote-lijst van honderd rijkste Nederlanders stond en of mijn lange weekend New York nog doorging en of ik ook vind dat de Viagrapil in het ziekenfondspakket moet, net als de anti-verlegenheidspil, en of ik me nog steeds moppentappend door het land bewoog en of ik nog steeds wekelijks een amuserend stukje op de Achterpagina van *NRC Handelsblad* schreef en of ik daar een beetje van kon rondkomen (volgens haar werd ik steeds ronder) en of... 'Wat is de bedoeling van uw apocalyptische rampenplannen?' smeekte ik haar voor de laatste keer. Toen zweeg ze lang en vroeg of ik dit stukje uit mijn hoofd wilde leren en elke avond als avondgebed wilde prevelen.

Vlees

Met *Wat is een maaltijd zonder vlees?* adverteren de slagers en ik denk dat ik het antwoord weet, namelijk: een maaltijd! Het is het goed recht van de slagers om zo te adverteren en op die manier te proberen om ons burgers aan te zetten om regelmatig onze tanden in een boutje van het een of ander te plaatsen. Zoals de slagers ons mogen aanraden zoveel mogelijk vlees te eten, zo mogen de tegenstanders van de bio-industrie aan de mensen vragen om het niet te doen, omdat de dieren in hun ogen nogal lijden en er te veel rotzooi in de beesten zit. Dat is het leuke van een democratie. De een roept 'Eet!' en de ander schreeuwt 'Eet niet!'

Zelf zet ik regelmatig mijn tanden in een biefstukje. Ik moet wel toegeven dat de slager bij wie ik het koop een chique runderjuwelier is en de prijzen grachtengordeliaans zijn. Dat is meer dan scharrelen. Ook kom ik regelmatig bij de gewone slager bij ons in de buurt en heb het daar vrolijk. Ik ben absoluut niet vegetarisch, maar ik ben wel een jaar of twintig geleden, na alle hormoon- en kistverhalen, gestopt met het eten van kalfsvlees. Al een jaar of tien heb ik geen kip meer aangeraakt en sinds een jaar of vier is het varkensvlees taboe. Natuurlijk dwarrelt er nog wel eens een spekje door de sla en onlangs heb ik bij de Indonees nog een heerlijk stukje kip geproefd, maar dat is meer uitzondering dan regel. Boter, kaas en eieren worden bij ons gewoon verorberd. Ik heb nog nooit om scharrelkaas gevraagd.

Wanneer mijn vleesdenken veranderd is? Ik denk net als bij veel anderen: in de tijd van de varkenspest en de BSE. Toen de camera's goed inzoomden op de huisvesting van de dieren was ik verbijsterd, en toen ik las en hoorde wat er zoal aan onnatuurlijke rommel door het dierenvoedsel gaat was ik verslagen. Door veel varkensvoedsel zit vismeel en koeien eten tegenwoordig vermalen slachtafval. Ik ben een mavo-jongetje en weet niet al te veel, maar ik weet wel dat als ik vroeger in een proefwerk op de vraag: Wat eet een varken? als antwoord vis had opgeschreven, ik zelfs die mavo niet gered had. En als ik van een koe een carnivoor had gemaakt was ik ook doorverwezen naar de lom-school. Varkens eten geen vis en koeien vangen geen haas om op te peuzelen. En mag ik het ook raar vinden dat er door het voedsel allerlei preventieve geneesmiddelen (waaronder antibiotica) zitten? Ik snap nu wel waarom de minister van landbouw Apotheker heet.

Afgelopen donderdag plaatste ik namens de stichting Varkens in Nood een oproep aan het Nederlandse volk om mee te betalen aan een grote advertentie rond kerst, met de vraag aan iedereen om geen vlees uit de bio-industrie te eten. Dat heb ik geweten. Heb inmiddels heel varkensboerend Nederland aan de lijn gehad en de laatste discussie met deze dames en heren heb ik dan ook nog niet gevoerd.

Vervelend? Nee hoor. Ook al veel gelachen. Of ik wel wist dat de varkens op vloerverwarming liggen. Of ik wel eens in mijn eigen zalen had gekeken. Daar zaten de mensen dichter op elkaar dan in de varkensstallen! En of ik wel wist wat ik de varkenssector aandeed. Massale suïcide heb ik binnenkort op mijn geweten. Ondertussen ben ik ook door de boeren en de slagers bijgepraat over de gifmengende vis- en groenteboeren. Elke zalm heeft in zijn leven alles geproefd behalve vrijheid en staat stijf van de pillen. En waarom de groente er tegenwoordig zo mooi uitziet? Precies. Gif, gif en nog eens gif. Journalisten zijn op hun beurt weer verbaasd dat ik me als cabaretier überhaupt in het actiewezen heb gestort en stellen vervolgens geen enkele vraag over de inhoud van de actie. Het gaat over mij! De boodschap doet er niet toe. De boodschapper, daar gaat het om.

Wat de leukste vraag was? Hoe ik zelf aan die dikke kop kom. Antwoord: drank. Vooral wijn! Of ik wist wat dáár allemaal inzat.

In de war

Twee komma drie miljoen Nederlanders hebben per jaar een of meer psychische stoornissen en slechts achthonderdduizend mensen zoeken hulp.

Dit blijkt uit een recent onderzoek. Vroeger zou ik van zo'n getal schrikken, maar naarmate ik ouder word weet ik beter. Zo'n onderzoek is uitgevoerd in opdracht van de hulpverleners zelf en die zitten niet te wachten op een uitslag waaruit blijkt dat ze totaal overbodig zijn. De psychische hulpverlening is een bloeiende sector en dat wil men in die kringen graag zo houden.

Een vriendin van mij is haar hele leven platgewalst door alles wat ook maar een beetje peut. Ze surfte van het ene spreekuur naar het andere, ging naar kneusweekendjes in de Franse Pyreneeën, danste drie keer per week de stress van zich af bij een therapeutisch bewegingscollectief onder leiding van een zekere Bart Jan. Haar leven was een warm bad van luisterende oortjes en zacht zalvende antwoorden op hele domme vragen. Heerlijk! Ik ben zelf meer de man van een goed pak op je sodemieter, een koude douche en drie weken straatvegen in een sloppenwijk van New Delhi. Vooral dat laatste wil nog wel eens helpen.

Laatst vertelde ze mij dat ze nu zelf een officiële cursus psychotherapie doet en dat binnenkort andere kneuzen bij haar op de sofa terechtkunnen. Ik ben bang dat haar nieuwe praktijk een groot succes wordt. Mijn vriendin is een en al begrip en zal elke fobie, faalangst en andere onzekerheid met vooral veel begrip wegmasseren. Ze is zelf op dit moment bezig haar post-lesbische periode af te sluiten en merkt dat ze weer enorm openstaat voor iemand van het mannelijke geslacht. Mag zelfs best een macho zijn.

Twee komma drie miljoen is een aardig aantal, maar daar valt dus alles onder. Daarbij tellen de schizo's waarschijnlijk dubbel. Wanneer is iemand een psychisch gestoorde? Mag je een roddelbladlezer onder de chronische gestoorden rekenen? Dan heb je er zo al vijf miljoen bij. En wat doen we met mensen die bereid zijn uit naam van hun voetbalclub een ander helemaal plat te rammen? Dat zijn er toch ook een paar duizend per week. En de Sex voor de Buch-loerders? Dat schijnen er per keer ook een kleine twee miljoen te zijn. En wat denkt u van al die Prozacjes, die voor hun rust naar Benidorm gaan? En horen de in mijn ogen verder onschuldige Oibibidiootjes erbij? En de types die een driedubbele triatlon zwemmen, fietsen en lopen? En de echtparen die op zondag met hun kinderen en schoonouders in de file voor Ikea gaan staan om op de terugweg braaf te wachten in de rij van de McDrive?

Ik noem er maar een paar. Wanneer ben je psychisch in de war? Als je het programma *Vegas Nights* voor Veronica bedenkt? Of bij Paul de Leeuw uitlegt dat biggetjes op een waterbed horen? Of als je in de tijd van files aan je verkopers uitlegt dat er dit jaar weer vierhonderdduizend auto's verkocht moeten worden? Haal je target! Of als je vindt dat Schiphol mag uitbreiden, liefst in de Noordzee? Wanneer val je in de categorie die psychische hulp nodig heeft? Eerlijk gezegd weet ik het niet. Ik zie mensen *Olijfonaise* in hun winkelwagentje gooien, hoorde op de radio iemand het gedrag van BNN-Bartje tegen de buurvrouw van Jaap Jongbloed verdedigen, weet dat sommigen op een overdekte kunstskibaan naar beneden roetsjen, weer anderen vervangen in deze tijd van bloeiende nederwietplantages acht keer de grasmat van de Arena, terwijl de halve stad bestaat uit deskundigen. Honderd lampen, een afzuiginstallatie, een paar kilo graszaad en klaar is Koos Koets. Ik weet het echt niet meer. Wanneer ben je psychisch in de war? Zolang je de gekte aanvaardt, het spelletje meespeelt en elke ochtend met een fris gepoetste bek richting een groot zinloos kantoor slakt? Ik weet het echt niet. Weet wel een remedie tegen het gek worden: niet nadenken. Absoluut niet nadenken. Gewoon meedoen. Dooreten, meelachen en om de twee minuten tegen je kinderen zeggen: dat is nou eenmaal zo!

Oormerkweigeraar

Mensen met een walkman op hun hoofd hebben iets sneus. Vooral tegenover je in de trein. Donderdag moest ik zo'n swingende sukkel erop attenderen dat zijn telefoon ging. Vervolgens voerde de man een langdurig ouwewijvengesprek met een vriend over voetbal, over het wat tegenvallende kerstpakket en over de vraag waar een zekere Henk het allemaal van betaalde. Toen hij ophing zette hij zijn koptelefoon weer op en mocht de hele coupé meegenieten van het eentonige ritme van zijn belabberde muziekkeus. Misschien is het een ideetje voor de ns om buiten de stiltecoupé ook een aantal treindelen beschikbaar te stellen voor bepaalde soorten lawaai. Een housewagon, een klassiekemuziekkarretje, een polonaisecompartiment, een coupeetje jazz, een ouderwetse restauratiewagen en een deel waarin alles verboden is. Praten, walkman en vooral die trieste GSM. GSM betekent in België *Geen Snoer Meer*, maar dit terzijde.

Tijdens mijn ergernistochtje tussen de Nederlandse rails las ik een gesprek met de oormerkweigeraar Henk Brandsma, een nuchtere Fries die geen woord Sanskriet sprak. Hij wil niet als dierenbeul door het leven gaan en vindt die krengen een onnodige vorm van kwelling. Hij laat zijn beesten ook hun natuurlijke hoorntjes houden, ze krijgen gewoon voer en mogen in de zomer van hem zo lang mogelijk in de wei blijven. Inderdaad: die Brandsma is een psychiatrisch geval en een gevaar voor de samenleving. Men overweegt nu om zijn veestapel tegen de muur te zetten. En met hem de veestapels van zeventig andere oormerkweigeraars. Ik gaf een schreeuw in de overvolle coupé en vroeg aandacht voor deze gekte, maar men keek meer dan verstoord. De conducteur zei dat ik bij herhaling er bij het volgende station uit zou worden gezet. Er zaten zeven mensen met ski's in de trein. Ze gingen een dagje wintersporten in de Amsterdamse Arena en hadden wel iets anders aan hun hoofd.

Afgelopen zomer liep ik langs een Vlaams weiland, keek in de zachte koeienogen van een hele lieve blaarkop en schoot vol toen ik die rare gele flappen in die oren zag. Het hele weiland stond vol met dat soort beesten. Europese richtlijnen. En waarom? Omdat de dochter van Maij-Weggen, de broer van Cresson en de oom van een zekere Marin, een bedrijfje in oormerken, aanbrengtangen en een oormerkenregistratiecomputerprogramma hebben. Zo simpel is dat. Want laten we maar meteen zeggen waar het op staat: Van Buitenen heeft gelijk. Dat hele Europese Parlement is zo corrupt als de neten. Ze hebben al een keer aangetoond hoe er gesjoemeld wordt met de te declareren kilometers en de handtekeningen op de presentielijst. Zelfs de zwartste-kousen-GPver viel door de mand. Wat een prachtig beeld van de geschorste Van Buitenen, die op zijn koude zolderkamer achter zijn ziekenfonds-pc'tje het Europees Parlement bestookt. David daagt Goliath uit. Even de beerputdeksel op een kier gelegd en hij kon meteen gaan. Hij belemmert zogenaamd het justitiële onderzoek. Natuurlijk niet. Hij zorgt dat er eindelijk eens iets naar buiten komt. Toen ik las dat onze eigen koninklijke schoonvader Hans van den Broek sprak van een 'mediahype' en een 'heksenjachtachtig karakter', wist ik helemaal zeker dat het waar was. Waarom is die Van Buitenen nou eigenlijk geschorst?

Omdat hij het parlement een rapport heeft bezorgd over zaken die hij als lagere ambtenaar van de financiële controle heeft waargenomen. Dat is toch zijn goed recht? Je mag het parlement toch even vragen de GSM terzijde te leggen en de prietpraat te staken om te luisteren naar het feit dat de trein de verkeerde kant oprijdt? Nee, dat mag niet. Dan klap je uit de school.

Ik kan het niet uitleggen, maar er brandt de laatste maanden een onderhuidse drang naar geweld in mij. Geweld zonder pijn. Oormerken dat zooitje. Meedogenloos oormerken. Volgens hun eigen folders voel je dat namelijk absoluut niet.

Supporters

Er is 'hondelul' geroepen op de tennisbaan. Of is het 'hondenlul'?

Doet het ertoe? Het is geroepen en dat is veel belangrijker. Soms kan ik me zo schamen voor mijn eigen volk. Ik kijk naar Richard Krajicek in Melbourne en hoor de Hollandse proleten boven alles en iedereen uit. Af en toe worden ze in beeld gebracht, geheel in het oranje gehulde dronkelappen, roodwitblauw geschilderde gezichten. En maar schreeuwen. Je hoort ze aftellen voor een wave, het meest achterhaalde en provinciale dat in een stadion denkbaar is. Je hoort ze verschrikkelijke dingen roepen en aan het accent hoor je dat het geen adel is.

Nederlanders in het buitenland worden vaak baldadig. Lekker ver van huis. Lekker zuipen, lekker roepen en wat helemaal nieuw is: de tegenstander uitschelden. Wat wordt de volgende stap? Gooien? Smijten? Knokken? Las dat Richard zelf ook verbaasd was. En geïrriteerd natuurlijk. Terecht. Tennis was een van de laatste Benidormloze sporten.

In Heerenveen is onlangs het schaatsen gesneuveld. De tegenvallende Romme werd uitgefloten, sommige rijders werden gehinderd door uiterst irritante en ook schadelijke laserstralen in hun ogen en er werden munten op het ijs gegooid. Het echte Thialftijdperk is dus voorbij. Nou komt dat natuurlijk ook door Sanex, Aegon en Sense. Het gaat om totaal andere belangen. Je hoort nu onderling gezeur over sponsorpakjes en het dieptepunt zag ik vorige week: Ids Postma aan het werk in zijn stal, maar omdat de televisie erbij was moest hij zijn sponsormuts op. Opeens wordt zo'n man tragisch en de lulligheid van de jaren negentig overduidelijk. Koeien met pijnlijke gele flappen en de baas met een wollen muts met Aegon erop. Die band moet wel bewaard worden. Menig archeoloog kan er over twee eeuwen op promoveren. Dan mag meteen de onsmakelijke reclamespot van Anton Geesink voor de SNS-bank erbij. Ik bedoel die vieze grote Anton die gevloerd wordt door dat kleine jongetje. Ook zo'n schitterend tijdsbeeld. Ik denk dat de bank het spotje voorlopig van de buis gehaald heeft.

Moet wel lachen om de hele IOC-affaire. Zo'n club mannen, die rinkelend van het smeergeld van bordeel naar bordeel trok en telkens naar huis terugkeerde met mooie cadeaus, vette Mercedessen en goede baantjes voor mislukte familieleden. Zou Anton ook wel eens gezwicht zijn voor een mooie snol? Misschien een leuk reclamespotje: beroemd IOC-lid betreedt Yab Yum om aan zijn sigaar te laten trekken door een ranke Thaise. Het is maar een idee. Zeg nou niet dat ik Anton verdenk, het is louter fantasie en dat is al erg genoeg.

Toch weet ik één ding meer dan zeker: iedereen die nog in sport gelooft is op z'n minst in de war. Het gaat binnen de sport nog maar om één ding en dat is poen. En elke moraal moet daar voor wijken. Alle middelen worden ingezet. De contractbreuk van de Broertjes, het epo van de Tour, het smeergeld van de IOC-leden en alles wordt zachtjes geregisseerd door Nike, Coca-Cola en McDonald's. Daar kan je toch niet meer nuchter naar kijken?

Zelfs de tenniswereld schijnt vergeven te zijn van de stimulerende rotzooi. Korda is als eerste betrapt en als morgen de rest bekent dat ze al jaren stijf van de chemicaliën staan te serveren, ben ik de laatste die verbaasd is. Ik geloof helemaal niemand meer. Eigenlijk moet ik niet zeuren over alle dronken supporters aan de rand van het tennisveld, in de ijshal en op de voetbaltribune. Misschien is dit nog de enige manier om sport te ondergaan. Alleen straalbezopen valt er nog wat te genieten. Als je het namelijk nuchter bekijkt, zie je de onzin en de leugens. Maar ik bekijk de supporters nuchter, schaam me voor mijn eigen volk en weet weer een reden om Schiphol niet uit te breiden.

Onzeker

Terwijl in Colombia de aarde schudde en hele gezinnen werden bedolven onder hun eigen huis, zaten ze op het hoofdkantoor van de Rabobank in Utrecht een verzekering tegen de waardevermindering van je huis te bedenken. Zo heeft elk land zijn eigen problematiek. Volgens een Veendamse makelaar is het allemaal niet nieuw. Bij hem kan je je hier al jaren tegen verzekeren. Het heet de 'woonrust-huiswaarde-hypotheekgarantie'. Ik zie meteen de copywriter voor me die deze term bedacht heeft. Hij staart genoegzaam naar zijn beeldschermpje en leest hardop: woonrust-huiswaarde-hypotheekgarantie! Heel even voelt hij een lichte erectie. Wat een vondst.

Wat zijn we toch een land van tutmussen en waakvlammetjes met onze bloeiende verzekeringsbranche. Nederland heeft de hoogste verzekeringsdichtheid ter wereld en we verzuipen dan ook bijna in onze sneeuwgaranties, zonverzekeringen en ander risicogeneuzel. Eigenlijk vind ik dat we nog lang niet ver genoeg gaan. Ik doe de assurantiemaatschappijen de volgende voorstellen:

– Alimentatieverzekering: Lijkt me simpel. Kan je afsluiten voordat je gaat trouwen. Voor het geval je huwelijk strandt en je vrouw zich na afloop ontpopt tot een afpersend zeurmokkel, dat maandelijks je halve verdiende loon opeist. En andersom natuurlijk! Voor het geval hij alle spaarcenten in dat nieuwe huppelkutje duwt en met haar aan Caribische stranden gaat liggen braden.

– Asielzoekerpolis: Wordt binnen de branche de 'Vugh-
telingenpolis' genoemd. Deze is voor het geval dat je in
je zeikerige villawijkje een gros gevluchte negers als buren krijgt. Je kan dat natuurlijk al gedeeltelijk opvan-
gen met de woonrust-huiswaarde-hypotheekgarantie,
maar dan krijg je alleen de waardevermindering op je
huis terug. Deze polis regelt dat je het door de overheid
aangewezen flatgebouw kan opkopen en het bespaart
je de blamage van de huidige eigenaren van De Steffenberg, die een hypotheekje moesten afsluiten.

– Mislukte Kinderengarantie: Zullen veel ouders willen
afsluiten. In de wieg lijken het vaak blakende gymna-
siastjes met een gouden toekomst, maar inmiddels weet
iedereen dat het in de praktijk toch anders loopt. Op de
lagere school gaat het nog, maar als de eerste puber-
pukkels verschijnen gaat het veelal hopeloos mis. Dan
worden ze vaak niet alleen opstandig, maar blijken ze
ook nog te dom voor de mavo. Deze polis zorgt voor
alle bijlessen, huiswerkklassen en zelfs eventuele internaten en je kan een extra pakket nemen dat ervoor
zorgt dat het inkomen van je kind zodanig wordt aange-
vuld dat het kan blijven leven zoals het bij de ouders
leefde. Dus het kan ondanks het magere salarisje blijven hockeyen, golfen, wintersporten en diepzeeduiken.

– Michelinsterrenpolis: Je bent een topkok, een van de
besten van het land en je laat je door ranzige Endemollen omlullen dat je op tv moet gaan koken met
tweedehands Van der Togtjes en aanverwante Holtjes.
Daarbij dwingen ze je zelfs om openlijk Iglo, Smeltjus
en Croma te gebruiken omdat die het programma

sponsoren. Door deze Aalsmeerse glamourstatus gaat je restaurant ten onder en geen enkele Van der Reijden stelt je na afloop schadeloos. Vandaar deze verzekering.

– Doorzonverzekering: Dit moet een allesdekker worden en verwezenlijkt alle niet waargemaakte dromen. Je wou een prachtvrouw en woont met een bril of je wou een kanjer als kerel en woont met een windjack met Donald Duck-sokken. Je wou directeur worden, maar je bent klerk. Je wou vrienden en kennissen, maar je hart tocht chronisch. Je wou een Rolls en zit in een Schicht. Kortom: de gezinspolis voor iedereen. En daarom absoluut onhaalbaar. Een niet op te hoesten premie en een onbetaalbare schade.

Vlektyfus

Een oude vriendin van mij had met haar huisarts afgesproken dat hij haar, als het zover was, een euthanaspuitje zou geven. Op een dag hoorde ze hoe ziek ze was, overlegde met hem en het moment werd afgesproken. Maandag a.s., kwart over vijf. Haar over de hele wereld levende kinderen werden ingevlogen, een ontroerend afscheid volgde, de huisarts kwam, zag en overwon. Haar begrafenis was een feestje. Veel anekdotes uit haar bijna negentigjarige leven passeerden de revue. Ook had ze nog wat waarschuwingen nagelaten. Enkele mensen met wie ze nog een appeltje te schillen had zou ze vanaf haar wolk een stevige gordelroos bezorgen als ze na haar dood opeens heel positief over haar zouden praten. Ze hield niet van het schijnheilige motto 'Over de doden niets dan goeds'. Nou zit ik maar steeds te hopen dat de afgelopen week overleden Enneüs Heerma haar boven in de hemel al ontmoet heeft en dat zij hem wat adviezen heeft kunnen geven. Van mij mag hij in plaats van gordelroos vlektyfus uitdelen aan al die farizeeërs die afgelopen week over elkaar heenvielen om de oud-fractieleider te prijzen. Dan kunnen wij ze ook zien. Wat een hypocriet gelul. En hij mag de ziekte ook uitdelen aan al die achterbakse kerkgangers, die achter Enneüs' rug aan de poten van zijn stoel hebben gezaagd. Hilgers, Hillen en De Hoop Scheffer kunnen de medicijnen alvast bestellen.

Het hypocriete gedoe rond de dood van Heerma heeft onbewust bijgedragen aan de dramatisch lage opkomst

bij de afgelopen verkiezingen. Net als de Bijlmer-en-
quête en het gedoe rond het Europees parlement plus
het geneuzel rond Schiphol inclusief het niet aftreden
van Sorgdrager, enzovoort.

Wat dit met provinciale verkiezingen te maken heeft?
Niets! Maar ik heb de afgelopen weken tijdens de cam-
pagnes helemaal niets gehoord over provinciale zaken,
maar dan ook echt niks. Ik zag een gênante Melkert, een
dramatische Thom de Graaf en een impotente Dijkstal.
Wanneer krijgen we weer echte debatten? Echte, conse-
quente, voor hun idealen staande politici, die aftreden als
ze falen of het ergens volledig mee oneens zijn! Wanneer
wordt ons parlement weer een parlement, waar je lawaai
hoort en emoties ziet! Het schandelijkste van de afgelopen jaren was dat een meneer van de SP 'Effe dimmen'
zei tegen een meneer van de VVD. Dat was meteen hot
stuff voor alle cabaretjes, actualiteitenrubrieken en co-
lumnistjes. Verder gebeurt er niks. Er is een lui en vadsig
regeerakkoord, een vermoeide oppositie en een geeu-
wende parlementaire pers. Als men de kiezer echt terug
wil winnen dan moet er weer politiek bedreven worden.
Ruzie, lawaai, herrie, principes. Dan wordt het volk ook
weer wakker. Als mijn theater leegloopt dan ligt dat niet
aan het publiek maar aan mij. Je gaat niet naar een artiest
die je niet meer prikkelt, boeit, ontroert of aan het lachen
maakt. Als je als publiek ziet dat hij zijn kunstje vertoont
op basis van routine dan haak je af. Dat geldt ook voor
schrijvers, schilders, loodgieters en welk ander vak dan
ook. En dat is er aan de hand. Wat dat betreft voorspel ik
voor de Europese verkiezingen een opkomst van onder
de twintig procent en dat ligt niet aan het weer. Gewoon
weer wakker worden. Jorritsma moet niet dreutelen bij
Koffietijd of keuvelen bij Frits & Henk, maar aan het

werk. Zoveel tijd heeft ze voor haar aftreden niet meer.

Neem nou Den Helder. Dat wordt bestuurd door een college van kleine krabbelaars. Met de creditcard van de gemeente naar Miss Saigon in Londen, zevenduizend gulden rookwaar per jaar declareren, sjoemelen met representatiekosten en rotzooien met kilometers. Alles is bewezen en niemand is nog afgetreden. En dat soort gedrag zorgt voor een lage opkomst.

Komende week speel ik in Den Helder en ik verheug me zeer! De burgemeester vraagt: 'Waar komt u vandaan, meneer Van 't Hek?'

'Amsterdam,' antwoord ik.

'Zo, dat is al gauw vijfhonderd kilometer'.

Narcolepsie

Ik zag een reportage over een ziekte waarbij mensen zo-maar in slaap vallen. Dus niet in bed, maar in de klas of op kantoor. Het heet narcolepsie en het schijnt niet handig te zijn. Klasgenoten beschimpen je en collega's schelden je uit voor 'ambtenaar'. Een dokter noemde het een nare ziekte, een patiënte ging er bijna aan ten onder en voor de familie is het eigenlijk het ergst. Volgens de familie dan. Gelukkig is er een narcolepsiepatiëntenvereniging en ik moet onmiddellijk denken aan de jaarvergadering van deze club. De voorzitter houdt een welkomstwoord en ziet dat de helft van zijn gehoor al binnen drie minuten zit te snurken. Mochten ze nog een vergaderruimte zoeken, dan is Doornroosje in Nijmegen misschien een idee. Ik ben van plan me aan te melden. Niet dat ik die ziekte heb, maar ik heb wel alle verschijnselen. Ik val namelijk ook overal in slaap. Vooral in theaters, bioscopen en concertzalen heb ik er een handje van. Mijn vrouw schaamt zich vaak dood en waarschuwt me al op voorhand: 'Niet gaan tukken, hoor.' Steevast beloof ik het niet te zullen doen, maar na een minuut of tien begint het. De gedachten gaan op reis, de wimpers worden zwaar, de kin gaat naar de borst en daarna strijd ik een kort schijngevecht dat ik telkens met veel plezier verlies.

Nou heb ik nog een nadeel: ik snurk als een os. Thuis in bed is dat al geen pretje, maar in een volle schouwburg is dat niet aardig tegenover de spelers. Mijn vrouw geeft mij steevast een por en meestal ontwaak ik dan met een verschrikt: 'Ja, ja, ja, ja…' Dat laatste is voor de dienst-doende kunstenaars meestal nog erger. Ik zal geen na-men van gezelschappen en collega's noemen bij wie ik een redelijk hazentukje heb gedaan, maar ze mogen van mij aannemen dat ze er op twee na allemaal bijhoren.

Ik heb het altijd gehad. Ik ben onderweg in de trein van Amsterdam naar Den Bosch ontwaakt in Weert, toen de trein alweer op de terugweg richting Den Bosch was. Dus hij had Maastricht al gezien. Niks van gemerkt. Ooit werd ik 's nachts om half vijf wakker in een lege, donkere treincoupé op het rangeerterrein in Amsterdam-Oost. Officieel moet de conducteur voor hij naar huis gaat nog een keer de lege trein controleren, maar deze had daar duidelijk geen zin in gehad. Vroeger heb ik een tijdje echt gewerkt. Bij een uitgeverij van vakbladen. Ik werkte er een dag of wat en mijn aardige chef Tom nodigde mij bij hem thuis in Haarlem uit op een feestje. Ik kende er nie-mand, bladerde door wat boeken bij de cadeautafel, ging even zitten lezen en viel onmiddellijk in slaap. Eerst zat ik nog, maar al gauw ging ik liggen. Iedereen danste op de meest harde muziek vrolijk om mij heen en vroeg aan Tom: 'Wie is dat?' Een nieuwe jongen van kantoor, van wie hij verder ook niks wist. Toen alle gasten al vertrok-ken waren maakte zijn vrouw mij wakker. Ze boden me aan te blijven slapen.

Het bontst heb ik het een jaar of zes terug gemaakt in Brunei. Ik zou voor de Nederlandse gemeenschap optre-den en werd door een alleraardigste mevrouw van de Nederlandse Vereniging van het vliegveld gehaald. We waren met mijn voltallige bedrijf, oftewel negen mensen, onderweg. Ze kwam in het busje tegenover mij zitten en stak van wal. Ik kreeg te horen hoe groot Brunei was, hoeveel inwoners er waren, waar ze van leefden, wat de godsdienst was en hoeveel Nederlanders er woonden. Ik begon haar eerst heel zwoel aan te kijken, toen kwam het lood in de oogleden, ik dacht aan de avond ervoor en voor ze het wist was ik vertrokken. Het hele busje kende mijn slaapziekte en had het al lachend zien aankomen. Zij hebben het gezwatel van de dame anderhalf uur moeten aanhoren en waren na afloop allemaal stinkend jaloers. De mevrouw was door mijn gedrag ronduit gekwetst. En ik had er niks van gemerkt. Kortom: heb je die ziekte, niks aan doen. Het is de lekkerste ziekte die er is.

Keten

De wereld brandt, kermt en schreeuwt. Ik las gisteren in het *Algemeen Dagblad* een bericht over een 'vrouw-vriendelijke' ambtsketen, die aanstaande dinsdag aan de burgemeester van het Veluwse Barneveld wordt uitgereikt en kreeg onmiddellijk de slappe lach. Vooral omdat de nieuwe keten niet zomaar tot stand is gekomen, maar is ontwikkeld door de *Werkgroep Ambtsketen*, die op initiatief van Annelies Verstand, nu staatssecretaris van Sociale Zaken en Werkgelegenheid, maar toen nog burgemeester van Zutphen, en Marie van Rossen, de burgermoeder van Hellevoetsluis, een jaar geleden is opgericht.

De dames bleken, volgens het AD, tegelijkertijd een subsidieaanvraag voor een studie naar een ambtsketen-nieuwestijl te hebben ingediend. Dus dat kan! Je kan een subsidie aanvragen voor de ontwikkeling van een nieuwe ambtsketen. Waar doe je dat? Bij Werkgelegenheid, bij ocw?

Of de subsidie er ooit gekomen is vermeldt het bericht niet, maar wel dat uit die subsidieaanvraag de negenkoppige werkgroep is ontstaan. De dames hadden overigens niet dezelfde bezwaren tegen de ketting. Integendeel. Verstand vond haar keten te zwaar en Marietje vond de hare te licht. De werkgroep is niet over één nacht ijs gegaan en heeft eerst richtlijnen opgesteld. Er is dus vergaderd. Er zijn notulen van die bijeenkomsten. Ik zie een parkeerterrein met negen babbelende chauffeurs, licht leunend op hun Mercedes, die wachten tot hun bazen uit-vergaderd zijn over het gewicht, de hanteerbaarheid, de materiaalkeuze, de flexibiliteit en de vrouwvriendelijk-heid van de nieuwe keten.

Ik vroeg mij af of de burgemeester van Zutphen über-haupt een chauffeur heeft. Aan wie kan je dat beter vra-gen dan aan de voorlichter van de gemeente Zutphen. Maar die is op vrijdagmiddag onbereikbaar. Sterker nog: de hele gemeente Zutphen is op vrijdagmiddag onbe-reikbaar. Maandagochtend bent u de eerste.

Opeens dwarrelt Annelies Verstand weer door mijn hoofd, maar dan in dat carnavalskostuum op de laatste Koninginnedag. Zij mocht Trix ontvangen en ging on-middellijk de strijd aan om de belachelijkste-hoedjesbo-kaal. Voor dat hoofddeksel heeft ze zeker subsidie aan-gevraagd en gekregen.

Nu we er over een jaar of wat een hoop oorlogsvetera-nen bij krijgen, ben ik erg voor een *Werkgroep Medaille*. U weet zelf dat oorlogsveteranen vaak oud, trillerig en bacteriegevoelig zijn en zich met gemak kunnen prikken aan onsteriele veiligheidsspelden. Daarbij hebben we steeds meer vrouwen in het leger en ik zou dan ook wil-len pleiten voor een tietvriendelijke onderscheiding. Dus niet meteen zo'n borstaccentuerende, koude plak, maar een lief lintje in de vorm van een rondje, daar het huidige lintje duidelijk door een man ontworpen is. Het is, hoe klein ook, een duidelijk fallussymbool.

Misschien is het ook aardig om over piercings na te denken. Tegen die tijd hebben we namelijk gepiercete bejaarden en is het helemaal niet zo'n gek idee om het kleinood aan de tepelring te klikken. Ik zeg niet dat het moet, maar de Werkgroep kan er over nadenken.

Zelf zal ik met Annelies en Marie contact opnemen zodat ze mij wat adviezen kunnen geven. Hoor net dat Hellevoetsluis maandagochtend dicht is. Dan komen ze bij van het weekend. Maar dan bel ik dinsdag wel.

Gaat de oorlog dit weekend trouwens door? Dat wel, maar zonder ons. Dat staat in de Nederlandse soldaten-CAO.

Moet ook denken aan de burgemeester op wie in oorlogstijd geschoten werd. De kogel trof hem niet. Hij werd gered door zijn ambtsketen, een hele zware.

Zo, en nu is het weekend.

Hè, hè!

Krab bij Cas

Moet steeds aan het bestuur van *De Steffenberg* in Vught denken. Hoe zullen zij op die slachtpartijen in Kosovo reageren? Misschien zijn ze wel opgelucht dat het opgejaagde volk de andere kant opgaat en niet richting Brabant komt. En van de omgebrachte Kosovaren hebben ze sowieso geen last meer. Vrolijk Pasen dus. Misschien is het handig als Spielberg de beelden van deze oorlog goed bewaart. Dat scheelt bij zijn volgende film een hoop figuranten.

Hoorde afgelopen week weer een verhaal dat je bijna weigert te geloven. Een vriend van mij woont in 't Gooi en zat in de spreekkamer van zijn huisarts. Dat is nog zo'n ouderwetse gediplomeerde dokter die, zolang hij met een patiënt bezig is, telefonisch niet gestoord wenst te worden of het moet om een spoedgeval gaan. Er kwam zo'n spoedgeval, althans zo was het aangekondigd. Mijn vriend hoorde een kort aangebonden dokter tegen de patiënt zeggen: 'Nee, geen sprake van. Absoluut niet. Nee, mijn collega wil ook niet... Goedemorgen.' En hij hing geïrriteerd op.

'Wilt u weten wie dat was?' vroeg de licht aangebrande dokter aan mijn vriend, die dol is op een geneesheer die op het punt staat zijn ambtsgeheim te schenden. Graag dus. Het was een gerenommeerd hotel-restaurant in het zuiden van ons land, dat de laatste tijd nogal in het nieuws was omdat het heel zielig zijn laatste Michelinster verloor.

Het ging om een aanbieding. Als de dokter mensen meenam mocht hij daar een weekend of een nachtje gratis eten en slapen of zoiets. Het ging in elk geval om korting.

Natuurlijk snap ik het hotel. Het gaat slecht, de directie kruipt bij elkaar en smeedt een plan. Je kan natuurlijk folders gaan uitreiken bij de fabriekspoort, maar die arbeiders weten ook wel dat een voorgerecht in die tent gelijk staat aan een half dagloon. Dus die komen niet. Je moet een club met geld zien te paaien. Dokters dus. Maar die worden al bedolven onder drukwerk van de farmaceutische industrie en zullen niet gauw reageren op een briefje of een foldertje met zo'n ordinaire kortingsbon. Je moet de dokter persoonlijk te spreken zien te krijgen. Hoe? Bellen. Maar dan stuit je óf op de assistente óf op het antwoordapparaat. Je moet ertussen zien te komen. Wringen dus. Iets heel dringends suggereren. Dat heet creativiteit in het wereldje van de telefoonterreur. Patiënt bespreekt met de dokter het slot van zijn bestaan en de dokter wordt op dat moment uit zijn concentratie gehaald door een marketinghuppeltje van het chique hotel-restaurant, dat een lekker weekendje verwennerij in de aanbieding heeft.

Het is de nieuwe schaamteloosheid van de telefonische verkoopmaffia. Op de raarste momenten word je door een bijbeunend studentje met corpsballentongval gestoord of je een of ander vaag abonnement wilt of een paar vraagjes wilt beantwoorden of iets op proef thuisgestuurd wilt krijgen. Nee, dat wil ik niet!

Nou gebeurt dit meestal rond burgermans etenstijd en dat is eigenlijk nog tot daar aan toe, maar om nou de dokter tijdens zijn spreekuur lastig te vallen met een stukje gastronomie op hoog niveau. Zal er ook al een chirurg uit de operatiekamer zijn gelokt met de vraag of hij mee wil doen aan een lekker poloweekend in de Ardennen? Er is ook een stukje beautyfarmgebeuren voor uw aftakelende doktersteefje bij. Ik geloof vanaf nu alles.

Maar het gaat dus slecht met het ooit zo gevierde tentje van de televisiekok. Misschien komt het binnenkort wel leeg en wat doen we er dan mee? Ik zou de buurt willen aanraden om het gebouw onmiddellijk op te kopen voor het een asielzoekerscentrum wordt en het hele dorp afgeladen zit met uitgehongerde Kosovaren. Het staat zo slordig, zo'n file ezelwagens in de straat. Ik kan het die arme sloebers wel aanraden. Het is er prima want ik heb er onlangs voor veel geld gegeten en gedronken. Zonder korting overigens. Vandaar dat ik vanaf nu door het leven ga als:
DOKTER VAN 'T HEK

Certificaathouder

Heerlijk! Ik ben certificaathouder van de door mij zo verfoeide Arena en kan, als ik dat wil, in mijn eentje het EK Voetbal in deze galmbak tegenhouden. Laat ik het even uitleggen. Toen dit stadion gebouwd werd kreeg je de kans om aandeelhouder te worden en dit hield in dat je bijvoorbeeld een skybox, business-seat of een eenvoudig stoeltje kon kopen. Ik kocht vier eenvoudige stoeltjes! Deze stoeltjes zijn van mij en bij elk evenement in de Ouderkerkse Plaggenhut heb ik als eerste recht op een toegangskaartje. Of het nou voor Ajax, The Backstreet Boys of The Rolling Stones is, ik krijg eerder dan iedereen de kans om vier kaarten op die stoeltjes te reserveren. Die kaartjes moet ik gewoon betalen. Dat is een faire deal tussen mij en het feestpaleis. Maar wat gebeurt er nu? De organisatie van het EK, lees: de UEFA, eist het stadion leeg op en dat kan niet! De directie van de Arena had op voorhand tegen de organisatie van Euro 2000 moeten zeggen: 'Jullie kunnen het stadion huren, er zit echter één maar aan en dat is dat we tegenover zesduizend mensen verplichtingen hebben.'

Dan had Euro 2000 alsnog kunnen zeggen: 'Dan doen we het niet en wijken uit naar Arnhem, Rotterdam of Eindhoven'. Maar nu ligt het anders en is er een soort patstelling. Gisteren heb ik maar eens even met Euro 2000 gebeld en een aardige meneer heeft mij geduldig uitgelegd hoe de verdeling gaat: 34% van de toegangskaarten gaat naar de supporters van de tegen elkaar strijdende partijen, 34% wordt aan de gewone man verkocht en de overige 32% gaat naar sponsors (14), pers (8), bedrijven (5) en de UEFA (5).

Hoe komt het dat de andere stadions wel leeg opgeleverd kunnen worden? Waarschijnlijk hebben de directies daar een andere deal met hun aandeelhouders of laten die provincialen zich gemakkelijker opzij schuiven. Amsterdammers zijn wat dwarser en dat vind ik dan ook het leuke aan deze stad. Dus ik ga de wedstrijden in de Arena tegenhouden? In principe wel, ja! Als ik nou gehoord had dat 95% van de kaarten in de losse verkoop ging, dan had ik er nog wel over na willen denken, maar nu ik weet dat er een gerede kans is dat de vrouw van een districtsdirecteur van Coca-Cola, McDonald's of Carlsberg op mijn stoel komt te zitten, weiger ik mijn plaats af te staan. Bij het EK in Engeland maakte ik voor *NRC Handelsblad* enkele sfeerreportages om de wedstrijden heen en zat ik op de tribune naast een sponsortrutje, die dacht dat er bij gelijkspel in een poulewedstrijd penalty's genomen zouden worden. Ze vroeg aan mij hoe dat zat! Ik weigerde te antwoorden omdat ik negentig vrienden en kennissen wist, die een moord hadden gedaan om op dat plekje van die mevrouw te mogen zitten.

Gisteren hebben we van de directeuren van de Arena een brief gekregen en dezen stellen een compromis voor: wij zien af van het recht op onze stoeltjes en krijgen in ruil een gratis kaartje voor een van de wedstrijden in de Arena. Die wedstrijd kan een wedstrijd van het Nederlands Elftal zijn, maar je kan ook te maken krijgen met de topper Albanië-Servië.

De meneer van Euro 2000 heeft mij op het hart gebonden dat als wij aandeelhoudertjes niet wijken, de wedstrijden elders gespeeld gaan worden. Lijkt mij een

427

prima plan. Ik kan leven met het feit dat er op anderhalve kilometer van mijn huis een potje topvoetbal gespeeld wordt en dat er een echte liefhebber op mijn plek zit, maar ik weiger thuis te gaan zitten voor Kok, Terpstra of Willem-Alexander. En mocht Euro 2000 samen met de Arena een truc verzinnen en mij alsnog mijn stoel afpakken, dan kom ik op de dag van de wedstrijd toch even langs. Ik neem Marco Bakker als chauffeur mee in de auto van Kluivert. Moet jij eens kijken hoe snel ik een plekje heb. Dus ik saboteer de wedstrijden in de Arena? Graag zelfs. Is ook beter voor het voetbal. Niks is namelijk mooier dan voetbal in een echt stadion.

Waar? Overal!

Het is oorlog. Waar? Overal! Ik stap afgelopen dinsdag op de hoek van de Prinsengracht en de Utrechtsestraat uit mijn auto en blokkeer daardoor met mijn deur hooguit vijf seconden het trottoir. Dat gebeurt nou eenmaal met uitstappen. Er komt een hele grote jongen van een jaar of vijfentwintig aanlopen en die botst expres tegen de deur, waarna hij onmiddellijk wil vechten. Ik wil niet. Ik wil nooit. Of ze moeten aan mijn kinderen komen, maar dan nog zal ik eerst proberen te praten. Ik krijg een por, ben te verbaasd om iets terug te doen en kom er vanaf met een waarschuwing. De volgende keer sloopt hij me, is zijn belofte en ik knik dankbaar mede namens vrouw, kinderen en mijn voltallig personeel dat hij mij heel gehouden heeft.

Het is oorlog. Waar? Overal! Een vriend van mij is een hartstochtelijk Feyenoord-fan, zat afgelopen woensdagavond in de Arena en deed iets heel doms. Hij juichte bij de prachtgoal van Van Gastel. Hij kreeg meteen een paar beuken. Vervolgens werd hij de hele wedstrijd door een groep jongens in de gaten gehouden en dankte god op zijn blote knieën toen Melchiot scoorde. Anders was hij niet levend het vak uitgekomen. Feyenoorder is blij met Ajax-overwinning!

Het is oorlog. Waar? Overal! Ga vanavond kijken op het Amsterdamse Rembrandtsplein. De ME staat op voorhand klaar om in te grijpen, elk moment dreigt de vlam in de pan te slaan en neem van mij aan: de ME staat er niet voor niks. De ME staat er ieder weekend, al meer dan een jaar. De situatie is al meer dan een jaar echt beangstigend. Iedereen is op zijn hoede. Niemand durft nog echt iets te zeggen, let op je woorden, pas op met een geintje, iedereen is geprikkeld, iedereen is bang.

Het is oorlog. Waar? Overal! Ga kijken bij een gemiddelde voetbalwedstrijd. Het is al geen nieuws meer. We zijn gewend aan de containers, de kooien, de dreiging, de bloeddorst, de angst, de kankerwoorden, de vechtlust.

Het is oorlog. Waar? Overal! Neem de tram in Amsterdam. Voel het trillen van de lucht als er een groep jongens binnenkomt, een groep die alles doet wat vroeger niet mocht. Schreeuwen, poten op de bank, aan je zitten, intimideren, duwen, doorlopen, zakkenrollen en niemand zegt iets. Niemand durft. Inclusief ondergetekende.

Het is oorlog. Waar? Overal! Neem 's nachts op het Leidseplein een taxi, ga in de rij staan, wacht je beurt af en laat in godsnaam alles voorgaan wat voor wil gaan. Anders wordt het een ambulance.

Het is oorlog. Waar? Overal! Maak op de weg geen stuurfout, kijk goed uit en let vooral op. Ga vlug opzij als je zo'n lichtenknipperende BMW in je achteruitkijkspiegel ziet aankomen en glimlach als hij je passeert. Glimlach en maak je niet boos. Want het is oorlog. Overal is het oorlog. Een vriend van mij stond laatst iets te lang te dromen voor een groen stoplicht. Knal dus!

Paar weken geleden stond ik in de winkel. Ik was elders met mijn hoofd. Wie is er aan de beurt? 'Ik,' riep ik, die niet aan de beurt bleek te zijn. Ik kwam goed weg. Vier keer sorry was net genoeg.

Het is oorlog. Het is oorlog in bijna alle hoofden van bijna alle mensen. We worden gefouilleerd voor we de

430

disco ingaan, we staan op de videoband als we tanken, we hebben negen sloten op de deur, we zijn gewend aan de krantenberichten hierover. We kennen stuk voor stuk geweldsverhalen uit onze omgeving. Neefje opgewacht na voetbalwedstrijd, buurjongen in elkaar getrapt op schoolplein, vriendje geterroriseerd door de hele buurt en ga zo maar door. Hoeveel mensen zijn niet met actief amateurvoetballen gestopt omdat ze geen zin hebben in elk weekend kneuzingen? Hoeveel mensen willen niet meer mee naar het stadion omdat ze geen zin hebben om iedere seconde op hun hoede te zijn? Hoeveel mensen zijn niet gewoon bang? Velen! Veel te velen. Een van hen ben ik. Waarom? Omdat het oorlog is. Waar? Overal!

Gezellig!

Er lopen twee eekhoorntjes door de aankomsthal van Schiphol, zegt de een tegen de ander: 'Wat doe jij hier nou?' waarop de ander antwoordt: 'Ik heb een snipperdag.'

Op het moment dat ik dit mopje opschrijf is het volop Koninginnedag en zie ik een vrolijk zwaaiend bootje door de Prinsengracht gaan. Er wordt ook enthousiast teruggezwaaid. Een populair clubje, zo te zien.

Nu herken ik ze. Het is de bijna volledige *Parlementaire Enquête Commissie Vliegramp Bijlmermeer*. Oudkerk aan het roer, Meijer voorop, Singh Varma jolig in de mast en mevrouw Augusteijn is bezig met de broodjes. Alleen Van den Doel ontbreekt. Die wou wel, maar mocht niet van Dijkstal.

Ik schuif mijn raam open en roep ze binnen. Ze komen. Even een kopje koffie met Bekende Nederlanders onder elkaar.

Ik kan niet anders zeggen dan dat het een vrolijk gezelschap is. Je mag de handicap van Meijer schaamteloos imiteren en het rare accent van mevrouw Singh Varma is ook geen enkel probleem. Gewoon één grote familie dus.

Ze kakelen er heerlijk op los over hoe vaak ze wel niet herkend worden en hoe vervelend dat wel niet is. Ondertussen komen ze bijna klaar van genot. Ze kakelen hilarisch over hun avonturen bij Paul de Leeuw, de boze reacties van Wim, Els, Annemarie en de fractiegenoten en over de serieuze kansen dat Rob die lieve mevrouw

432

Borst gaat opvolgen.

'Zielig voor Els, maar zo is het leven,' is de redelijk meedogenloze eindconclusie van het kliekje.

Ze vertellen over hun televisieplannen. Vanavond zitten ze met zijn allen bij Karel, SBS6 gaat wat met ze doen, Ivo Niehe heeft plannen en zoekt nog naar een invalshoek, Telekids heeft belangstelling en Ria Bremer van Vinger aan de pols gaat Theo interviewen over het leven met zijn handicap.

'Mag je niet klussen bij Eigen Huis & Tuin? Ik wil jou wel eens een spijker zien inslaan!' grapt Oudkerk. Er wordt gelachen en daaraan merk je dat het groepje aan elkaar gewaagd is. Het is familie! Wat zeg ik? Het is een gezin!

Ze informeren waar het een beetje gezellig druk is en waar ze niet te veel herkend worden.

Ik ontraad ze de Jordaan omdat het daar nu echt te druk is. Oost is een optie: voor 90 procent allochtoon en die herkennen echt niemand. Ze bedanken voor het advies.

Meijer en Oudkerk vertellen over hun gezamenlijke vakantieplannen. Theo en zijn vrouw gaan met het gezin van Rob mee naar Italië.

'Als een gezellige opa en oma voor de kinderen. Die zijn al erg op ze gesteld,' legt Rob uit. Tara komt op doortocht naar Toscane zo goed als zeker even langs.

'Je kan ook naar Eilat,' opper ik. 'Dan vlieg je gezellig El-Al!'

'Misschien krijgen we korting,' proest Marijke.

'Als het allemaal doorgaat,' onderbreekt Theo de gezelligheid.

En dat vergeten we bijna. Als Rob dan minister is, loopt het natuurlijk allemaal heel anders. Rob bloost verlegen. Ik ken Rob heel goed. Hij is mijn huisarts en heeft mij onlangs nog goed geadviseerd. Hij vond dat ik te hard werkte.

'Ik hoef de televisie maar aan te zetten of ik zie die dikke kop van jou,' lachte hij toen. Ik ben meteen gaan minderen. Een goede huisarts is goud waard.

We gaan over op een glaasje wit en Tara haalt even haar inheemse borrelhapjes uit de boot. Twee glaasjes later doet ze perfect Van Gobbel na. Ik mag de sniffende, zojuist onderscheiden Jeroen Krabbé met veel succes imiteren. Kortom: een heerlijke middag.

Bij het afscheid vragen mijn kinderen wie dit zijn. Ik probeer het uit te leggen.

'Zaten zij in dat vliegtuig?' vraagt mijn zoontje. Hoe maak ik het duidelijk?

'Wacht maar tot je groot bent,' stel ik ze teleur en ik zwaai vrolijk naar het olijk deinende bootje, waarin ik Oudkerk nog net hoor roepen: 'Op naar de Jordaan!'

434

Moederdag

Koninginnedag 1999. Het borreluurtje van RTL4 behandelt, heel toepasselijk, het voor die kringen zeer progressieve onderwerp *de Republiek*. Het programma wordt gepresenteerd door een aangename twijfelnicht met de naam Beau. Zijn achternaam is nog netter: Van Erven Dorens. De jongen doet het allerkeurigst. Als gast heeft hij Theo van Gogh, die al kettingrokend en onderuithangend voldoet aan zijn imago. Theo wordt bijgestaan door de zichzelf nog steeds serieus nemende Willem Oltmans. Ze kakelen het uurtje prachtig vol. Als ik langs zap zitten ze er nog. Over de inhoud kan ik niet oordelen, daar ik verder niet geluisterd heb. Ik verdiep me de rest van de avond in vrouw en kinderen en als alles slaapt zoek ik nog wat vertier op de buis. Ik val in een van de programma's van de eerder genoemde Theo van Gogh met als onderwerp, wederom heel toepasselijk *de Republiek*. Als gasten heeft hij Beau van Erven Dorens en Willem Oltmans. Ik krijg zo'n onbedaarlijke lachbui. Twee keer per dag hetzelfde onderwerp in dezelfde setting bij dezelfde organisatie. Alleen de zenders verschillen. De ene keer bij de burgerlijken van RTL4 en de tweede keer bij de sekszender van pornokoning Joop van der Reijden. Het heeft iets heel aandoenlijks. Dorp speelt stad.

In het vliegtuig richting New York moet ik nog regelmatig aan ons koninkrijk denken en ik schiet telkens weer in de lach als ik aan Beau, Theo en Willem denk. Misschien nemen zij het op dit moment nog wel een keer op. Voor sbs6 of *De Tafel van Pam*. Wat zijn we toch een schattig landje. Prins Claus rijdt zonder zijwieltjes en haalt meteen alle voorpagina's.

De heren kunnen zich troosten met het feit dat het in Amerika qua televisie duizend keer droeviger gesteld is. Wel veel Beau. Heel veel Beau zelfs. Eigenlijk alleen maar Beau. Weinig Theo, maar dat komt omdat je hier niet mag roken.

Ik ben hier om te werken. Lopen, kijken, zitten, optreden, eten, drinken, proeven en eerlijk is eerlijk: ik kom tijd te kort. Ik wil alles en meer dan dat. Ik wil clubs zien, liefst zo hot mogelijk. In de hotste club zijn we al geweest. In Nederland had iemand mij verteld dat je in New York naar *Bleeckers* moest. Toen ik aan de mevrouw van het restaurant vroeg waar we nog wat konden drinken, sprak ze: 'Just around the corner. Bleeckers! That's the place to be!' En inderdaad: wat een tent! Fascinerend. Mijn vrouw en ik waren de enigen zonder tattoo of piercing. En als ik zeg tattoo dan bedoel ik ook tattoo. Dus niet een lullig slangetje of een boeddha op je arm, maar een geheel volgeïnkt lijf. Van het gezicht moet een deel ook nog goed gepiercet zijn. Wang, tong, wenkbrauw, oor, neus, lip en bij grote welvaart mag het ook door de onderkin. Niks ringetje, totale ijzerwinkel, Hoogovens! Verder moet je alles aan je kleding doen. Wat? Alles. Als het maar niet gewoon is. Hul je in jute, Tiroler jurk, plastic, alleen een zwembroek of luier, engelenkostuum met vleugeltjes of wat je waar dan ook maar kan vinden. Alles is goed. Je haar moet stijfselstrak staan en als kleur zijn fluorescerend, hardroze en giftig groen een goede optie. Als je maar hot & hip bent.

Ook als travestiet doe je goede zaken. De beste was een 'vrouw' die expres een sikje had laten staan. Praten

436

hoeft niet, daar de muziek oorverscheurend is. Dans of noem je vreemdsoortig bewegen zo. Kijk niet vreemd op als je de meest rare engerd ziet passeren. En blijf vooral cool, verschrikkelijk cool. Twee uur hebben wij het volgehouden en we hebben ons kostelijk geamuseerd. We waren niet geshockeerd, niet in de war, integendeel: vrolijk waren we. Supervrolijk zelfs. Eindelijk echte excentriekelingen. Dat is nog eens iets anders dan die foto's in de vitrines van de iT.

Nadat ik mijn vrouw voor Moederdag een paar piercings en een fikse tattoo had beloofd en zij mij had uitgelegd wat het nadeel is van op de bril zeikende travestieten op het damestoilet (komt door de piercing door de eikel), sliepen wij voldaan in. In mijn dromen werd ik overvallen door de na deze avond uiterst burgerlijke Theo, Beau en Willem, die vroegen: 'Zullen we het nog een keer over *de Republiek* hebben?' Graag jongens, graag, heerlijk, doe nog eens progressief!

Depressie

Op het ogenblik is depressiviteit doodsoorzaak nummer twee in de Verenigde Staten en gezien het feit dat alles uit dat land deze kant opwaait, zal het ook bij ons niet lang meer duren of er komt een referendum of we wel of geen antidepressivum in het drinkwater willen. Er komt een moment dat de grote farmaceutische industrieën sportclubs gaan sponsoren. Viagra Tigers-Prozaccen Boys 2-2.

De westerse mens is op, moe en leeg. We kunnen de welvaart niet meer aan, zijn niet meer blij te krijgen. Een auto als hoofdprijs verveelt, vakantiereisjes naar Haïti en de Seychellen doen ons niets meer en 'Niet weer zalm!' is een veelgehoorde kreet in menig Hollands huisgezin. Zelfs de huidige oorlog is saai en iedereen is zeer opgelucht dat er eindelijk grondtroepen worden ingezet.

Mijn halve kennissenkring ligt een paar keer per week op een peutendivan te ouwehoeren over een onverwerkt jeugdtrauma en laatst hoorde ik een vriendin zeggen: 'Weet je wat het probleem met mij is? Mijn ouders waren te lief en te zorgzaam. Het nest was te warm.' De vriendin is 46, woont Gooiser dan Goois en haar man is een jaar of wat geleden met een prachtige jonge en vooral vrolijke vlam op een zolderkamer gekropen. Gelijk heeft hij.

Hoe zou dat in Kosovo zijn? Staat er aan de Albanese grens een legertje geestelijke hulpverleners dat aan de horde vluchtelingen vraagt hoe ze zich voelen? 'U zegt: eenzaam. Kunt u dat nader omschrijven?'

Is daar al een relatietherapeut, die de mensen een verhuisadvies geeft omdat ze binnen hun huwelijk te dicht op elkaar zitten in dat tentenkamp? Misschien komt hij tot de conclusie dat er weinig kans is op intimiteit omdat je met twintig anderen om je heen niet echt tot een goed gesprek komt, laat staan tot een opluchtende wip. Eet u wel regelmatig? Wandelt u voldoende de laatste tijd? Komt u genoeg buiten?

Ik onderbreek menige zelfmedelijder regelmatig met het feit dat de fysiotherapiepraktijk voor huisdieren in de Congolese sloppenwijk ook niet echt lekker van de grond komt en dat de Congolese dierenfysiotherapeut daar behoorlijk depressief van is, maar dat daar niet een lekkere Riagg is om hem op te vangen. Misschien moet hij er eens een weekje tussenuit? Naar een lekker warm land of zo!

Natuurlijk zijn we moe en murw. Bij voetbalrellen zappen we door, of het moet een chaos zijn zoals laatst na het kampioenschap van Feyenoord. Dat je even niet weet of je naar Belgrado of Rotterdam kijkt.

Bij Jerry Springer gaan we vlug een netje verder, bij Lenferink en Van Gogh weten we dat het zooitje is ingehuurd en bij de broer van Boudewijn Büch worden we alleen nog wakker op het moment dat Joop van der Reijden himself plasseks met een gemaskerde giraffe heeft. Maar verder doet dat ons toch ook niks meer.

Toch heb ik iets gevonden tegen mijn eigen opkomende depressiviteit en dat is de absolute slappe lach. Iets lezen, er een seconde over nadenken en dan proestend herhalen, het liefst tegen een volle kamer, een verbaasde tram of de herkauwende kantine op je werk. Probeer het eens met de volgende zinnen:

Prijzengeld Wimbledon meer dan vijf procent verhoogd! Of:

Woningbouwvereniging investeert veertig miljoen in Oibibio!

Of:

Vandenbroucke wist niet dat het om doping ging!

Of:

Wouter Huibregtsen wil zelf graag erevoorzitter van NOC*NSF worden.

Ziet u? Het helpt.

Foto's

Vorige week liep ik door New York en zag op Madison Avenue een super-de-luxe kinderkapper annex schoonheidssalon. Daar kregen de kleintjes krulspelden, make-up, mascara en nagellak. Iets verderop lag een winkel met waterdichte cd-spelers voor onder de douche en daarna zag ik een zeer goed bezochte hondenpedicure. Ik baalde dat ik geen fototoestel bij me had.

Een week later stond ik in Johannesburg oog in oog met de paar honderdduizend golfplaten krotten van Soweto en was blij dat ik geen fototoestel bij me had. 'Dit fotografeer je niet,' sprak mijn gevoel mij streng toe. Mijn toestel lag trouwens in mijn driesterrenhotel. Als je die meeneemt wordt hij geroofd. 'Ze jatten alles zo van je af,' verzekerde iedereen mij.

Met 'ze' bedoelt men de groepjes uitzichtloze negers die vanaf de rand van hun sloppenwijk naar de busjes vol fotograferende toeristen staan te kijken. Als ik zo'n werkloze hongerneger was zou ik hetzelfde doen. Ik zou het toestel voor de ogen van de volgevreten toerist kapotslaan. Beetje in je zojuist gewinterschilderde doorzonwoning in Zoetermeer naar mijn armoe gaan zitten kijken.

Ook ik liep er als toerist, bezocht het monument van de opstand in 1976, het voormalig woonhuis van Nelson en Winnie ('Dit zijn Nelsons laarzen en dit is Nelsons bed!') en belandde in een echte shebeen, een kroeg waar de plaatselijke bevolking drinkt. Hoewel, een echte shebeen? Alle negers kwamen mobiel bellend binnen, vergezelden groepjes met uitsluitend blanke toeristen en je kon aan het eind met je creditcard betalen. Dus niet dat je zegt: daar zat de gemiddelde bewoner van Soweto. Het visitekaartje van Gerrit Brokx, mayor of Tilburg, hing er aan de muur en ontroerde mij.

De vlucht van Amsterdam naar Johannesburg had een kleine vertraging omdat het boven de Middellandse Zee nogal druk was met NAVO-vliegtuigen, kortom: een risicoreisje. De gemiddelde F16-piloot weet nog niet het verschil tussen een Servisch wapendepot en de Chinese ambassade, dus ik ben er mooi tussendoor gekropen. Ik denk wel dat een eventuele crash van een NAVO-bom met een westerse toeristen-Boeing de vrede sneller dichterbij brengt dan alle foutjes op die Kosovaarse vluchtelingenkonvooien. Dus eigenlijk moet ik het ervoor over hebben. Alle levens zijn toch even veel waard? Of ik sneuvelbereid ben? Nee!

Is het leven dan zo leuk? Nou, dat ook weer niet. Het is vooral zinloos. Volgende week kom ik thuis met dertig, door mij persoonlijk vanuit mijn debielenbusje geschoten foto's van olifanten, giraffen, twee nijlpaarden en een manke, geriatrische buffel. En al die beesten kijken met zo'n blik van: sodemieter op met je foto's. En ze hebben groot gelijk.

Hier in het prachtige Phalaborwa grenst de golfclub aan het Krugerpark. Afgelopen oktober kwam een olifant daar even kijken hoe een Duitse mevrouw stond te putten. Zij was zo blij met deze inheemse belangstelling dat ze onmiddellijk haar fototoestel trok en stevig op de dikhuid begon te flitsen. Ze kwam ook iets te dichtbij. Over de afloop gaan verscheidene versies. De een zegt dat ze drie keer door de lucht werd geslingerd, de volgende verhaalt over afgerukte benen en armen en weer een ander vertelt dat ze domweg in de grond werd gestampt. Hole negentien dus. In alle versies gebeurde het onder het toeziend oog van haar complete familie en overleefde ze het niet. Of de foto's gelukt waren durfde ik niet te vragen.

Wat zijn nou foto's? In je doorzonwoning in Zoetermeer laten zien dat je er geweest bent. Een doorsnee NAVO-afzwaaier en je leven is voorbij. Leven is gelul en foto's zijn onzinnige momentopnamen. Je geheugen is je beste fototoestel. Zonder foto's worden je herinneringen alleen maar mooier en de rest vergeet je. Soweto vergeet je nooit. De kinderkapper, de poedelpedicure en de waterdichte cd-spelerwinkel ook niet. Je vergeet wel dat je vanuit een burgerlijk toeristenbusje naar drie grazende impala's hebt staan kijken. Maar nu kan ik mijn droeve tochtje niet meer ontkennen. Er zijn namelijk foto's van.

Zuipen

Paniek, paniek, paniek. Mevrouw Borst schijnt vanaf september de sportclubkantines te willen droogleggen. Alleen nog maar frisdranken. Voor die gereformeerde korfballers is dat geen punt, maar wat denkt u van de hockeyers?

In mijn radeloze jeugd was ik fulltime kakker en tot en met mijn achttiende zelfs lid van de Gooische Hockey Club. Wat ik daar geleerd heb? Drinken. Hockeyers drinken meer dan dat ze hockeyen. Een wedstrijdje duurt twee keer vijfendertig minuten, maar daarna begint het ongebreidelde tanken. Dat hockeyen is op de meeste clubs dan ook gewoon bijzaak, een reden om bij elkaar te komen, een alibi om te zuipschuiten.

Alleen in de lagere elftallen? Nee hoor, tot diep in de hoofdklasse. De wedstrijd Amsterdam-KZ is nog geen minuut voorbij of het clubhuis (zeg nooit kantine!) in het Amsterdamse Bos is veranderd in een disco. De beide elftallen stapelen de kratjes richting plafond, de tap staat continu open en tot diep in de avond babbelen en borrelen de elftallen met het halve publiek een beetje na over de wedstrijd. Op dat moment gebeurt hetzelfde in honderd andere clubhuizen. Overal vloeit het bier (zeg nooit pils!). Het hoort erbij en het geeft de clubs een aardig zakcentje. De leden staan zelf achter de bar, dus er zijn geen personeelskosten. Zo pimpelen ze hun eigen kunstgras bij elkaar. De hockeyclub Laren heeft drie van die velden. Kan je nagaan!

Men tettert op zondagavond door tot tegen achten en daarna verlaat men luid toeterend het sportcomplex. De politie houdt nog wel eens diep in de nacht een blaastest en controleert dan alle halflamme discogangers, maar volgens mij is het effectiever om op zondagavond vanaf een uur of zeven bij de uitgang van de hockeyclub te gaan staan.

Voetballers kunnen er trouwens ook wat van, zij het dat je daar nooit met je tegenstander drinkt. Voetballers drinken met hun clubgenoten, en dat kan ook lekker oplopen. In het amateurvoetbal worden veel trainers betaald van de baropbrengst. Statiegeld dus.

En nu wil mevrouw Borst de clubs laten opdrogen en het daarmee gepaard gaande vandalisme en geweld terugdringen. Ik hoor een grote denkfout en ben bang voor juist meer geweld. Het collectieve clubzuipen is voorbij en men is weer aangewezen op de eigen koelkast, maar dus ook weer op het eigen huwelijk. Het mag toch algemeen bekend zijn dat het huwelijk van bijna alle bestuursleden gered wordt door de club. Vaak zitten beide echtelieden helemaal gemetseld in zo'n vereniging. Hij zit als secretaris in een commissietje of zeven en zij coördineert de gevonden voorwerpen, het bejaardenbridgen en het krantje nieten. Ze zijn het hele weekend, vanaf vrijdagavond zeven uur (kleuterborrel) tot zondagavond laat (senioren dweilen), onder de pannen van het clubhuis. Als zij die uren samen thuis zouden moeten doorbrengen, dan zou er een echte echtscheidingsexplosie plaatsvinden. Die mensen hebben elkaar al jaren niks zinnigs meer te melden, hebben daar door de week geen hinder van omdat ze werken en overleven het weekend dankzij de club. 's Winters hockey, 's zomers tennis. De kinderen krioelen er ook en moeten vanaf hun elfde al verplicht veterinnen fluiten. Dat heet bij hockey heel toepasselijk 'de overgangsklasse'.

En deze vluchtstrook wil mevrouw Borst opheffen. Ik smeek haar namens de hele sportwereld om het niet te doen. Zowel uit economisch als uit sociaal oogpunt zou het een ramp betekenen. Hoewel? Ik denk dat de sporters er wel weer wat op zullen vinden. Heel simpel: clubhuis opheffen, verkopen aan een lid met horecapapieren en er een officiële kroeg van maken. En die kroeg ligt dan stomtoevallig naast je cluppie. Maar toch is dat anders.

'Hun huwelijk wordt gered door het café' klinkt toch bitterder dan 'mijn ouders zijn altijd op de club'. Het is hetzelfde, maar het gaat om de woorden. Dus mevrouw Borst: alstublieft. Doe het voor die miljoenen poppenkasthuwelijken en voor heel puberaal Nederland. Die hebben namelijk weekenden lang thuis het rijk alleen. En niks is lekkerder dan dat. Ik kan het weten, want ik puber nog steeds.

House for sale

Wij hadden hartstikke leuke buren, die liever niet weg wilden, maar wel weg moesten omdat hij dokter in een andere stad werd en dan moet je een beetje in de buurt van je spoedgevallen wonen. Hun huis kwam dus te koop. Hier in de buurt betaalt men op het ogenblik voor een ongevulde provisiekast met uitzicht op de kattenbak graag een half miljoen. De uitdrukking 'kast van een huis' is dan ook een totaal ander begrip geworden.

Bij mijn buren ging het om twee ruime etages, waarvan een op de begane grond, dus u begrijpt: kijkfile.

Vrijdags mocht men het huis bezichtigen en een of ander absurd bod uitbrengen. We zagen al dagen nieuwsgierige mensen dwarrelen. Ze gluurden naar binnen, draaiden zich om om het toekomstige uitzicht in zich op te nemen, overlegden luidruchtig met elkaar, keken vaak voor de gezelligheid ook bij ons even uitgebreid naar binnen, kortom: een hoop reuring op de gracht. Sommigen belden aan met de vraag of ze misschien al even een klein vooruitblikje mochten werpen, maar onze leuke buurvrouw was onverbiddelijk.

Twee dagen voor de kijkdag stond er zomaar opeens een ladderwagen van de brandweer voor het huis en ik zag mijn leuke buurvrouw met twee agenten en de brandweermannen nerveus overleggen. Ik kon mijn nieuwsgierigheid niet bedwingen en vroeg wat er aan de hand was. De bovenbuurman deed niet open. Hij nam de telefoon niet op, je hoorde zijn hond blaffen en zijn sleutel zat aan de binnenkant van zijn deur, kortom...

De brandweerman zou met een koevoet het raam op tweehoog openen, naar binnen stappen om de deur open te maken en dan was het verder aan de agenten om te kijken wat er aan de hand was. Mijn leuke buurvrouw, moeder van een peuter en een versgeboren baby, zag er duidelijk tegenop om met de agenten mee te lopen. Zij ging bij mijn vrouw koffiedrinken en ik zou de politie bijstaan. De brandweerman, die het raam opende, klemde met zijn duim en wijsvinger zijn neus dicht en zei op Amsterdamse toon: 'Die lult niet meer. Bel de GGD maar.'

Wat we aantroffen was geen carnaval. De man zat een dag of wat dood op de bank, de hond liep er enigszins hongerig omheen, maar was nog niet aan zijn baasje begonnen. Hij lust waarschijnlijk alleen blik en geen vers. Daarbij is het voor het totale beeld belangrijk om te weten dat het lieve dier zijn diverse behoeftes niet had kunnen ophouden en dat zijn baas het vlak voor zijn dood waarschijnlijk koud had, daar de verwarming op pakweg achtentwintig graden stond. De man was een dag of vijf dood. Dat zag je aan de zwarte vingers en de dikte van zijn voeten. Hij was een Canadees, woonde alleen met zijn hond en was redelijk eenzaam. Dat bleek ook uit zijn lege agenda. Het werd een behoorlijke klus om zijn familie te achterhalen. Voorlopig zou de gemeente zijn overschot in een koelcel opslaan en in afwachting van de lijkwagen drentelde ik een beetje heen en weer op de gracht.

Gelukkig, daar was alweer een iets te grage koper voor de benedenetages. Dit was een behoorlijk irritante kakker. Of ik de eigenaar was? Of hij alvast even mocht loeren? Ik legde uit dat ik daar niets over te zeggen had. Hoe groot het ongeveer was?

'Vrijdag kunt u het allemaal zien', zei ik wel tien keer.

De man bleef aandringen, al mocht hij maar even om de hoek kijken, het ging alleen maar om de oppervlakte. Als een verwend kind bleef hij doorzeiken. Op een gegeven moment had ik schoon genoeg van zijn gedram en zei: 'Kijkt u anders even op tweehoog, die is qua oppervlakte precies even groot. Er zit alleen wel een lijk op de bank.'

De man lachte beleefd om de matige grap van de cabaretier en schoot als een gek de trap op. Een halve minuut later was hij terug. Lijkbleek. Nog nooit heb ik iemand zo ontdaan en verward zien kijken. Hij brabbelde wat onsamenhangends en verdwoen. Deze man werd niet mijn buurman.

Alles kids

Nu hoorde ik weer het droeve verhaal van een vriendin wier zoontje was uitgenodigd op een verjaardagspartijtje in een villa in het chique Amsterdam-Zuid. De ruftend rijke ouders van de jarige job waren nog te besodemieterd geweest om even een paar stukken ontbijtkoek aan een touwtje te rijgen en hadden daarvoor een *kindervermaakbureau* ingehuurd. Dit is een Goois bedrijf dat voor negenhonderd gulden, inclusief BTW, het verjaardagspartijtje van je jarige zoon of dochter regelt.

Het schijnt dat heel Aerdenhout, Blaricum, de grachtengordel en andere kakkersbroedplaatsen gebruik maken van dit slimme bedrijfje.

Alles is te koop. Het zoontje van mijn vriendin werd in een camouflagepak gehesen en mocht meedoen aan een survival, zeg maar: *Kosovootje spelen*. De week daarop had hetzelfde mannetje weer een partijtje, bij de buren van het survivalvriendje. Deze mensen hadden gezien hoe leuk het de week daarvoor bij de buren was gegaan en die hadden hetzelfde bureautje ingehuurd. Nu werd het een piratenparty.

Voor de grap heb ik het bedrijfje maar eens gebeld en een folder aangevraagd. Het repertoire loopt van *Magic* tot *Boeven* en van *ShowBizz* tot *Heksen*. Volgens mij mag je ouders die te belazerd zijn om zich persoonlijk te bemoeien met het partijtje van hun jarige kind, onmiddellijk uit de ouderlijke macht ontzetten. Volgens mij moet je ze ook onmiddellijk hun geld afpakken, omdat ze er niet mee om kunnen gaan. Ondertussen weet ik ook dat dit stukje in de krant averechts werkt. Veel kakkers denken tijdens het lezen: ik wist helemaal niet dat er zo'n bureautje bestond, maar dat is een goed idee voor het partijtje van onze Bart-Jan. Ik voorspel nu al dat de telefoon van het Gooise bedrijfje vanaf maandag gloeit. Wat is nou negenhonderd gulden? Je houdt toch van je kind en liefde is nou eenmaal niet in geld uit te drukken. Als ze achttien wordt krijgt ze een cabrio en als ze gaat studeren koop je een appartement aan een van de Amsterdamse grachten. Ze heeft uiteraard al een paard.

Een van de sappigste oudersverhalen stond afgelopen donderdag in deze krant. Het ging over een meisje van vijf, van wie de ouders zo dom zijn dat het kind, op het moment dat ze haar veters kon strikken, door hen tot hoogbegaafd werd gebombardeerd. Vader draagt nog altijd instappers. Ze wist op haar vierde al het verschil tussen uren en dagen en dat was voor papa en mama een mooie reden om het kind een klas over te laten slaan. De schoolleiding was iets minder overtuigd van de brille van de kleine en weigerde, dus schakelden papa en mama de rechter in. Die doet binnenkort uitspraak.

Ik kreeg al de slappe lach toen ik las hoe de lieverd heette: Frédérique. Ik weet dat het een zinloos vooroordeel is en dat het niks met de zaak te maken heeft, maar toch is mijn plaatje compleet. De chique Bussumse buurt Het Spieghel, de uiterst nette Gooilandschool (waar in mijn jeugd het kakkerskaf werd geparkeerd) en dan de ouders met de in hun kringen buitengewoon intelligente Frédérique.

Ik heb nu al medelijden met het meisje. En helemaal met de juf die het schaap in haar klas heeft. Die ziet natuurlijk ook hoe zielig het voor het meisje is. Het begint redelijk slim en eindigt als wrak.

Zelf ben ik gezegend met twee ongelooflijk domme nazaten. Zowel mijn zoontje als mijn dochtertje doubleerde op de kleuterschool. De een knipte met de lijmpot en de ander plakte met de schaar.

Ik vind domme kinderen juist een zegen. Nu kan ik ze tenminste een beetje bijbenen. En het leukste vind ik hun verjaardagspartijtjes. Weken sta ik spekkies aan dropveters te rijgen, zet hele speurtochten uit en verzin de meest vrolijke spelletjes. Ik kom amper aan mijn werk toe. Mocht de rechter de kleine Frédérique uit voorzorg bij haar ouders weghalen, dan adopteer ik het meisje graag. Ze krijgt het heerlijk, voelt zich elke dag jarig met een door mij versierd partijtje en blijft dommer dan dom. Maar één ding garandeer ik: ze wordt gelukkig. Ze wordt ziels- en zielsgelukkig. God, wat wordt dat kind gelukkig. Net als ik.

Spelen met je leven

De zon schreeuwt ons bruin aan de Belgische kust, maar dat is niet alles. Afgelopen dagen blies er ook nog een heerlijke storm langs het strand. Windkracht acht en dan ook nog zee-inwaarts. Dus de zee trok als een ouwe nicht en maakte het zwemmen gevaarlijker dan gevaarlijk.

Mijn zoontje (8) kon zich amper staande houden en werd binnen de kortste keren richting Engeland getrokken. Hij kraaide van plezier.

Eén keer moest de plaatselijke reddingsbrigade ingrijpen en mijn dochter (10), die het ritueel downhill mountainbiking gadesloeg, vond het cool kicken. Mijn neefje (11) had alles deltavliegend aanschouwd en ook hij vond het vetter dan vet. Zelf was ik er helaas niet bij. Mijn vrouw en ik waren laagwaterkarten in Oostende. Dat is karten op een gladde, levensgevaarlijke weg, waarop een dun filmpje water ligt. Eén stuurfout en het is met je gedaan. Vorig jaar zijn er, alleen al hier in België, vier doden bij deze sport gevallen en dat maakt het voor ons des te aantrekkelijker.

Jaren waren wij dat sullige windschermgezinnetje. Beetje jeu de boules, potje beachballen en dat was het dan. Mijn vrouw las in die jaren regelmatig een boek. En erger nog: vaak een redelijk dikke pil. Dus dan zat ze zo'n dag of wat onder haar parasolletje te zwijgen. Hooguit een keer per dag kreeg je haar mee het water in, maar voor je het wist lag ze alweer saaie letters te vreten op de stretcher. De avonduren vulden wij met een ijsje en een bejaard potje midgetgolf. Geeuwers waren we.

Een paar jaar geleden is het hier in België begonnen. Ik was de sleutel van ons appartement vergeten en belde bij de buren aan met de vraag of ik even van hun balkon op ons balkon mocht overstappen. Dat mocht. Toen maakte ik een misstap en voor ik het wist hing ik zeven meter boven de grond aan de reling van het balkon te bungelen. Op wat spierstress na liep dat goed af. Was wel kicken. Veel aandacht in de buurtsuper, nog een stukje met foto in de plaatselijke gazet gehad en ik ben op drie lokale radio's geweest. Ik kon het survival-gevoel aan niemand uitleggen, maar wist wel: hier moet ik meer mee doen.

Toen bleek je in Blankenberge te kunnen bungeejumpen. Niet gewoon jumpen, maar zogenaamd risico-jumpen. Dat doe je vanaf een afgekeurde hijskraan. Dus het is een beetje Russisch roulette als je springt. En dat is kicken. Zo'n lullig gepatenteerd elastiekje met door de overheid goedgekeurde sluitingen aan het Amsterdamse IJ is goed voor de EO-landdag. Er moet een risico aan verbonden zijn, en dan kom je al gauw bij een afgekeurde Belgische hijskraan terecht. Hij staat op knappen en dat is de kick.

Tegenwoordig spring ik met mijn zoontje los in mijn armen. Ongeborgd uiteraard. Het zou kunnen dat ik door de schok het ventje loslaat, maar dat weet het mannetje en ook hij vindt dat juist heerlijk. Het leven is toch zinloos, dus speel er mee! Mijn vrouw mag die sprong graag zien en knuffelt het mannetje na afloop keer op keer bijna dood.

Raften is voor ons gesneden koek, abseilen is voor mietjes, tokkelen is een watjessport, dus blijft er weinig over. Ook in ons normale maatschappelijke bestaan zijn we wat avontuurlijker geworden. Zo had ik onlangs ons banksaldo en de saldi van diverse tuttige Aegon-spaarre-keningetjes ingezet in zo'n piramidespel. Alles kwijt, maar door wat spielerei op de optiebeurs heb ik toch al-weer redelijk wat terugverdiend. Vreemdgaan zonder condoom doen mijn vrouw en ik overigens standaard. Liefst bij de gemeentelijke afwerkplaatsen. Zij als hoer, ik als klant. En niet met elkaar natuurlijk. Dat zou flauw zijn.

Volgend jaar gaan wij naar Eritrea. Wat wij daar gaan doen? Een honger-survival! Zonder eten en met heel weinig drinken overleven. Die sport is daar onder de bevolking razend populair. Lijkt me heerlijk.

Het is 1999, kortom: je moet wat! En als we ons verve-len kijken we naar de canyoning-beelden van afgelopen week. Twintig doden, da's pas cool. En dat zien met een stevige honger. Heerlijk!

Oplichters

Even een ethisch stukje: John de Mol en Joop van den Ende zijn oplichters!

Laatst op een ochtend toonde de altijd opgewekte Hans van der Togt op mijn favoriete zender RTL4 een foto van Martine Bijl en vroeg aan de kijkers wie dit was. Om het niet te moeilijk te maken had hij er niet alleen een multiple-choicevraag van gemaakt, maar hij hielp ons ook een beetje. Dus ons quizwonder zei: 'Ja lieve mensen, u ziet hier een vrouw en zij is *het zonnetje in huis*, daarbij moet u van haar de *groenten van Hak* hebben. Maar wie is zij? Is zij A: Martine Bijl, B: Erica Terpstra of C: Katja Schuurman. Als u het weet, maakt u kans op ƒ10.000! U kunt nu bellen!'

Hierop kregen we van Hans zo'n verkapt pornonummer dat we voor een gulden per gesprek konden bellen. Nou ken ik Martine Bijl persoonlijk, dus ik zei tegen mijn vrouw: 'Het is Martine Bijl.'

Mijn vrouw twijfelde ook niet en we hebben onmiddellijk gebeld. We kwamen in een gokspelletje. We moesten een toets indrukken om doorverbonden te worden met de studio in Aalsmeer. We drukten op de vijf en dat was helaas de verkeerde! De koffiebruine Aalsmeerstem raadde ons aan om het nog eens te proberen en de verbinding werd verbroken. Ondertussen riep Hans: 'Waarom belt er nou niemand?' En hij gaf nog een paar hints.

Dus wij weer bellen, wederom een goktoetsje ingedrukt en weer mis. Nou ben ik geen opgevertje, dus ik heb zeventig keer achter elkaar gebeld. Ik maar toetsen en Hans maar smeken. Niemand kwam er doorheen. Gelukkig lukte het een chronisch ongestelde bijstandsmoeder uit Appelscha om twee minuten voor het einde in de uitzending te komen en zij zei: 'Tismartienbijl.' Zelden zo'n oprecht blije Hans gezien en ook zijn wulps blikkende assistente was uiterst opgetogen. Dat is zo'n meisje dat de camera inkijkt met een blik alsof er continu een prettig vibrerende dildo in haar doosje huist.

De bijstandskneus mocht aan het spelletje meedoen en dit bestond uit het omdraaien van drie van de zoveel bordjes. Achterop die bordjes staat een lullig bedragje of een symbool. Drie symbooltjes is die tien ruggen en anders worden de bedragen bij elkaar opgeteld.

Deze ziel scharrelde anderhalfhonderd gulden bij elkaar en werd met een popi Aalsmeers *doei* terug in haar bankstel geflikkerd. Sinds die keer ben ik een beetje op die telefoonspelletjes gaan letten en het viel me op dat de meneer of mevrouw op de foto altijd net twee minuten voor het einde van de uitzending geraden wordt. Dit telkens tot opluchting van de dienstdoende Hans van der Togt. Toen ik het de eerste keer zag, dacht ik: dit is pure oplichterij en naarmate ik het vaker bekeek werd ik alleen maar zekerder van mijn zaak. Gelukkig heb ik veel slimmere vrienden en die legden mij uit dat het juridisch gezien geen oplichterij was, maar gewoon een handigheidje.

'En moreel gezien?' probeerde ik voorzichtig.

Toen kreeg ik mijn halve vriendenkring over me heen en werd ik uitgemaakt voor roestige moraalridder in een slecht scharnierend harnas.

'Maar met een handigheidje domme mensen geld uit

de zak kloppen, dat doe je toch niet?' opperde ik.

De meesten hadden het graag zelf verzonnen, dan waren ze nu net zo rijk als John & Joop en woonden ze ook in van die protserige proletenpaleizen in het Gooi en hadden ze in hun tuintjes nog meer bomen laten kappen! 'Maar John en Joop zijn gewoon je reinste oplichters', sprak ik ferm.

'Moet je in de NRC schrijven', zei Hans de advocaat. 'Heb je meteen een proces aan je broek.'

'Hangt er vanaf wat je onder oplichten verstaat', bleef ik voor mijn doen uiterst kalm. 'Volgens mij lichten zij op als zij zien dat ze nog meer winst hebben gemaakt! Dus zijn het in mijn ogen je reinste oplichters en dat durf ik best te schrijven.'

'Toch mag je niet schrijven dat het oplichters zijn, want dan ben je immoreel', kreeg ik het hele gezelschap over me heen.

'Maar het zijn toch vuige oplichters?'

'Ja, maar dat mag je niet schrijven.'

Adviezer

Seksueel sudderen. Na een jaar of wat krijgt ieder huwelijk ermee te maken. Dan wordt samen fietsen, bridgen
of golfen belangrijker dan een jolig juichen tussen de
klamme lappen. Met zijn tweeën drinken gaat vaak ook
heel erg goed. Daar krijg je tenminste hoofdpijn van en
dat is een mooie reden om het weer een avondje uit te
stellen.

Vaak draait de lange, gortdroge stilte in het huwelijk
uit op rommelen. De nieuwe spanning wordt gezocht.
Mannen gaan meestal op hun secretaresse liggen, vrouwen frunniken graag aan de tennisleraar en de laatste tijd
steeds vaker aan elkaar. Althans: in de provincie. Bij ons
in de stad is die trend alweer voorbij.

Sommige relaties redden het seksueel wel. Neem nou
de Britse premier! Binnenkort blairt een kleine koter in
Downingstreet 10 en dat terwijl het echtpaar toch ook al
redelijk lang bij elkaar is. Het kan dus nog wel, maar iedereen weet: dit soort liefdes zijn uitzonderingen. Bij de
meeste getrouwde vrouwen gaat het haar alleen nog uit
de plooi door een stevige storm buitenshuis! Toe maar
Lenny!

Toch is er hoop. Oud-Toppop-presentator Ad Visser
heeft een cd uitgebracht en die mag je met recht een seksueel hulpstukje noemen. Hoogstandje is een te gemak-
kelijke woordspeling. Kamasutra Experience heet het
werkje en het helpt de gebruiker bij het bereiken van een
diepere sekservaring. Ad verkondigt op het plaatje de

geneugten van het uitgestelde orgasme. Of deze tekst echt wervend is weet ik niet. De meeste mensen die toe zijn aan dit zilveren schijfje, hebben hun orgasme al jaren uitgesteld en zijn eigenlijk juist toe aan een bescheiden vulkaantje. Om dit nou ook weer uit te stellen, lijkt me zonde van de tijd.

Maar Ad wil dat we meer genieten en geeft met zijn bronstig stemgeluid allemaal handige tips. We moeten de gouden gloed door ons lichaam sturen, oplossen in de beleving en voelen dat iedere aanraking een orgastische fontein van sensaties is. Ik probeer het me voor te stellen. Je kruipt bij je mokkel onder de wol, zet de cd met Ad op en dan ga je dus beginnen. Ad vertelt wat je moet doen. Hij gidst je naar de grote oase van genot, zoals hij het zelf noemt. Maar ik ben toch bang dat ik het moment suprème niet haal. Binnen een minuut lig ik te snikken en te proesten in mijn kussen. In een interview heeft Ad verklaard dat hij de technieken ook zelf toepast en we moeten hem geloven: het helpt. Met wie heeft hij geoefend? Met mevrouw Visser? Je krijgt toch verschrikkelijk de slappe lach als je in bed gestimuleerd moet worden door de stem van Ad Visser? Ik kan die man trouwens helemaal niet los zien van de wilde haardos Penny de Jager, maar dit terzijde.

Zullen er nou kneuzen zijn die dit plaatje kopen en het in de slaapkamer van de doorzonwoning gaan draaien? En maar ontspannen onder dat broeierige Ikea-dekbed. Leuk woord: dekbed. Ik wil mijn seksleven best een nieuwe impuls geven, maar toch niet met AVRO-Adje? Maar is er nou iemand bij de platenmaatschappij die denkt dat dat gaat gebeuren? Ik denk het wel. Ik ben bang dat de cd een regelrechte hit wordt en dat in duizenden huishoudens de ouders door Ad naar een hoogtepunt gebabbeld worden. In het begeleidende boekje schrijft Ad dat je, door met je tong tegen je gehemelte te klikken, je je orgasme via je ruggengraat omhoog kan trekken. Sinds ik dit weet durf ik, uit angst voor een erectie, niet meer te smakken met mijn eten.

Hoe kom je aan de cd? Koop je die gewoon zonder te blozen? Durf ik de cd als sinterklaascadeau in het ranke muiltje van mijn prachtige vrouw te doen? Met een echtgenoot, die met zo'n soft wattenschijfje komt, wil je toch niks te maken hebben? Sinds ik over dit product gelezen heb, heb ik een veel groter probleem: ik kan voorlopig niet neuken zonder aan Ad Visser te denken. Ook zonder schijfje heeft hij zich in mijn hoofd genesteld. Als ik iets wil, hoor ik Ad. En die krijg ik er voorlopig niet uit. Wat dat betekent? Dat ik mijn orgasme weer een maand of wat moet uitstellen. Goeie cd dus.

Lieve Claus

Wat zal Trix blij zijn geweest dat in de Nederlandse pers de leugen regeert, anders hadden er hele andere verhalen over haar cabarettende Claus in de krant gestaan. Zijn optreden was ronduit aandoenlijk. Meer wil ik er niet over zeggen. Waarom niet? Ik vind die man te lief om te kwetsen. Daarbij heb ik zielsveel medelijden met hem omdat hij, de zachtmoedige intellectueel, zijn leven heeft moeten verdoen aan het hof van een stinkend rijk dwergstaatje.

Hij had veel te vertellen, maar dat mocht niet. Had zijn kinderen veel bewuster willen opvoeden, maar dat kon niet. Had zelf veel eerder zijn stropdas aan de wilgen willen hangen, maar dat kon helemaal niet. Hij werd er dan ook zwaar depressief van. En terecht.

Toen hij vorig jaar zijn das afdeed, haalde dat alle voorpagina's en ik denk dat hij toen helemaal krankzinnig van verdriet is geworden. De wereld verhongert, verdorst en veraidst, maar dat interesseert niemand. Geestelijk murw heet dat. Pas bij een kolderieke stropdassenactie of een maffe speech, spreekt het volk over je en halen de beelden alle journaals.

Het lijkt me voor die arme man zo'n ramp. Hij kijkt terug op zijn leven en ziet waar hij dat leven gesleten heeft. Je bent maar één keer op de wereld en die ene keer moet je vertoeven in een soort Big Brotherhuis. Iedereen ziet de hele dag alles van je. En geen drie maanden, nee een leven lang. Dat is toch niet te doen? Daar word je toch gek van?

Een leven lang ben je gespreksonderwerp geweest van Story- en Privélezeressen, echtgenoot van een vrouw wier haar maar één keer leuk zat en dat was na de watergolf op Sint Maarten, en vader van een zoon die in het openbaar maar één keer zichzelf was. Toen sloeg hij in Zwitserland een roddelfotograaf op zijn bek. Dat is toch niet te doen? Ondertussen heb je allerhande interessante meningen over de derdewereldproblematiek, maar je mag niks zinnigs zeggen, laat staan doen.

Waarom houden we deze poppenkast voor volwassenen nog in stand? Wie doen we er eigenlijk nog een plezier mee? De Oranjes? Die willen toch best iets anders.

Het volk? Ik ben bang dat het inderdaad allemaal voor het domme volk gebeurt. Is het volk dan zo dom? Ja, het volk is verschrikkelijk dom. Zondag was ik bij Ajax-RKC en een Sinterklaas deelde van die Josti Band-petjes uit. Iedereen die er een te pakken had gekregen zette hem op. Grote, volwassen kerels, vaders van kinderen. Steeds beter begrijp ik die smijtende scholieren in Den Haag. Het was gewoon een hele andere frustratie, die ze van zich af smeten. Het domme, lelijke oudersyndroom of zo. Mensen zijn gek. Niet alleen ons volk, alle volkeren! Gisteren zag ik achterop de bijlage van *Het Parool* een fotootje van de bewoners van Big Brother bij elkaar in een houten badkuip. Legionella, doe je best, dacht ik hardop. Steeds vaker vraag ik me af waarom deze bacterie zo mild tegen ons is.

We zijn krankzinnig aan het worden. Ik zie op de televisie de totaal demente Jeltsin, die ons met kernwapens dreigt. Ik weet dat hij op zijn bureau twee knoppen heeft. Een om de verpleegster te roepen en een voor de kernraketten. Nou maar hopen dat hij steeds de goede kiest. Ik denk aan het Turkse jongetje in Veghel, die de eer van zijn familie heeft gered.

'Eerst je school afmaken', zei zijn vader. Ik lees alles, probeer het op mijn harde schijf te krijgen, maar het glijdt ervanaf.

En dan zie ik Claus! Stamelende Claus. Hakkelende Claus.

'Stemt u maar! Moet ik doorgaan met mijn speech?' zegt hij tegen zijn gehoor. Volgend jaar doet hij niet alleen zijn stropdas af, maar ook zijn overhemd uit en klimt hij met ontbloot bovenlijf op de katheder.

Dan vraagt hij: 'Zeg het maar!' Dan lacht Trix niet meer. Zeker niet als ze ziet hoe hij begeleid wordt naar de ambulance. Terwijl ze weet: hij heeft gelijk. Volledig gelijk. Maar ja, de leugen regeert nou eenmaal en daar moet iedereen zich bij neerleggen. Ook Trix. Ik hou van Claus! Verpletterend veel zelfs.

Snifcity

Vorige zomer las ik aan mijn kinderen *Alleen op de we-reld* voor. Iedere avond, voor het slapen, las ik een paar hoofdstukken. In eerste instantie was ik bang dat het boek erg ouderwets zou zijn, maar het tegendeel bleek het geval. Zelden heb ik ze zo aan mijn lippen zien hangen en hoe zieliger het werd, hoe mooier ze het vonden.

Vooral de dood van Vitalis maakte een onuitwisbare indruk. De kinderzieltjes werden diep getroffen. Mijn zoontje vocht tegen zijn tranen, maar verloor en zijn twee jaar oudere zusje verklaarde om de drie minuten dat ze niet hoefde te huilen. Ze knipperde heel hard met haar glinsterende ogen. Ik merkte dat het mijzelf ook weer ontroerde en wat ik vooral zo aardig vond: er zit zo lekker veel leed in. Iedereen van wie Remy houdt gaat dood of laat hem in de steek. Heerlijk. En het rondreizende circus spreekt natuurlijk tot ieders verbeelding. Vette romantiek. Dat wil iedereen toch? Meereizen met een kleine troep komedianten. Volgens mij zitten hele afdelingen van suffe banken en saaie verzekeringsmaatschappijen massaal te dagdromen over een tournee met een rondreizend circus. Wie wil nou zijn leven slijten in een zakenbunker in Amsterdam Zuidoost? Zelf koester ik al jaren het plan om een keer een zomer met een circustent door Nederland te gaan reizen. Een echte tent en prachtige pipowagens, mijn vrouw achter de kassa en mijn kinderen moeten de kaartjes scheuren. Na de voorstelling stoken we met alle medewerkers een vuurtje en vertellen we elkaar sterke verhalen. Ik kijk altijd jaloers naar *De Parade*, ga iedere vakantie naar het kleine Wiener Circusje dat langs de Belgische kust trekt en als ik morgen een baantje kan krijgen bij mijn favoriete Cirque Plume, dan doe ik het. Helemaal voor niks. Dit Franse circus is eigenlijk het beste voorbeeld en duizend keer leuker dan het veel te kille en perfecte Cirque du Soleil. Daar ben ik een keer naar toe geweest, vond het allemaal razend knap wat ze deden, maar het zei me helemaal niks. Ik vond het vooral aanstellerij.

Ik lach ontzettend graag, maar eigenlijk vind ik huilen nog lekkerder. Wat dat betreft kwam ik afgelopen zondag volledig aan mijn trekken. Met de hele familie zijn we in het Amsterdamse City-theater naar het oer-Hollandse *Kruimeltje* geweest. Wat een heerlijk tranenfeest. Onbekommerd heb ik ze de hele film laten stromen. Geklemd tussen vrouw en zoon liet ik mijn tranen de vrije loop. Wat een heerlijke kinderfilm en wat kan je er schaamteloos om sniffen. Kruimeltje en zijn hond Moor. De aardige Wilkes, de verstandige inspecteur, de gluiperige Buikie en de chagrijnige vrouw Koster. Zelden heb ik iemand zo krakkemikkig zien sterven, maar het was heerlijk. Iedereen moet naar deze film en als je kinderen hebt is dat een heel goed alibi. Alleen al om de prachtrol van de oude Kraaykamp als hondenbewaker en de scène waarin Kruimeltje alle honden bevrijdt, moet je ernaartoe. Vorig jaar vermaakten we ons kostelijk bij *Abeltje*, maar die was me toch een beetje te snel gemonteerd. Bij Kruimeltje is het tegendeel het geval. Heerlijk langzaam glij je de film in en voor je het weet zit je er echt middenin. Sommige rollen kloppen niet helemaal, veel dialogen zijn vooral qua taalgebruik en intonatie een beetje oubollig, niet alle rollen zijn top, maar je voelt de liefde en vooral de zorgvuldigheid waarmee de film gemaakt is. Mijn zoontje keek opzij naar zijn vader, zag dat mijn ogen glinsterden, vocht nog even door heel stoer naar boven te kijken, maar ging toen los! Ik keek opzij en zag ook mijn vrouw hartstochtelijk glimmen. Achter mij werden neuzen gesnoten, voor mij gingen de Tempootjes rond en naarmate de film vorderde werd het gesnif steeds erger. Gelukkig doolde de werkelijkheid ook nog gewoon door de bioscoop. Juist op het moment dat de prachtmoeder van Kruimeltje ontdekt dat ze haar eigen zoon bijna heeft doodgereden, ging er achter mij een mobiele telefoon af. Lang en hard. Even overwoog ik een rituele moord, maar daar zag ik toch maar vanaf.

MAXIM@ORANJE.NL

Inburgeren

Het huwelijk gaat dus door. Toch vreemd: toen ik het vertelde in mijn oudejaarsconference, hoorde ik er daarna niemand over, maar nu het in de NRC, het clubblad van quasi-intellectueel Nederland heeft gestaan, is het opeens nieuws en gaan zowel het NOS-*journaal, Nova* als alle andere nieuwsprogramma's er gretig op in. Daarbij baseerde ik mijn mededeling op jullie eigen woorden, terwijl het gezaghebbende dagblad alles baseert op vette roddel en vuige achterklap.

Maar belangrijker is: het gaat door. Het antwoord op je vraag of ik je op een beetje vrolijke wijze wil inburgeren, is volmondig ja! Graag zelfs. Je kan je beter door mij laten bijpraten dan dat je een paar keer per week apart genomen wordt door vermolmde adel uit de periferie van je schoonmoeder. Die types neuzelen wat over het achterhaalde omroepbestel, de politieke verhoudingen, het poldermodel en het economische belang van het aardgas, terwijl ik je eigentijds bijbabbel over de hasjprijzen, het rioolgehalte van Veronica, het IQ van de gemiddelde RTL-kijker, de smaak van John de Mol en de historie van het Nederlandse voetbal.

Verder zal ik je vertellen wat het inhoudt om koningin te zijn. Je moet één keer per jaar, om precies te zijn op Koninginnedag, wuiven naar de bewoners van een paar naburige gaten diep in de provincie en die gaan voor je klompendansen, ringsteken en hele gore middeleeuwse kruudkoek bakken. Je moet dan een paar uur naast een sukkel met een ketting om zijn hals lopen. Verder wordt er dagelijks op je gelet en staat er overal allerhande ranzig fotogajes van bladen als *Privé, Story, Party* en *Weekend* op je te wachten. Dit zijn blaadjes voor randdebielen en als je nagaat dat er per week een paar miljoen van die periodiekjes worden verkocht, dan weet je meteen van welk volk je koningin wordt. Je begrijpt natuurlijk ook wel dat je niet meer zo ontspannen lam kan dansen als op die sbs-beelden. Dat was onze eerste kennismaking met jou en ik moet toegeven: ik was meteen verkocht en vond je heerlijk. Maar dat soort leven is dus voorbij. Niks snollebollen, sloeren en slempen in strakke, diep uitgesneden cocktailjurkjes. Het swingende Argentijnse tangoritme is over! Nee, vanaf nu is het mantelpakken, nippen en bejaarde handen schudden. Ik hoop wel dat je af en toe een beetje gezonde schijt aan die hele poppenkast hebt. Je hoeft niet meteen je middelvinger naar het volk op te steken, maar een beetje zuur gezicht richting al die suffe onderdanen mag ik graag zien.

Wil je ook een beetje tekeergaan tegen al die kruipende sportbondsvoorzitters, stamelende burgemeesters, stotterende Kamerleden en andere laffe windmolenaars? Schoffeer ze maar een beetje. Alles wordt namelijk bloednerveus als ze je zien, tot de slijmende hoofdredacteur van *de Volkskrant* aan toe.

Hoe je leven er hierna uit gaat zien, kun je het beste aan je schoonvader vragen. Die weet daar alles van en is er zeer depressief van geworden. En terecht. Alleen humor en een zekere minachting voor al die buigende en knippende minkukels houden je drijvende. Je eigen man kan er ook smaakvol over vertellen en van hem weet ik dat hij nogal wat slinkse vluchtwegen kent, zodat je af en toe toch nog los kan in de uitgaanswijken van diverse wereldsteden of onder de palmen van een Caraïbisch eiland. Laat hem maar schuiven. Met hem krijg je het absoluut vrolijk. Je schoonmoeder heeft een gebruiksaanwijzing, maar dat regelt zichzelf. Ze is een beetje streng, maar dat moet ze ook wel zijn. En ze heeft een rare hoofddekseltic. Echt de meest bizarre kunstwerken sieren haar enigszins stijve kapsel. Nooit mooi, wel creatief. Nog even een paar beginnerstips: begrippen als Greet Hofmans, Lockheed en het hoge Oibibio-gehalte van je maffe tante Irene zou ik nog even mijden. Elke familie heeft een paar van die hete hangijzers en daarin zijn de Oranjes zo Hollands als spruitjes. Let ook op als oom Piet richting de vleugel loopt: dan is het slapen geblazen.

Volgende week zal ik wat meer vertellen over het kijkgedrag, de goklust en de Hollandse nieuwbouwsmaak, maar ik zie je sowieso woensdagmiddag op je eerste Nederlandse taalles bij mij thuis.

Dikhuiden

Je vindt onze taal moeilijk. Vooral de letter U. Die spreek je uit als Ü, maar niet in woorden als Turk, Urk en sukkel, terwijl het in truc wel weer klinkt als Ü. En onze bekendste Turk heet geen Gumus, maar Gümüs. 'Gum us' is Oudhollands dialect en betekent: vlak ons uit! Gum ons weg', zou je ook kunnen zeggen. Hoe zit het met jouw verblijfsvergunning? Moet jij asiel aanvragen of krijg je een aparte status? Stelt de marechaussee vragen en wat moet je antwoorden op: 'Komt u hier werken?' Mocht de Amsterdamse burgemeester tegen je zeggen dat je mag blijven, dan moet je dat nog wel even juridisch navlooien. Hij kletst nog wel eens wat. Maar het is hem vergeven, want de man heeft het veel te druk.

Het was woensdag niet handig van me om tegen je te zeggen: 'Pak maar een taxi op het station.' Het was inderdaad moeilijk kiezen. Zoveel taxi's. En in plaats van rijden, gingen ze lopen.

Dat deden ze omdat ze boos zijn. Waar het om gaat? Om geld. Daar gaat het in ons land namelijk altijd om.

Die donkerblauwen met die witte helmen, lange lat en rotan schildje waren politiemannen en -vrouwen. Dit is hun rellenuitrusting. Normaal zijn ze wat lichter blauw en hebben ze een platte pet op. Nog wel. Daar gaat verandering in komen. Binnenkort kan je onze agenten ook met een tulband of een hoofddoekje zien. In Emmen is een agent uit Nieuw-Guinea en die krijgt van Bram een overheidsbotje door zijn neus.

Bram is die man over wie ik je vorige week vertelde. Donderdag onthulde het televisieprogramma Nova dat de gemeente Rotterdam, toen hij daar vertrok als burgemeester, het duurste afscheidsfeestje ooit heeft gegeven. Men was zo blij dat hij wegging, dat men er driehonderddertigduizend gulden voor over had. En binnenkort krijgt hij weer een afscheidsfeestje. Ik denk alleen dat dat iets minder duur wordt.

Het is een verdrietige zaak. Een tijdje geleden dreigde hij een proces tegen een krant te beginnen, en als hij dat zou winnen, zou hij het aan hem toegewezen smartengeld schenken aan de olifanten in de Rotterdamse dierentuin. Maar er kwam natuurlijk geen proces. En er kwam dus ook geen smartengeld. Van puur verdriet werd daar afgelopen week een olifantje dood geboren. Zelfs de dikhuiden wordt het te veel. Ze dreigen met een proces tegen Bram. De aanklacht luidt: 'Het moedwillig wekken van valse hoop.'

Toch weer geld dus. Net als de advocaat van de Hennies. Die begon ook binnen drie minuten over geld. In plaats van dat die man nou zei: 'Leuk dat jullie weer thuis zijn', riep hij meteen om poen. Zes ton en geen cent minder.

Je vroeg me of alle Nederlanders als die Hennies zijn? Nee hoor, maar we hebben er wel een heleboel van. Je moet daar niet al te lacherig over doen, want dat is wel jouw brood. Dat soort volk gelooft in jullie en is bereid jaarlijks grof geld neer te tellen.

Wij, liberale intellectuelen, doen liever andere dingen met dat geld. Wat heeft jouw aanstaande schoonfamilie ons gekost na de oorlog? Kwart miljard? Ik denk meer. Wij komen voor dat bedrag de joodse gemeenschap liever moreel tegemoet en het liefst zonder excuses. Ondertussen is gebleken dat het geld, dat toebehoorde aan de joodse oorlogsslachtoffers, na 1945 in de staatskas is gevloeid. Als we dat met rente moeten terugbetalen zijn we bijna het tienvoudige kwijt.

Waarschijnlijk berekent de staat in dit geval nog wel successierechten. Terecht, want de meesten zijn gestorven. Het begrip 'jodenfooi' komt toch weer in een nieuw daglicht te staan. En uiteindelijk: toch excuses. Zacht en binnensmonds. Hoe doen jullie dat met die dwaze moeders? Is daar al iets voor geregeld? Bemoeit je vader zich daar nog mee of houdt hij vol dat hij zich alleen bezighield met landbouw?

Belangrijk detail is dat de meeste kinderen van deze moeders in landbouwgrond begraven liggen! Zie je zondag en bid voor Oostenrijk.

Jeuken

Dank voor je lieve mailtje. Ik zal je voortaan op boven-
staand adres schrijven en aan de NRC-lezers melden dat
ook zij jou kunnen bereiken met vragen, tips, boeren-
koolrecepten, suggesties en andere inburgeringszaken.

Mail naar Maxim@pampa.nl en iedereen krijgt antwoord. Toen je me gisteren belde vroeg je welke muziek
je bij mij op de achtergrond hoorde. Eerlijk gezegd vond
ik dat een beetje blonde vraag. Dat was namelijk *Das
wohltemperierte Klavier* van ene J.S. Bach en ik vind dat
je dat meteen had moeten horen. Opvoedingskwestie.
Het was een opname uit 1984 van de toen nog zeer jonge
Andras Schiff. Persoonlijk vind ik het een van de mooiste
uitvoeringen van dit onbetwiste meesterwerk. Ik draaide
het uit ontroerende solidariteit met de pianist, omdat ik
net gelezen had dat hij een optreden in de Oostenrijkse
ambassade in New York had afgezegd uit protest tegen
het meeregeren van de rechtse FPÖ van Jörg Haider. Als
inwoner van Oostenrijk, maar ook als Europese jood is
hij diep bezorgd en ontsteld. Volgens Andras is de opkomst van Haider in een land waarvan de rol in de holo-
caust nog steeds opgehelderd moet worden, meer dan
zorgwekkend. Hij schrijft dat het beschamend en on-ver-
geeflijk is. Die Schiff is een gozer naar mijn hart. Ik snap
dat jij er nog niet al te veel over wilt zeggen en dat je niet
goed begrijpt waarom ik me zo opwind over het skireisje
van je kandidaat-schoonmoeder. Dat komt onder andere
omdat ik haar altijd hoor kakelen in haar voor de gewone

mensen niet te pruimen kersttoespraakjes, waarin ze ons op bekakte toon vertelt dat wij verdraagzaam moeten zijn jegens vreemdelingen.

Als er dan een volk zijn zwartbruine trekjes laat zegevieren, dan is het toch een schitterend moment om te laten zien dat je die kerstwoorden ook werkelijk meent en dat je op vijfentwintig december niet voor de kalkoen zijn viool zit te bazelen. En dan mag Kok wel zeggen dat het een privé-reisje is, maar ook privé heeft zij er niets, maar dan ook niets te zoeken. Is ze blij met het feit dat de Oostenrijkse propagandamachine ruim gebruik gemaakt heeft van haar bezoek? Zo gaan die dingen. Dat had ze kunnen weten of leest ze nooit een geschiedenisboekje? Vorige week stond Haider met een klein kindje op de voorpagina van heel veel kranten. Dat is een oude truc: lief zijn voor kinderen.

Adolf wist het, Saddam deed het en Jörg is niet dom. Ik begrijp dat je aanstaande schoonfamilie politiek gezien niet zo kritisch is. Jouw bijna-verloofde heeft geen enkele moeite met de zeer omstreden Samaranch, je eigen schonehandjesvader wordt binnenkort ook zonder een vleugje protest ontvangen en nu weer deze omstreden vakantie. We zoeken nog een vierde man om te toepen. Het meest irritante vind ik dat ik als belastingplichtige aan deze onzin meebetaal. Binnenkort vraag ik via de Alkmaarse rechter niet alleen haar declaraties op, maar ik wil eigenlijk wel alle bonnetjes zien! Of vind je dat te ver gaan?

Maar goed, ik merk dat ik redelijk alleen sta. Heel Nederland toetert zich richting Tirol en zal het verder jeuken. Waarom zou je een daad stellen? Ik ben bang dat deze krant gewoon te krijgen is bij een Weense kiosk. Kortom: wat maakt het uit?

Je moeilijkste vraag is die over het verschil tussen *Vera* en de *Vara*. Vera is de baas van de Vara en Vera wilde niet dat de Vara uitgestrooid zou worden over allerlei zendertjes, maar gewoon herkenbaar bleef op een bepaald net. Dus heeft ze de mogelijkheid onderzocht of dat kan. Het treurige daarvan is dat je dan wel meteen met poenerige pornotypes à la Fons van Westerloo en Joop van der Reijden aan tafel moet. Het ketste af op geld en dat zegt eigenlijk alles. Of Vera na de mislukking moet blijven. Natuurlijk!

Wat ik dit weekend ga doen? Ik heb alle cd's van Andras Schiff gekocht en die laat ik schetteren door mijn huis. Daar heeft niemand last van want alle buren zitten of in Tirol of ze zijn joods en joden zijn dol op muziek. Zeker op die van Andras.

Tot woensdag.

Zwart en geel

Zwart en geel zijn de kleuren waar het deze week om gaat. Het failliete Vitesse dus. En het zijn de kleuren van jullie taxi's in Buenos Aires. Zwarte auto's met een fel geel dak. Daarom noemen ze bij jullie een geblondeerde vrouw *een taxi*. Zwart van onder, blond van boven. In jouw geval Taxima dus. Vrolijk volkje, die Argentijnen.

Maar even terug naar Vitesse. Nuon-directeur Subtop Swelheim wist wat hij zojuist aan het ondergelopen Mozambique had geschonken, keek nog eens naar zijn jaarlijkse miljoenengiften aan het hongerige India, bekeek nog een keer de resultaten van het door hem persoonlijk geregelde wederopbouwproject in Kosovo, zag de blije gezichten van de Gelderse minima, die hij zojuist hun jarenlange energieschuld had kwijtgescholden en dacht toen: Dan kan Vitesse er ook nog wel bij. Geen honger bij de Koemannetjes, geen uitgemergelde Van Hooijdonk, laat staan een bijstandsuitkering voor een verkleumde familie Van Hintum. Niks van dat al. Dus zij kregen ook nog even dertig miljoen! 'Te leen', zei hij er nog wel bij, maar iedereen wist dat dat een grapje was. De vroegere voorzitter, die er zo'n zooitje van had gemaakt, kreeg een fooitje van vierenhalf miljoen. Deze goedzak had echter net snikkend vanuit de sloppen van Marbella laten weten dat de club alles, maar dan ook alles voor hem was en gaf het bedrag onmiddellijk terug. 'Koop er maar een degelijke, tweebenige middenvelder voor', huilde Kareltje. Aandoenlijke man, en veel te goed voor deze wereld. Woensdag vertelde je mij dat je qua wonen waarschijnlijk toch voor de Amsterdamse Keizersgracht kiest. Iets dichter bij het volk. Niet in dat tuttige, door je schoonmoeder uitgekozen landgoed in Wassenaar. Je hebt gelijk. Het is leuk wonen en café-technisch is het uiterst gemakkelijk. Je kan lam worden en per buizenpost je nest in. En je hebt een ruime kroeg-keuze. In Den Haag zit je al gauw in hetzelfde circuitje. Maar als je echt wilt inburgeren dan moet je natuurlijk voor een nieuwbouwwijk in Emmeloord of Brunssum kiezen. En je boodschappen bij Edah of Super de Boer halen. Dan zie je een werkelijke doorsnee van het Nederlandse volk. Daar word je alleen niet vrolijk van en ik ben bang dat je er dan alsnog voor kiest om de konink-lijke beker aan je voorbij te laten gaan. Niets is deprime-render dan Nederlandse echtparen in windjack in een overdekt Nederlands winkelcentrum. Zo'n koopzieke horde, laverend tussen Intertoys, Blokker, de Hema en Albert Heijn. Let deze week vooral op vrouwen die met gebloste wangen uit de Etos komen en een beetje haast hebben. Bij deze superdrogist ligt nu namelijk een dildo in drie maten tussen de dropjes en de geurkaarsen. Tien, vijftien en twintig centimeter. Hij mag binnen tien dagen geruild, mits je het bonnetje bewaard hebt.

Of ik het boekje *Retour Nijmegen-Den Haag* van Marjet van Zuijlen heb gelezen? Ja! Ik blader graag in de *Viva*. Het meesterwerkje wordt binnen de fractie al *Retour Nijmegen* genoemd. Ze mag blijven zitten en krijgt tot de verkiezingen de kans om op te zouten. De PvdA-fractie heeft op dit moment wel wat beters te doen. Het gonst in de wandelgangen dat het rapport-Peper, dat op de trouwdag van je schoonouders openbaar wordt gemaakt, werkelijk vernietigend is. 'Tegen fraude aan', fluisterde een PvdA'er mij in mijn oor en verzocht mij of ik hem niet met naam en toenaam wilde noemen. 'Ik ben Marjet niet', zei ik licht gekwetst. Dus zijn aftocht en opvolging moeten worden voorbereid. Of Bram het erg vindt om af te treden? Helemaal niet, eindelijk tijd voor zijn hobby. Welke hobby? Reizen!

Ach, wat maakt het allemaal uit. Je wordt koningin van een heerlijk land. Zalm houdt binnenkort twaalf miljard over, dit weekeinde gaan twee miljoen mensen skiën, de scholen beleggen, een half miljoen van een winnend staatslot wordt al niet eens meer opgehaald en ik hoor net dat mevrouw Leemhuis de nieuwe voorzitter van Vitesse wordt.

Zie je woensdag op de Westfriese Flora.

Bram en Neelie

Je vroeg me wat nou precies een *burn out* is? Zover ik het begrijp is het een typisch Nederlands verschijnsel en komt het in de rest van de wereld amper voor. Je bent opgebrand, hebt concentratieproblemen, slaapt slecht en je hebt geen zin in seks.

Vooral dat laatste lijkt me jammer. Ondertussen is de ziekte ook weer gewoon handel: de dokter constateert de welvaartskwaal, de apotheker geeft je Mogadon en Prozac en de psychotherapeut laat je voor honderd piek per uur kakelen over je moeilijke jeugd, de onderwaardering van je chef en het onbegrip van je partner, waardoor je niet meer met haar (m/v) wilt neuken. Dat laatste zorgt voor andere spanningen, leidt vaak tot vreemdgaan en dat eindigt weer in echtscheiding, waar een aantal advocaten dan weer een goede boterham aan verdient. Net als de makelaar, die de verkoop van de echtelijke woning mag regelen en zijn collega's, die weer twee andere huizen aan meneer en mevrouw mogen slijten. En ook Ikea, dat weer een eigentijds nieuwbouwinterieurtje mag slijten, vaart er wel bij. En zo vermaken we elkaar prima. Hoe je aan de ziekte komt? Ze zeggen dat je het van hard werken krijgt. Het begint met het feit dat de patiënt zich op een bepaald moment realiseert dat hij tijdens zijn eenmalige leven veel te lang met volstrekt zinloze dingen bezig is geweest. En neem één ding van mij aan: tachtig procent van Nederland is volstrekt zinloos bezig. Joop van den Ende schijnt ook zo'n burn out te hebben. Of jij kans hebt op een burn out? Wat denk je zelf? Ga je zinloos werk doen? Ik zeg niks.

Of mr. Mentink, de advocaat van Bram Peper, een kansje op een burn out maakt? Ik denk het wel. Het is toch redelijk zinloos wat hij aan het doen is en op een dag komt hij daar wel achter. Eerst een grote bek over rechtszaken tegen het AD en de Rotterdamse onderzoekscommissie, maar nu komt hij niet verder dan een slappe klacht bij de Raad voor de Journalistiek tegen het Rotterdams Dagblad en het AD. Deze kranten zouden Bram en Neelie systematisch gesloopt hebben. En wat Bram en Neel gedaan hebben is altijd goedgekeurd door de gemeenteraad, dus ze hebben niks misdaan. Onzin. Bram en Neelie hebben gewoon lopen jatten, zich geld toegeëigend dat niet van hen was en ze moeten het of gewoon terugbetalen of ze moeten het opgeven als inkomen en er zestig procent belasting over betalen. Geen enkele boerenlul kan zomaar een vakantiereis van twintig ruggen naar Australië maken op kosten van de Nederlandse staat. Heel Nederland betaalt dat zelf en Bram en Neelie ook. Anders zijn het gewoon regelrechte dieven. Boeven zelfs. Gajes! Tuig. Denk je dat dat helpt: als je schrijft dat Bram en Neelie doodordinaire dieven zijn, dat die Mentink je dan wel voor het gerecht sleept? Lijkt me een leuke rechtszaak! Ik ga niet naar de Raad voor de Journalistiek, da's me te min. Nee, ik wil echt voor de burgerrechter, oog in oog met Bram, Neelie en die Mentink. Ik kom zonder advocaat. Maar ik denk dat het zover niet komt, omdat ook Mentink weet dat de rechter mij in het gelijk zal stellen. Iemand die jat is een dief en er is gejat. Openlijk jatten is namelijk ook jatten. En Bram en Neelie moeten gewoon terugbetalen wat ze gestolen hebben. Maar ik kan dit zonder angst opschrijven. Dit haalt de rechtbank niet, lieverd. Je wordt namelijk koningin van een laf en bang volk, kleinburgers die een verjaardagsfeestje door de gemeente laten betalen. Bram zijn vrienden waren eerlijk. Die ruilden hun businessclass-ticket om voor twee toeristenkaartjes. Logisch: ze waren toeristen.

Niks bonnetjeshetze, de sukkel die zijn verjaardag declareert is een miezerig en vooral krenterig mannetje. Híj voert de bonnetjeshetze! Je zal als vriend van de burgemeester later lezen dat je zelf aan zijn feestje hebt meebetaald! Binnenkort lezen we dat de heer Bram Peper een paar goedbetaalde commissariaten heeft aanvaard. Van dit volk word je koningin lieverd. Ik wens je sterkte. Meer dan dat zelfs.

Globetrotten

We reizen een beetje tegen elkaar in. Alex zit in Tokio, jij in Brussel en ik mail je vanuit het jou zo vertrouwde New York. Globe-yuppen zijn we. Nog veel dank voor de tips. Dat Peruaanse restaurant vlakbij jouw huis is inderdaad geweldig, zij het dat ik een beetje gek werd van die muziek. Dat weet je niet, maar wij hebben al jaren op alle plekken waar meer dan zes mensen samenkomen van die tokkelende poncho-Inca's. In ieder winkelcentrum, van Spijkenisse tot Oostende, staan 's zaterdags steevast zes indianen met een trommel, een bamboe panfluit, wat gitaren en een hoop ambulante handel. Maar dat kon jij niet weten. Wel zongen ze een ontroerend vrijheidslied over Alejandro Toledo. Biggeltranen op hun verweerde wangen. Blijft mooi: volk dat kritisch is over het staatshoofd.

Vanavond gaan we naar jouw vrienden. Ze klonken door de telefoon al erg aardig. Moest wel lachen dat ze dachten dat Alex koning van België wordt. Voor hen is het namelijk ook een hoop gepriegel op de globe. Met je vinger kan je Nederland en België niet goed uit elkaar houden. Daar heb je een speld voor nodig.

Hoe gaat het op je cursus? Ik moest erg lachen om je eerste woordjes. Vooral toen je *verdoving* in plaats van *verloving* zei. Ik vind verdoving beter. Zo treed je ook niet in het *gruwelijk*, maar in het *huwelijk*. Hoewel? In jouw geval zal het niet veel schelen. Je trouwt een prima gozer, Alex is echt een schat, maar het is wel een glazen huis met gietijzeren paleisregels, waarin jullie terechtkomen. Je hebt ondertussen begrepen dat je kandidaatschoonmoeder behoorlijk ter discussie staat. Er wordt gezaagd aan een van de troonpoten. Het gebeurt nog met een nagelvijl, maar toch. Als de troon eenmaal uit balans is, zit hij toch niet meer echt lekker en dat los je niet op met een bierviltje. Er worden de laatste weken steeds meer handjes grind in de hofvijver gegooid en daardoor blijft hij rimpelen. Een stevige kei zou voor alle partijen beter zijn. Het gaat er een beetje om of Trix – en later uiteraard jouw Alex – deel moet blijven uitmaken van de regering. Van mij mag ze, maar dan wil ik ook elke week horen waar ze zich mee bemoeid heeft. In *Den Haag Vandaag, Netwerk* en *Buitenhof*. En dan ook volle aanvaringen in de Tweede Kamer. Eerlijk gezegd vind ik dat Trix het wel goed doet. Zo las ik dat zij er persoonlijk voor gezorgd heeft dat Elco Brinkman geen ministerpresident werd. Prima actie. Jij kent die man niet, maar dat kon dus echt niet. Een schuwe gereformeerde jongen met een aquarellerend vrouwtje. Als dat echtpaar ons land had moeten vertegenwoordigen dan had koning Albert al veel eerder een paar omleidingen gekregen. Dus Trix doet het goed, maar ik wil niet dat ze dit soort staatszaken stiekem en achterbaks moet regelen. Dat is ouderwets.

Thom de Graaf heeft de zaak terecht aangekaart en dat het ergens om ging zag je aan de oppositie. Jaap de Hoop Scheffer raakte meteen in paniek. 'In de papierversnipperaar met dit plan,' riep hij angstig. Hij vertegenwoordigt namelijk al die sullige sukkels waar jullie op Koninginnedag enthousiast naar moeten loeren en die willen niet dat hun sprookje verstoord wordt. Jaap leer je nog wel kennen. Hij raakt ook in paniek als een paar marinemeisjes als grapje hun adelborsten aan een stelletje hitsige Italiaanse matrozen laten zien. Als je wil weten van welk land je koningin wordt dan moet je vooral Jaap en zijn partijgenoten in de gaten houden. Dat zijn de diepgelovige fatsoensrakkers.

Maar goed: wij discussiëren tenminste over onze democratie. Het gaat wel angsthazerig, maar je kan je bek tenminste opentrekken. En daar zijn we trots op. Dit soort zaken werden in jouw vaderland heel anders opgelost. *Vaderland* is in dit geval geen woordspeling, maar het komt wel goed uit. Zie je sowieso de 29e. Op de televisie! Zwaai je af en toe al voor de spiegel? Vraag aan Marilène advies. Die wuift als een dolle. Raas door New York en snap je overstap nog minder. Neem die Lex toch mee hier naar toe en word gelukkig!

Anoniem

Zoals ik je gisteren door de telefoon al zei: dit wordt mijn eennalaatste mail. Volgende week op Koninginnedag sluiten we de correspondentie af en daarna moet je het lekker alleen doen.

En dat kan je best. Je woont nu in Brussel, daar kan je alle Nederlandse dag- en weekbladen krijgen, Nederland 1 & 2 zitten daar op de kabel, kortom: aan de slag.

Je kan daar geen RTL, SBS en Veronica ontvangen en dat is misschien maar goed ook. Zou je als toekomstige koningin namelijk een keer die shit zien, dan vlucht je waarschijnlijk krijsend richting Buenos Aires. Met zo'n debiel land wil je niks te maken hebben. Wel jammer dat in Brussel Nederland 3 niet te ontvangen is. Op die manier mis je *Nova* en *Den Haag Vandaag*. Dat laatste programma is voor jou toch wel belangrijk. Kan je vast een beetje wennen aan Kok, Dijkstal en Melkert, die onder leiding van de charismatische Jeltje knetterdiscussies op het scherp van de snede voeren.

Thommie de Graaf noemde ik expres even niet, daar ik ervan uitga dat je precies weet hoe deze bonte troonknaagkever eruit ziet. Merk dat zijn opgeworpen balletje vrolijk doorstuitert. Het blijft een lekker onderwerp in voetbalkantines, krantenkolommen en op verjaardagen.

En het moet gezegd: de meesten zijn het toch wel met hem eens. Ik ben bang dat Trix, of ze het leuk vindt of niet, zich toch moet gaan neerleggen bij de rol van lintjesknipster. En meer niet.

Jouw Alex heeft al eens gezegd dat hij voor zo'n rol past en volgens mij heeft hij ook gezegd dat wat hem betreft de liefde voor de troon gaat. Kortom: is het geen mooi moment om afscheid te nemen? Want de liefde heeft ook nog wel wat voeten in de aarde. Begreep dat Rehwinkel in het geval van een huwelijk toch even de doopceel van je vader wil lichten. En dat lijkt me terecht. Jij kan er niks aan doen en jij hebt uiteraard niks te maken met de misdaden van je oude heer, maar we hoeven natuurlijk niet naar hem te wuiven. We mogen op zijn minst weten hoe kleverig zijn handjes zijn.

Daarbij is er nog iets anders: stel dat jij en Alex kleine prinsjes en prinsesjes krijgen en die gaan een keer bij opa en oma in Argentinië logeren, dan is er toch een kans dat ze op een middag met opa naar de ijscoman gaan en langs de Dwaze Moeders komen. Als ze dan vragen wat die mevrouwen daar doen, wat antwoordt opa dan? En als de kinderen iets ouder zijn en een beetje doorvragen? Wat zegt opa dan tegen de toekomstige koning of koningin? Een beetje kleinkind gelooft zijn grootvader, welke onzin hij ook verkoopt. Kortom: het wordt nog knap ingewikkeld en ik zou me best kunnen voorstellen dat die aardige Alexander op een goede dag zegt: 'Voor mij een ander'. En dat hij met jou naar New York vertrekt en een heerlijk anoniem leven gaat leiden. Een leven als een prins. Voor mij heeft hij gelijk.

Belde je gisteren vanuit het jou zo vertrouwde New York. Ik was daar even frisse lucht happen en ik proefde de heimwee in je vragen. En terecht. Zelf heb ik in een week de marathon gelopen, zij het in mijn eigen tempo en uiteraard mijn eigen route. Blaren op mijn ogen van het kijken. En die stad heb jij ingeruild voor een Nederlandse poppenkast? En dan nog een glazen poppenkast ook. Je lijkt wel gek. Natuurlijk gaat de liefde boven alles en heeft elk huwelijk zijn prijs, maar deze beker is wel heel kostbaar. Je vrijheid lieverd. Waar staat het vrijheidsbeeld? Precies! En jij gaat New York inruilen voor het suffe Den Haag! Denk toch na.

Heb de hele week aan je gedacht en ik had je plat willen mailen, maar ik hield me in. Maar misschien bedenk je je nog en vindt er deze Pasen nog een goed gesprek plaats. We hebben het er donderdag wel over. Dan zie ik je toch met tante Irene in het Dolfinarium? Als zij met Flipper keuvelt, praten wij met elkaar.

Koninginnedag

Mijn laatste mailtje. Ik weet dat je vandaag in het huis van Alex naar de televisie zit te loeren en waarschijnlijk vraag je je af: 'Gaat dit elk jaar zo?' Ja lieverd, dit gaat elk jaar zo en zal nog jaren zo gaan. Haringkaken, polkaprikken en bijenbeffen. Alex en zijn broertjes hebben een aantal jaren geleden al eens laten weten dat ze er vanaf willen, maar toen hebben Trix en oom Eef Brouwers de muitende prinsen snerpend teruggefloten.

Claus is slimmer: die meldt zich gewoon ziek. Waarom nemen ze eigenlijk niet een paar Koninginnedagen tegelijk op? Je bouwt een leuk decor in bijvoorbeeld Aalsmeer, stort de studio vol met een gemiddeld Ron Brandstederpubliek en draaien maar. Na twee uurtjes moet de familie zich verkleden, wordt het decor van de Leidse Pieterskerk vervangen door de Martinitoren of de Zierikzeese Waterpoort en daar gaan we weer. Dat doen ze bij andere amusementsprogramma's ook. Showbizzcity lijkt me een prima plek. Staat toch bijna altijd leeg.

Ik vond Lex zijn verjaardag hartstikke leuk. Je vond het accent van Alex zijn vriendin zo raar. Maar dat ís ook raar, lieverd. Dat is het Leidse corpsballentaaltje. En zeker na een paar biertjes (nooit *pilsjes* zeggen!) worden ze redelijk onverstaanbaar. Het is voor je inburgering wel belangrijk om te weten dat je aanstaande schoonmoeder en Alex geen gangbaar Nederlands spreken. Wij noemen dit gewoon bekakt. Zoek een leraar in Haarlem, daar spreken ze het beste Nederlands. Ik zag tijdens het etentje dat heel veel namen je niks zeiden. Toon Hermans leg ik niet meer uit. Ik maak binnenkort een bijspijkerband voor je en die gaan we samen bekijken. Ik zet daar zijn leukste stukken op. De eerste band duurt minstens veertig uur.

We hadden het ook over dokter Van den Hoogenband. Dat is de clubarts van PSV en hij heeft de duurste particuliere patiënt, maar volgens mij moet hij gauw naar een bijscholingscursus. Het is zielig voor die aardige Ruud, maar wat zullen ze schateren in Manchester. Die Van den Hoogenband heeft ook doelman Waterreus nog eens laten doorspelen met een zware hersenschudding. De Nederlandse clubartsen staan internationaal toch al niet zo hoog aangeschreven. Kanu kan daar goed over meepraten. Je vroeg wie lintjesweigeraar Campert is? Hij is de meest ontroerende schrijver van ons land. Je moet minimaal drie boeken van hem gelezen hebben en vergeet zijn poëzie niet. Zijn weigering was een lelijke domper voor Trix. Ze zit wat haar werk betreft toch al in een dipje, maar ze moet maar denken aan Jan Kal*ff*, de grote baas van ABN Amro. Die heeft het pas echt zwaar. Zijn bankje sponsort niet alleen de zieltogende *tob*club Ajax, het begeleidde ook de malversaties van *Dirty Nina*! Heb je hem gezien op zijn laatste persconferentie? Hij was aandoenlijk. De pers geloofde hem niet, de WOL-aandeelhouders geloofden hem zeker niet en hij geloofde zichzelf helemaal niet. Hij wist al dat hij maar een beetje uit zijn nek zat te kletsen. En hij moest ook nog op zijn woorden letten, want namens de tegenpartij zaten de beste en duurste advocaten van Nederland mee te luisteren. Hoe lang kunnen ze die nog betalen? Het aandeeltje is namelijk nog maar amper tien euro waard en de euro is volgende week pakweg drie kwartjes. Er vallen vooral onder het gewone volk heel veel slachtoffers.

Een van de wachters van je eigen Alex had ook zijn laatste Douwe Egbertspunten omgezet in El Nina en je zag wat er gebeurde toen hij de laatste koers hoorde: hij ging van zijn graat.

Het leukste van Kal*ff* was dat hij het had over mensen die te vlug te veel geld wilden verdienen. Dat klonk zo onbedaarlijk komisch uit de mond van een bankman. Toon Hermans was nog niet overleden of zijn opvolger greep zijn kans!

Hoop dat je het redt zonder mij, maar je weet me te vinden. Denk goed na over je leven en je weet: het is eenmalig. Dus weet wat je doet! Zie je woensdag bij Falstaff, de mooiste kroeg van jouw nieuwe stad. Daarna gaan we onstuimig oesters eten bij Scheltema. Hou van je!

Andalusië

Eenzaam zwervend door Andalusië loer ik tussendoor nog wel eens op mijn computertje in de hoop een lief mailtje van thuis in mijn Outlook postvakje te vinden. Iets met I love you of zo, maar tot nu toe vind ik helemaal niets. Ik ben totaal vergeten. Gewone huis-, tuin- en keukenmededelingen. Ik wandel op internet voorzichtig door wat Nederlandse kranten en lees over een slipje met pincode. Volgens de firma is het tegen aanranding en verkrachting. Domme gedachte. Wat is er nou lekkerder voor een verkrachter dan je slachtoffer eerst haar pincode afhandig te maken? Da's toch veel leuker dan in één keer die slip van die benen stropen. Nu moet je er tenminste nog iets voor doen. Als het ook nog een beetje lekker nummer is ben ik helemaal niet meer te houden. Ik heb lang niet verkracht, maar ik ga mijn oude hobby toch weer eens oppakken. Ben alleen zo bang dat de alarmslip uitsluitend gedragen gaat worden door vrouwen met wie ik niks wil.

Of het leuk is om als *Bekende Nederlander* door Spanje te slenteren? Hartstikke leuk. Vooral het grote aantal landgenoten dat meldt: 'We hebben u herkend, maar vallen u niet lastig!' Een regel waar ik toch telkens weer even over na moet denken. Sinds de begrafenis van Toon Hermans kan het me allemaal niks meer schelen. Ik was zeer vereerd dat de familie Hermans mij had uitgenodigd om met hen afscheid te nemen van mijn grote voorbeeld. Ik maakte op deze besloten plechtigheid een diepe buiging naar het graf van de overleden clown en liep, een beetje verdrietig en in gedachten verzonken, richting de uitgang van het verder geheel afgesloten kerkhof. Twintig meter van het graf schrok ik me helemaal het leplazarus. Zomaar opeens werd ik besprongen door een heel eng, vies mannetje in een morsig grijs truitje. Hij wilde mij wat vragen.

'Waar bent u van?' vroeg ik en gokte onderhand op een van de roddelbladen. Hij was van *De Telegraaf*. Ik was verbijsterd. Aan het feit dat ze me fotograferen en filmen bij de ingang ben ik gewend, maar aan het nieuwe gegeven dat een 'journalist' verkleed als zerk mij bespringt, moet ik nog even wennen. De volgende dag toch maar even de hoofdredacteur gebeld met de vraag waar ik nog veilig ben. Meneer Olde Kalter vertelde mij dat ik nergens veilig ben. Meneer Hermans was bekend, u bent bekend, dus dan kunt u verwachten dat we u op twintig meter van het vers gedolven graf een paar vragen willen stellen. Dat hoort erbij. Ik zal mij hierbij neer moeten leggen. Wel leuk om in diezelfde krant te lezen dat *Toon zijn publiek en het hele leven zo respecteerde en dat hij daarom zo groot was*. Maar de gluipkop Johan Olde Kalter stuurt er wel een grafschenner op af om het verdriet van de familie en vrienden van Toon te meten. Die Olde Kalter gun je niet alleen een computervirus, maar iets veel ergers. En als hij eraan bezwijkt, kom ik tijdens de begrafenis op een zerk zitten lallen. Ik ga ervan uit dat de familie Olde Kalter dan niet gekwetst of verbaasd is. Had Johan maar geen hoofdredacteur van *De Telegraaf* moeten worden. Waarschijnlijk is zijn familie niet eens verdrietig. Gewoon opgelucht en blij dat ze van deze lul af zijn.

Merk trouwens dat ik hier in Andalusië nog veel aan Toon moet denken. Uiteindelijk had hij hier ook een nummer over. Waarover niet.

Over humor gesproken: mijn vrouw vertelde dat op Goede Vrijdag de Matthäus Passion in de Grote Kerk van Naarden werd stilgelegd omdat bij een proleet zijn mobiele telefoon afging. Ik moest daar erg om lachen, maar de bedrijfsleider van het Albert Heijn-filiaal in Lelystad, die op 4 mei 's avonds gewoon open wilde blijven, wint het van iedereen. Toch heeft hij gelijk. Als je tijdens de twee minuten stilte bedenkt dat je nog biscuitjes moet halen, is het toch handig als de supermarkt nog tot negen uur geopend is. Misschien een leuk idee om meteen maar weer eens blik jodenkoeken in huis te halen. Ik blijf nog even zwerven.

Solonat

Terwijl ik dit schrijf, liggen er tweeënvijftig uitgeputte kinderen boven mijn hoofd te slapen. Ik ben namelijk met mijn zoon mee op schoolreis.

Dus ik leef een paar dagen in de ontwapenende wereld van hutten bouwen, speurtochten, kampvuur, patat, heimwee, waterijs, slaapzakken en de veel te bonte avond. Ik deel een slaapkamer met drie jonge moeders en voel me heel even een echte Heyboer. De jeugdherberg ligt in een fantastisch bos en uiteraard heb ik een tijdje met de aardige beheerder staan babbelen. Elke week een andere groep over de vloer. Hij vertelde over Solonat. Dat is een vereniging van 'naturisten zonder relatie'. Of met een relatie die thuis de broek aan heeft en ook graag aan wil houden. De vieze naam *Solonat* is niet door mij verzonnen. Zo heet die club echt. 'Waar is je vrouw?' 'Een weekendje naar Solonat.'

Het verhaal van de beheerder ging over een warme Pinksteren met tachtig blootkonten in het bos. Daaromheen dwarrelden keurige Gelderse gezinnen aan de zondagmiddagwandel. Ik zie hier vooral brandnetels en heb een eigen beeld van dit weekendje. *Solojeuk*.

Tijdens zo'n kamp gaat er veel langs je heen. Geen televisie, dus ook geen Barcelona. Geen journaal, dus ook geen Sierra Leone. En geen NRC. Las in een andere krant wel iets over *Nike* en *Adidas*.

Deze topsportmerken zouden allerhande achterstandsnegertjes in arme bamboerimboelanden uitbuiten.

Ze laten kinderen onder de meest erbarmelijke omstandigheden rijgen, lijmen en vooral stikken. Maar gelooft u dat? Ik niet. Voor de zekerheid heb ik even gebeld met de negers Kluivert, Davids en Seedorf en zij zeggen dat het absoluut niet waar is. Ze werken alle drie voor die firma's. Patrick heeft het over een luizenbaantje, Edgar vertelt dat hij zich alleen maar op die dingen hoeft voort te bewegen en Clarence mag zelfs naast zijn schoenen sjouwen. En dat verhaal over dat slechte betalen is ook niet waar. 'Integendeel', lieten zij weten. 'Ze betalen miljoenen.'

Ondertussen verblijf ik in een kamp, waarin vijftig van de tweeënvijftig kinderen op dit soort merkschoenen lopen. Die zijn *vet cool*. Op gewone stappers tel je niet mee. Moet je tienjarigen al lastigvallen met de harde werkelijkheid? Moet je ze nu al vertellen dat ze die schoenen eigenlijk niet kunnen dragen, omdat ze gemaakt worden door hongerzieltjes van hun leeftijd? Volgens mij niet. Ik hou mijn kinderen graag lang dom. In mijn geval is dat niet zo moeilijk. Of moet je ze meteen bij de eerste de beste rekenles al uitleggen hoe je bij de bouw van een spoortunnel de overheid voor tachtig miljoen kunt naaien? Andere vraag is: mag je als volwassene op *Nike* lopen? Lijkt me een zinloze discussie. Het zal ons toch allemaal jeuken hoe die schoenen gemaakt worden, zolang ze maar te betalen zijn! Maakten ze ski's, dan gingen we op Nikes skiën in Oostenrijk. Toch wordt het tijd voor een stevige hongerlandenopstand. Niet dat ik voor het uitmoorden van blanke boeren in Zimbabwe ben, laat staan dat ik vind dat je in je armoede westerse toeristen moet gijzelen, maar ik snap ze wel. Op uitnodiging van de directeur bezocht ik ooit in het Keniase Mombassa de Bic-balpennenfabriek en zelden ben ik zo geschokt geweest. Voor drie kwartjes per dag zaten honderden mensen onder erbarmelijke omstandigheden pennen in elkaar te knutselen. Met geen balpen te beschrijven. De fabriek was in die jaren in handen van het Nederlandse Hagemeijer.

Ik nam me voor om nooit, maar dan ook nooit meer met de meest gekauwde pen ter wereld te schrijven. Tot gisteren heb ik het volgehouden. Tot ik met mijn zoon meeging op schoolreisje.

Ik kan op dit moment namelijk geen enkele andere pen vinden. Ik kan kiezen uit een bot potlood, een pluizige viltstift of zo'n heerlijke Bic. Of moet ik nu heel principieel tweeënvijftig kinderen wakker gaan maken? 'Hallo wakker worden! Wie heeft er voor mij een politiek correcte pen?' Ik had deze plek in de krant natuurlijk ook leeg kunnen laten. Mooi principieel protest! Maar wat dan? Dan had hier een advertentie van *Nike* of *Adidas* gestaan!

Sofietje

In de loop van donderdagavond zakte Enschede op Tele-tekst naar de derde plaats. De eerste twee plekken werden ingenomen door prins Bernhard. Vreemd? Ja! De prins is volgens mij gewoon een 88-jarige bejaarde die doodgaat! Dat doen bejaarden! Zeker als ze 88 zijn.

Het is verdrietig voor de nabestaanden, maar verder is er niks tragisch aan. Als ik hoofdredacteur van het NOS-journaal was, zou ik dan ook volstaan met een korte mededeling: De koningin en haar zusjes zijn op bezoek in het ziekenhuis in verband met de toestand van hun oude vader. Punt. En dat alles respectvol, zonder beelden. Maar nee hoor: er post iemand bij het hospitaal om de auto van schoonzoon Van Vollenhoven te spotten! Zelfs *Nova* had er iemand neergezet. Koningin Beatrix moest via een achteruitgang het ziekenhuis verlaten om een camera van het voormalige instituut NOS-Journaal te ontlopen. Gelukkig valt er ook nog wat te lachen. Er werd namelijk bloedserieus overgeschakeld naar Den Haag en daar vertelde een meneer dat daar tot nu toe alles rustig was. Wat denken ze bij het Journaal? Dat na het overlijden van de prins er een sfeer van totale verslagenheid heerst? Dat de regering wankelt? Staatsgreep? En dan hebben we natuurlijk Maartje. Zij is een komisch nummer op zich. Haar peuterjuffentoontje is onweerstaanbaar grappig. Toen ze op Koninginnedag vertelde dat Claus er niet bij was omdat hij problemen beneden had, vroegen wij ons onmiddellijk af waarom ze daar niet aan toevoegde dat Juliana verstek liet gaan omdat zij problemen boven had. Afgelopen donderdagavond sloeg haar gesprek met Noraly Beyer werkelijk alles. Ze ging uitleggen wat er gebeurt bij een attaque. Alsof ze een crèche geestelijk gehandicapte fröbelaartjes toesprak. Ik hoop niet dat ze het ooit aan Philip Freriks uit hoeft te leggen. Een attaque begint namelijk vaak met verward spreken, onsamenhangende zinnen en raar hakkelen. Lijkt me knap schrikken voor Philip. Gistermiddag mocht ze in het Journaal vertellen wie er allemaal bij de zieke prins op bezoek zijn geweest en wie er 's middags nog verwacht werden. Wat een baan! Misschien is prins Bernhard, op het moment dat dit stukje in de krant staat, al overleden. Hij schopt daarmee het hele staatsbezoek van de Japanse keizer in de war. Mooie laatste verzetsdaad. Als dat staatsbezoek doorgaat, hebben we toch niet de gore moed om de keizer een vuurwerkje aan te bieden? Ik bedoel dit niet uit piëteit met Hiroshima, maar met ons eigen Enschede! Wie durft in die gemeente de komende jaarwisseling nog een pijl af te steken? Wie durft in die contreien ooit nog het bordje 'Vuurwerk' op zijn pui te spijkeren? Op dit ogenblik doolt een van de twee eigenaren van de opslagplaats ergens door Nederland en moet een moment vinden om zich te melden. Dan mag hij samen met zijn reeds aangehouden vriend uitleggen welke regels ze allemaal aan hun laars hebben gelapt. Ik zou me verhangen. Opblazen uit solidariteit met de slachtoffers lijkt me beter. Ook leuk dat minister Borst juist deze week een algeheel rookverbod op de werkplek afkondigde. Goed gekozen moment. Hoeveel Twentse ambtenaren hebben op dit moment wroeging? Waarom worden er altijd grappen gemaakt over tukkende ambtenaren? Tukkers dus. Vuurwerk in zeecontainers in een woonwijk! Welke debiel bedenkt het? Volgens mij moeten we Maartje naar Enschede sturen en dan moet zij op haar hurkniveau uitleggen wat daar de gevolgen van kunnen zijn. De naam Helder van de loco-burgemeester verzin je trouwens niet. En de naam Mans klinkt ook opeens heel anders. In de vuurwerkbranche heet de een Pater en de ander Kapel. Dat zijn namen die in dit geval wel kloppen. Vindt u het erg dat ik in de schaduw van het zeecontainerverhaal in de lach schoot toen mijn elfjarige dochtertje deze week een brief van de overheid kreeg, waarin haar sofinummer vermeld werd? Nou werkt de lieverd al drie jaar. Zwart nog wel. Krantenwijkje. Dus ook de krant met het nieuws dat de vuurwerkexplosie vooral Turkse gezinnen heeft getroffen. En de krant die meldt dat Turken na de overwinning van Galatasaray tot diep in de nacht feestvierden. Met vuurwerk.

Rampgrappen

Niet verzonnen: in Limburg is een sportclub van kanker-patiënten, die een uitvaartverzekeraar als sponsor heeft. Humor? Ik vind van wel! Ook niet verzonnen: door Enschede loopt een pyromaan. Humor? Ik vind van niet. Deze zieke geest moet afgemaakt worden. Hoe? Op de Markt van Enschede met een grote vuurwerkbom in zijn hol. Wel verzonnen: burgemeester Mans van Enschede is ingestort. Hoezo? Een burn out! Humor? Ja.

Mag je eigenlijk grappen maken over Enschede? In Enschede zullen ze daar op dit moment anders over denken dan in de rest van ons land. Het toeval wil dat ik ooit een serie Bijlmerrampgrapjes in café *De Kater* in Enschede hoorde. Best leuke grappen trouwens. En een vrolijke neger vertelde mij, na de ramp bij Zeebrugge, een dozijn veerbootmopjes. Paar jaar later landde er bij diezelfde Surinamer bijna een Boeing op zijn huis. Daarover heb ik hem nooit een mop horen tappen. Logisch. Waarom het goed is dat er rampgrappen worden gemaakt? Omdat ze opluchten, bevrijden en de boel weer een beetje relativeren. Waar ikzelf om lach? Dat wisselt. Ik merk dat ik de laatste tijd meer om gewone mensen lach dan om komieken. Zo heb ik een keer een mevrouw bloedserieus over zebrapaden voor overstekende padden horen praten. 'Zebrapadden' dus. Zo'n sketch kan ik tien keer terughoren. Een beursmeneer uit Abcoude legde mij een keer alle smerige oplichterstruc-jes op de Amsterdamse effectenbeurs uit, waarna hij zich in hetzelfde gesprek beklaagde dat er in zijn villawijkje zoveel werd ingebroken. De wereld werd steeds crimineler.

Soms moet ik zo hard lachen dat ik de auto langs de kant moet zetten. Het komt meestal door radioberichten. Lang was het me niet meer gebeurd, maar vorige week vrijdag heb ik ruim een halfuur stilgestaan. Gierend! Proestend! Bulderend! Mijn kinderen smeekten me om door te rijden, maar het ging echt niet. Het kwam door het Luxemburgse gijzelingsdrama, die gek in die kleuterschool. Om die zaak zelf moest ik niet lachen, maar wel om de reactie van de Nederlandse Vereniging van Fotojournalisten. Dit clubje heeft officieel geprotesteerd tegen deze gang van zaken omdat hun beroep in diskrediet zou zijn gebracht. Op de radio hoorde ik woordvoerster Irene Konings, die het protest toelichtte. Haar verhaal kwam erop neer dat het een schande was dat een politieman zich als persfotograaf had vermomd en de psychopaat had neergeschoten. 'Vanaf nu kan elke persfotograaf een verklede politieman zijn en dat is heel schadelijk voor het beroep van persfotograaf,' kakelde Irene. Geen woord over de goede afloop van het gijzelingsdrama en de geredde kinderlevens. Ik weet dat we gek worden van onze eigen welvaart en absoluut niet meer weten waar we ons nog echt druk over moeten maken, maar dat deze overconsumptie leidt tot dit soort protesten en dito lulkoek, slaat werkelijk alles. Maar het maakt me wel ontzettend vrolijk. Ik vind het moedig als je zo komisch op de radio durft te zijn. Dit is pas harde humor. Dit gaat veel verder dan een mopje over de door Enschede racende Kluivert en Marco Bakker omdat er geen bebouwde kom is.

En vooral als je een fotograaf vertegenwoordigt, die in

datzelfde Enschede nog even snel een plaatje van een stervende collega schoot. En verkocht. Fotografen leggen alles vast wat verhongert, kapot geschoten is en huilt van verdriet, zonder ook maar een poot uit te steken. En dan protesteren tegen dit soort slimme politieacties? Wat een gotspe! Een vriend van mij is bekende Nederlander, lag kermend in zijn ziekenhuisbed toen er een als verpleger verklede fotograaf een plaatje kwam schieten. Nooit iets over gehoord. Ook van de Bond van Verplegers niet!

Net verzonnen: binnenkort wordt het kind van Irene Konings door een gek gegijzeld en de zwaar gestoorde gijzelnemer vraagt om aandacht van de pers. Ze zal de hoofdcommissaris smeken om een pistooltje tussen de fotografen te stoppen. Maar deze moet weigeren. 'Helaas mevrouw, ik zou het graag willen, maar sinds een voorval in Luxemburg mogen we dat niet meer.' Humor? Ja!! Komische humor zelfs.

Carnaval

Een op de tien Nederlanders is analfabeet. Maar waarom verzamelen zij zich vlak voor een voetbalwedstrijd altijd met zijn allen op het Rembrandtsplein? Hoe maken ze die afspraak? Schriftelijk kan het niet gegaan zijn. We hebben het over types die na de verloren strijd tegen Italië pogingen deden om de plaatselijke pizzabakkers hun eigen oven in te schuiven.

Lang heb ik naar de beelden getuurd, goed heb ik naar de straatinterviews geluisterd en ik heb alleen maar gedacht: bewaar de videobanden van deze weken goed. Hier kan iemand ooit op afstuderen. Wat zeg ik? Promoveren!

Gisteren heb ik bloemstukken laten bezorgen bij Kluivert, Bosvelt, Stam en Frank de Boer. Bij de laatste zelfs twee. Als dank dat Nederland eruit ligt. Natuurlijk had ik ze het kampioenschap gegund, maar als dat gebeurd was, dan was het land werkelijk ontploft van zinloos oranjegenot. Met vele doden en gewonden. En mensen moeten beschermd worden tegen zichzelf. Vooral domme mensen. Ik heb afgelopen weken een paar keer types het stadion binnen zien komen en gedacht: je hebt toch kinderen! Die zien je toch ook zo? Ik zag in mijn simpele gedachten het supporterszoontje over tien jaar snikkend op de sofa van de psychiater!

'Maar wat deed je vader dan?'

'Raar.'

'Hoe raar?'

'Heel raar, dokter. En niet alleen, maar met een grote groep vrienden. Ze hesen zich in vreemde jurken en pakken, mijn vader deed een beha van twee halve voetballen voor en dan verdwenen ze schreeuwend in de auto!' Dat redt een kind toch niet. Als ik nu al zie wie er in mijn omgeving allemaal met een therapeut babbelen, terwijl ze in hun rustige jeugd eigenlijk niks vreemds hebben meegemaakt, dan komt er nu een zwaar getraumatiseerde generatie aan. Dit gedrag van ouders kan niet zonder gevolgen blijven.

Helaas was ik er afgelopen donderdagavond in de Arena niet bij, maar een paar vrienden hebben mij er inmiddels boeiend over verteld. Over de gebroken mannen in de veel te warme leeuwenpakken, die (aan het accent te horen) nog wel een kilometer of honderd in de auto moesten broeien. Niemand durfde ze aan te kijken. Uit angst voor klappen. Dit weekend moet alles van de pui gepulkt. Nou waren het dit jaar niet alleen de analfabete dombo's, die zo raar voor lul liepen. Ook heel veel consumenten van dit stukje, de zogenaamd wat intelligentere NRC-lezers, liepen met een pruikje en beschilderde wangen. Wat is er aan de hand? Waar komt dit rare oranjegedrag vandaan? Mijn zoontje had ook een rits vlaggetjes door de kamer gehangen, maar dat mannetje is negen. Ik heb het nu over grote mensen, de kinderen al lang het huis uit en er dan toch heel raar uitzien. Waarom? Voor wie doe je het?

Onlangs waren mijn vrouw en ik op een Goois feestje en daar kirde een geheel in het oranje gehulde villabewoonster op overspannen overgangstoon: 'Ik ben helemaal in de voetbal.' Om vervolgens te melden dat ze de wedstrijd van gisteren, die tussen de Turken en de Engelsen, tot nu toe de leukste match had gevonden. Wij zwegen en verbeterden haar niet. Juist niet. Later op de avond hoorden wij haar ook tegen anderen babbelen over de wedstrijd Turkije-Engeland. Ook toen werd ze niet verbeterd. Waarom niet? Of omdat die mensen net zo gemeen waren als wij en genoten van haar domheid, of omdat ze ook niet wisten dat het de vorige avond Roemenen waren.

Nogmaals, het is goed dat het voorbij is. Mensen liepen echt voor lul. Het land is spiegel- en zelfkritiekloos geworden. Een programma als Villa BvD was leuk omdat er inderdaad uitsluitend over voetbal werd gebabbeld, maar collega Paul de Leeuw moest in Het Huis van Oranje zijn publiek herhaaldelijk verzoeken om niet steeds naar de camera te zwaaien, omdat dat er thuis nogal raar uitzag. De laatste die dat aan zijn publiek moest vragen was Barend Barendse bij Zeskamp. Ik heb het nu over 1963.

En nou maar hopen dat de KNVB Louis niet benoemt. Waarom niet? Omdat ik bang ben dat Louis Nederland echt wereldkampioen maakt. Sterker nog: dat weet ik zeker!

Noordpolen

Een deel van Helmond en Eindhoven wordt een zoge-naamde Kenniswijk. Waarom daar? Omdat het IQ in die hoek van het land nogal laag schijnt te zijn en het wel makkelijk is als de koelkast zelf weet wanneer de melk op is. Die fluistert dan tegen de PC dat hij AH moet bellen en voor je het weet wordt er door een Sony-robothond een pak gebracht. Het geld wordt automatisch van je re-kening afgeschreven en de Airmiles worden automatisch bijgeboekt. Ik werd erg vrolijk toen ik las dat zeer veel Wassenaarse en Blaricumse ouders hun kinderen op een soort vakantiekamp doen. En dan heb ik het niet over een weekje ouderwets zeilen of op een pony zitten, maar het schijnt dat ze tegenwoordig op survival gaan in het Braziliaanse regenwoud en ook het duiken voor de Balinese kust is een enorm succes. Hoe die kakkers aan het geld komen? Dat leg ik zo uit!

Van het lelijke weer geniet ik met volle teugen. Geef mij zeven verregende Duitsers bij een frituurkar op de boulevard en ik ben zielsgelukkig. De handen warmend aan het zakje patatten. Allemaal dezelfde poncho. Of het was een aanbieding of die Duitsers hebben toch een on-uitroeibare hang naar uniformen. Waarschijnlijk logeren ze ergens achter de duinen bij een handige bollenboer die in de schaduw van zijn schuur plek heeft gemaakt voor zes druilerige caravans. In mijn fantasie hebben ze verschrikkelijk werk bij een of andere chemiereus in het Ruhrgebied, wonen ze in zo'n intens droef flatje dat uitkijkt op de autobahn en is dit hun vakantie! Misschien maakt die farmaceut wel Prozac. Ik wou dat ik fotograaf was. Dan zou ik het verwaterde toeristenleed allemaal vastleggen in meedogenloos zwart-wit. En dan het liefst net zo goed als Roel Visser, die het prachtige boek *Hier in Holland* heeft gemaakt. Alle foto's in dit meesterwerk zijn schitterend. Of het nou een protserig huis in Zandvoort, een aan de tieten van een hoer likkende man in de Amsterdamse Bananenbar of een oude nicht op een leerfeest is: ze zijn allemaal even raak. Zelden heb ik onze tijd beter weergegeven gezien en je kan tijdens het doorbladeren twee dingen doen: of heel hard lachen of verschrikkelijk somber worden en een wagonlading antidepressiva bestellen. Daar is die Duitser in die poncho trouwens ook aan toe. Misschien krijgt hij wel personeelskorting.

De caravans waar dat Duitse nylon in slaapt zijn normaal het onderkomen van de illegale Polen, die de bollen moeten pellen. Over illegale Polen gesproken: onlangs raakte ik in discussie met een geboren VVD'er en hij had het over strengere grenscontroles, ander asielbeleid en harder optreden tegen illegalen. Dit alles om ons land leefbaar te houden! Wat mij nou weer opvalt is dat het juist de VVD'ers zijn, die hun dure huizen laten verbouwen door illegale Polen. Ik hoorde vorige week het verhaal over een zeer chique Gooise villa van een in zeer korte tijd veel te rijk geworden jongeman, die voor drie keer niks geheel verbouwd wordt door een busje Polen. 'En we zijn hartstikke goed voor ze', kirde de vrouw van de miljonair, 'want ik kook elke dag voor ze.' Met koken bedoelt ze dat de Tsjechische au pair de pizzakoerier belt. Af en toe heb ik de neiging om in dit hoekje van de krant naam en adres van deze kakkers neer te kalken, maar dat vind ik dan weer zo zielig voor die Polen. Die zijn dan namelijk hun baantje kwijt. En van het geld dat de kakkers op deze manier uitsparen kunnen hun kinderen een week of drie op ijsberenkamp in Antarctica, terwijl voor volgend jaar een weekje traditioneel slachten van walvissen op de Faeröer-eilanden op het programma staat. Onderhand kunnen zij zelf met hun nieuwe partners een paar weken kinderloos werken aan hun nieuwe relatie. Het liefst bij Club Med, hèt oord voor mensen met meer geld dan fantasie. Want dit volk zie je niet in een poncho in de regen, laat staan in een benauwde caravan. Maar ik moet stoppen. De magnetron roept dat hij het koud heeft.

Ochtendmens

Op een onderbreking van tien maanden na woon ik zesentwintig jaar in Amsterdam en al die tijd woon ik naast
verbouwingen. Bij mijn buren wordt altijd gezaagd, getimmerd en geboord. Tien jaar woonde ik op een hele
goedkope zolder op het Singel en daar werd al die tijd zowel links, rechts als onder mij verbouwd. Een handige
Amsterdammer zette zijn zwarte geld om in apparte-
mentjes, die verkocht hij voor veel geld, de nieuwe eigenaar vond de etagemelker een smakeloos type, liet alles
eruit rammen wat de Mercedesrijder erin gezet had en
begon van voor af aan. Deze verbouwing liep financieel
uit de klauw en aan het eind ging de nieuwe eigenaar failliet. De bank verkocht het verbouwde woninkje en inderdaad: de nieuwe bezitter ging de honderd vierkante
meter grachtengordel totaal anders indelen. Waar de vorige eigenaar zou gaan slapen, ging hij wonen en waar ge-
doucht had moeten worden, ging hij koken. Later vertrok ik naar het Oosterpark en daar verbouwde iedereen
chronisch. Een deel liet dat door een officiële aannemer
doen, een ander deel deed het zelf. De werknemers van
de aannemer werkten van zeven tot vier en zij die het zelf
deden klusten van vijf tot elf. Maar ook op zater-, zon- en
feestdagen mochten zij graag doorgaan met elektriek zagen en boren. Toen ik een jaar of wat redelijk stil op de
Hoofdweg woonde, besloot de gemeente het hele blok
drastisch te renoveren. Het ging hier om een paar honderd huizen en het hele project heeft drie jaar geduurd.

Ik heb het niet meegemaakt omdat ik vlak voor de aftrap van deze operatie ben verhuisd naar mijn huidige huis. Dat heb ik met een enorme hoop herrie in twee maanden laten verbouwen en vorig jaar heb ik er wederom een flinke verbouwing tegenaan gegooid. Zonder schaamte tegenover mijn buren, omdat zij een kleine drie jaar met hun pand in de weer waren geweest. Die buren zijn in- middels vertrokken, hebben hun etage voor veel geld verkocht en inderdaad: de nieuwe eigenaar ging het even helemaal anders doen. Er is een kleine acht maanden harder getimmerd dan ooit. Vooral op de muur van mijn slaapkamer. Een van de arbeiders haat mij waarschijnlijk en begon elke ochtend steevast op mijn slaapkamermuur te rammen. De rest van de dag hoorde ik hem elders in de weer. Het schijnt nu klaar te zijn. Dat betekent niet dat het lekker stil is, want de nieuwe buurvrouw heeft drie honden, die hartverscheurend hard janken en blaffen als ze alleen zijn. Ze zijn vaak alleen. Of dit een klaagzang is? Nee, want ik ben een stadsmus en bij een stad hoort nou eenmaal herrie, zij het dat ik als hondenhater funda- menteel anders over dierenliefde denk. Maar op vakan- tie wil ik het graag stil hebben. Ik wil uitslapen en gewekt worden door kwetterende vogeltjes. Ik wil geen hamer horen. Zowel in de Ardennen als in de buurt van Beaune lukte dat van geen kanten. Bij het ene hotel werd vanaf zes uur 's ochtends aan de weg gewerkt en het andere lag naast een houtzagerij. Gisteren heb ik vloekend en tie- rend door de Vaucluse gereden. In de buurt van Orange heb ik het meest afgelegen herbergje van de hele wereld gevonden. Geen buren. Uitsluitend loom grazende koeien zonder bel. Zeven keer ben ik er omheen gelopen en heb de eigenaar uitgehoord of er toevallig niet een NAVO-vliegveld met oefenende F-16's was? Nee! Of hij

511

geen zoon met een drumstel bezat? Nee! Ook geen vroeg stofzuigende kamermeid? Niets van dat al. Geen huisdieren? Echt niet! Er trekt morgenochtend geen oefenende fanfare langs? Nee! Geen verbouwing? Ook geen schilder met een radio? Nee, nee en nog eens nee! Hier ging het gebeuren. Hier ging ik voor het eerst in tien jaar een krater in de dag slapen. Zelden ben ik zo zorgeloos in slaap gevallen als gisteravond en heb ik zo lekker geslapen. Tot vijf uur vanochtend. Toen kwamen er zeven grote trekkers met daarachter supersonische maaimachines en die razen op dit moment oorverdovend rond het hotel.

'Dat is twee keer per jaar', zei de gezellig besnorde eigenaar zojuist. 'Wil meneer koffie?'

Inhoud

UIT: MAJESTEIT

UIT: FAX

UIT: ZATERDAG

COLOFON

166 x Youp werd in het voorjaar van 2001,
in opdracht van Uitgeverij Thomas Rap te Amsterdam,
gedrukt bij Wöhrmann te Zutphen

Omslag en typografie: Volken Beck
Foto's omslag: Bob Bronshoff

© Youp van 't Hek

Deze columns verschenen eerder
in NRC Handelsblad

ISBN 90 6005 677 9

1e druk maart 2001
2e druk mei 2001
3e druk mei 2001
4e druk juni 2001
5e druk juni 2001
6e druk augustus 2001
7e druk september 2001
8e druk september 2001
9e druk november 2001
10e druk december 2001
11e druk januari 2002
12e druk april 2002